U0440762

Walking to the Water's End

Essays by Richard Barnhart on Chinese Painting

行到水穷处

班宗华画史论集

[美] 班宗华 (Richard Barnhart) 著

白谦慎 编　刘晞仪 等译

生活·讀書·新知 三联书店

图书在版编目（CIP）数据

行到水穷处：班宗华画史论集／（美）班宗华（Richard Barnhart）著；白谦慎编；刘晞仪等译．—北京：生活·读书·新知三联书店，2021.10
（开放的艺术史丛书）
ISBN 978－7－108－07246－7

Ⅰ．①行…　Ⅱ．①班…②白…③刘…　Ⅲ．①中国画－绘画史－中国－文集　Ⅳ．①J212.092-53

中国版本图书馆 CIP 数据核字（2021）第 178122 号

开放的艺术史丛书
行到水穷处：班宗华画史论集

丛书主编　尹吉男
责任编辑　杨　乐
装帧设计　蔡立国
封扉设计　李　猛　杜英敏
责任印制　卢　岳　宋　家
出版发行　生活·讀書·新知 三联书店
（北京市东城区美术馆东街 22 号 100010）
网　　址　www.sdxjpc.com
图　　字　01-2017-7670
经　　销　新华书店
印　　刷　北京隆昌伟业印刷有限公司
版　　次　2021 年 10 月北京第 1 版
2021 年 10 月北京第 1 次印刷
开　　本　720 毫米 × 1020 毫米　1/16　印张 24
字　　数　390 千字　图 226 幅
印　　数　0,001－5,000 册
定　　价　98.00 元
（印装查询：01064002715；邮购查询：01084010542）

总　序

主编这套丛书的动机十分朴素。中国艺术史从某种意义上说并不仅仅是中国人的艺术史，或者是中国学者的艺术史。在全球化的背景下，如果我们有全球艺术史的观念，作为具有长线文明史在中国地区所生成的艺术历程，自然是人类文化遗产的一部分。对这份遗产的认识与理解不仅需要中国地区的现代学者的建设性的工作，同时也需要世界其他地区的现代学者的建设性工作。多元化的建设性工作更为重要。实际上，关于中国艺术史最有效的研究性写作既有中文形式，也有英文形式，甚至日文、俄文、法文、德文、朝鲜文等文字形式。不同地区的文化经验和立场对中国艺术史的解读又构成了新的文化遗产。

有关中国艺术史的知识与方法的进展得益于艺术史学者的研究与著述。20世纪完成了中国艺术史学的基本建构。这项建构应该体现在美术考古研究、卷轴画研究、传统绘画理论研究和鉴定研究上。当然，综合性的研究也非常重要。在中国，现代意义的历史学、考古学、人类学、民族学、社会学、美学、宗教学、文学史等学科的建构也为中国艺术史的进展提供了互动性的平台和动力。西方的中国艺术史学把汉学与西方艺术史研究方法完美地结合起来，不断做出新的贡献。中国大陆的中国艺术史学曾经尝试过马克思主义的阶级和社会分析，也是一种很重要的文化经验。文化理论和文化研究的多元方法对艺术史的研究也起到积极的作用。

我选择一些重要的艺术史研究著作，并不是所有的成果与方法处在当今的学术前沿。有些研究的确是近几年推出的重要成果，有些则曾经是当时的前沿性的研究，构成我们现在的知识基础，在当时为我们提供了新的知识与方法。比如，作为丛书第一本的《礼仪中的美术》选编了巫鸿对中国早期和中古美术研究的主要论文31篇；而巫鸿在1989年出版的《武梁祠：中国古代画像艺术的思想性》（*The Wu Liang Shrine: The Ideology of Early Chinese Pictorial Art*）；包华石（Martin Powers）在1991年出版的《早期中国的艺术与政治表达》（*Art and Political Expression in Early China*）；柯律格（Craig Clunas）在1991年出版的《长物志：早期现代中国的物质文化与社会状况》（*Superfluous Things: Material Culture and Social Status in Early Modern China*）；巫鸿在1995年出版的《中国古代美术和建筑中的"纪念碑性"》（*Monumentality in Early Chinese Art and Architecture*）等，都是当时非常重要的著作。像雷德侯（Lothar Ledderose）的《万物：中国艺术中的大规模与模件化生产》（*Ten Thousand Things: Module and Mass Production in Chinese Art*）；乔迅（Jonathan Hay）的《石涛：清初的绘画与现代性》（*Shi-tao: Painting and Modernity in Early Qing China*）；白谦慎的《傅山的世界：十七世纪中国书法的嬗变》（*Fu Shan's World: The Transformation of Chinese Calligraphy in the Seventeenth Century*）；杨晓能的《另一种古史：青铜器上的纹饰、徽识与图形刻划解读》（*Reflections of Early China: Décor, Pictographs, and Pictorial Inscriptions*）等都是2000年以来出版的著作。中国大陆地区和港澳台地区的中国学者的重要著作也会陆续选编到这套丛书中。

除此之外，作为我个人的兴趣，对中国艺术史的现代知识系统生成的途径和条件以及知识生成的合法性也必须予以关注。那些艺术史的重要著述无疑都是研究这一领域的最好范本，从中可以比较和借鉴不同文化背景下的不同方式所产生的极其出色的艺术史写作，反思我们共同的知识成果。

视觉文化与图像文化的重要性在中国历史上已经多次显示出来。这一现象也显著地反映在西方文化史的发展过程中。中国的"五四"以来的新文化运动是以文字为核心的，而缺少同样理念的图像与视觉的新文化与之互动。从这个意义上说，这套丛书不完全是提供给那些倾心于中国艺术史的人们去阅读的，同时也是提供给热爱文化史的人们备览的。

我唯一希望我们的编辑和译介工作具有最朴素的意义。

尹吉男

2005年4月17日

于花家地西里书室

目录

元明绘画研究

中国艺术的外来影响研究

作者自序

重读我将近五十年来的学术论文选集，有些像检视我的生平。很多地方我希望当初做得不一样，或做得更好，也有几处觉得十分遗憾。无论如何，数十年来我受惠于同仁的意见，从20世纪50年代开始研究艺术和艺术史，从师长、同事和学生学得许多，谨此致谢。

这里收录的论文中，最早一篇写于1970年，但不是我发表的第一篇论文。我的第一篇论文刊登于1964年，当时我还是普林斯顿大学方闻教授指导下的研究生。方教授喜欢让尚未成熟的学生发表短文，席克曼（Laurence Sickman）先生也愿意将其纳入他编辑的期刊*Archives of the Chinese Art Society of America*，因为两人都想进一步推动中国书法研究。《卫夫人〈笔阵图〉和早期书法文献》（"Wei Fu-jen's *Pi Chen T'u* and the Early Texts on Calligraphy"）是少作，不必让五十年后中国的有识之士劳神。

撰写《传巨然〈雪景图〉》研究时，中美双方尚处于互不信任的阶段。我们在西方收不到中国的学术信息，大多数人也还不清楚中国的收藏，因此我对中国画还有很多不知道的地方。比方说，王诜的作品在美国鲜为人知，而冯觐的画风又属于王诜的直接传派，因此当我试图建立《雪景图》和冯觐的关系时，便无法说清其间的主要关联，结果不但没能确立此画作于13世纪早期之说，反而减少了它展出的机会，从那时起它便很少被发表，甚至很少被提及。我现在认为此画不会晚于1264年，即理宗在位的最后一年，仍可代表我1970年提出的李成——冯觐——曹知白的风格传统。我怀疑现存的这幅画作可能是南宋朝廷的官方临本。画上有“缉熙殿宝”印，缉熙殿是理宗的一处殿宇，当为可靠的下限。此画似乎保存了早期原作的构图，但欠缺宋代山水画杰作的微妙笔墨。有些学者，例如高居翰，认为它是元代仿本。这可能是我研究早期宋画的宋代仿本的第一个入手点，虽然当时没有意识到。我不知道冯觐是不是唯一可能有山水画传世的宦官，即使有，也不会多。他的身份也帮助我们了解为何培养他并掌管宫中艺术制作的内廷可能会费心保存他的作品。

我早年对高桐院所藏旧传吴道子所作山水对轴的研究，是我了解李唐画的初步尝试。当时研究宋画的美国学者大多关注他相当博杂的作品，见于中国台北故宫博物院和日本、美国的公私收藏。我的论文发表多年后，罗杰斯（Howard Rogers）提出质疑。我认为二轴原为一幅大画的两个残幅，并置时构图可比对台北故宫博物院所藏李唐作于1124年的《万壑松风图》。罗杰斯认为二轴是典型的两侧辅佐画，用以衬托居中的主要作品，二轴构图并没有直接关联。他的论文为两侧辅佐画提供了非常有用的资讯（Howard Rogers, "Lives of the Painters: Hsia Kuei," in *Kaikodo Journal*, Spring, 2000, pp. 51-71）。但无论原来如何安置，重要的是，按传统置于两幅李唐画之间的吴道子观音像和两幅山水不是同一制作，而且后者明确显示由夏至冬的季节变换，可推测二轴一般是如此陈列的。我现在认为甚至更可能原有四轴，只有其二存留于高桐院。至于高桐院山水双轴的作者这个大问题，我一开始当作李唐研究，其所谓名款，仍依稀可见悬于夏景图一株松树的枝杈下，但后来经过进一步了解，我认为它们应是梁楷、牧溪和温日观时的晚期宋画。我仍视其为最优秀的宋画，一个璀璨王朝覆灭前不知何人的杰作。在那篇论文里，我也思考书法和绘画在结构上的类似，用李唐的作品推敲各种画风与篆、隶、楷、行、草各体书风的对应。这个刻板的程序化想法很快就被扬弃。画家一向有多样风格，从正式到随意，但不必比诸不同的书体。

我对姚彦卿的研究以其印章为基础。在此之前，学者以为姚彦卿和姚廷美是两人，一为职业画家，另一为业余文人，但其印鉴证明实为同一人。这个改正也让我重新思考当时流行的看法，以为职业画家和文人画家的风格截然不同，且必定如此，因为两者的社会地位悬殊。虽然否定这个假设的证据越来越多，但似乎仍有人不接受新论点的某些部分，例如周汝式最近宣称波士顿美术馆的姚彦卿画上的名款是后人添的，画其实绘于宋代（Ju-hsi Chou, *Silent Poetry: Chinese Paintings from the collection of the Cleveland Museum of Art*, Cleveland, 2015, p. 146）。事实上，没有迹象显示书款为姚彦卿之外的任何人所为，画也不是宋代的。在一幅宋画上伪造元代小名家的款，使其成为次要的元画，有任何这样的例子吗？无论如何，从风格分析可确知波士顿和克利夫兰的两幅画出于一手，二者相异处就是我先前讨论李唐画时指出的。

我注意到17世纪画家陈嘉言，是因为发现Kimbell博物馆所藏他一幅画上的题跋和当时一般对他的生卒年的设想不符。我由此改正他作品的年份和他的生卒年，从而探讨他的艺术特质。他的画从20世纪70年代开始逐渐出现较多，验证了我改正的生卒年和作品纪年。周汝式曾指出我将他与在崇明岛教授《春秋》经的另一位陈嘉言误为一人（Ju-hsi Chou, *Journeys on Paper and Silk: The Roy and Marilyn Papp Collection of Chinese Painting*, Phoenix, 1998, pp. 64-67）。

撰写《山水画中的人物》是因为我热爱宋代山水画，而且喜欢仔细看，画中总有更多可看可想的。在此向周汝式致谢，我读了他对传巨然《秋山问道图》的分析后，从他指出我过去忽略的一些细节，才真正了解这幅画（Ju-hsi Chou, *Silent Poetry*, Cleveland, 2015, pp. 1-10）。

高克明是中国艺术史上的一个谜，没有留下一件真迹。我在研究顾洛阜旧藏、现归大都会博物馆的长卷时，曾希望能多了解这位历史人物，但最多只能追溯到南宋晚期，也就是根据他已佚原作仿制的大都会藏品的可能绘制时间。真正的高克明仍遥远如昔。

《闪耀之河：宋画中的潇湘八景》一文探讨以潇湘八景为主题的中国画和日本画，认为旧传许道宁的有邻馆手卷《秋山萧寺图》直接反映“潇湘八景”画的原创者宋迪的艺术，甚至可能是宋迪真迹。我从这个题材的构图着手，从日本镰仓时代追溯到南宋，发现许多原为潇湘景但后来主题不为人知的例子，画面的结构衍自一基本原型，有相当的持续性。进一步推至北宋，可见有邻馆手卷和台北故宫博物院一幅与之密切相关的残卷，二者都包括《烟寺晚钟》和《平沙落雁》二景，应该是最早的范例，全卷干涩沉郁，是李郭风格的杰作。姜斐德在她以放逐为主题的艺术创作的研究中，似乎大致接受我的定名，其他学者亦同（Alfreda Murck, *Poetry and Painting in Song China: The Subtle Art of Dissent*, Harvard, 2000, pp. 46, 65）。高居翰在他的中国绘画史讲学视频里，不接受我的看法，但《秋山萧寺图》具备北宋画的各种特点，甚至符合郭熙所诋毁的构图样式。我仍认为此画和台北故宫博物院的同类手卷引领我们认识宋迪，甚至可能见到本尊。

我的王诜研究一开始名为“Landscape, ca.1085”，是我对这幅画的创作年代的看法，但后来听取别人意见改为《公元1085年前后的中国山水画》（“Landscape Painting around 1085”），当然比较好。在西方艺术史家对王诜作品众说纷纭的时候，这是我界定宋画里程碑的另一项努力。我根据徽宗朝对两幅名卷的记录，认为没有什么理由怀疑二卷的可靠性，都是真迹。王诜此二卷呈现非常醒目的个人风格，无疑是北宋山水画大师之一。这个看法在中国或许不必说，但对日本、欧洲和美国的读者值得一提。

多年后，当上海博物馆的精品来古根海姆博物馆展览时，我利用这个机会写了一篇短文《三幅宋代山水画》，再次论述徽宗对其收藏的系统性记录、王诜以及当时在西方没有受到应有注意的两幅优美的宋代山水画。

弗利尔美术馆收藏的《溪山独钓图》卷，在1911年弗利尔购藏时定为传范宽，当我1995年指出可能是南宋院画家贾师古的作品时，一般当作明画。现在认为是该馆的宋元画之一。就我所知，卷上的独特记录系统还有待辨认。

我长久以来对明代宫廷和浙派画家很有兴趣，从而出版了一本展览图录和几篇论文，但只有一篇收录于此。《台北故宫博物院典藏的狂邪学派绘画》一文旨在彰显误将明代宫廷画和浙派作品当作宋画这一根深蒂固的陋习。在中国公立收藏里这类错误之多，无疑显示鉴定很早就在根本上出了问题，或许可以早到17世纪。2008年台北故宫博物院自己办的展览《追索浙派》（图录由陈阶晋和赖毓芝合编）突破旧说，对此主题有重要探讨。

在由名家主导，助手、家人、学徒从旁协助的专业画坊里，职业画家的参与程度已多不可知，但从宫廷和独立的职业画家绘制的众多作品，以及现存的零散资料，可推测这类有组织的合做活动可能很普遍。我多年来一直搜集作坊对绘画进行多重仿制和造作异本的证据。许多其他学者，在西方例如雷德侯、高居翰和罗杰斯，对此做过更广泛和重要的研究。我对弗利尔美术馆1998年收藏的一幅画的研究还可以继续做许多次，每一次探讨不同的主题。

以南宋院画为宗的元代画家孙君泽，多年来也是我的兴趣之一。对他的研究使我认为南宋画家与其元代仿效者之间的混淆，可能是后来将明画当作宋画的开端。明代的宫廷和浙派画家对宋画的了解，似乎大多来自元代职业小名家如孙君泽的佳作，很少受惠于真正的宋画。对孙君泽和其他这类元代画家的研究尚在起步阶段，我认为应该继续。如同许多中国绘画研究的基本问题，主要关键是鉴定，而现今学界对鉴定的兴趣不高。当然鉴定本身已不敷人望，一再显示其可靠性尚待商榷。然而回顾艺术史的研究历程，我们从 1900 年开始持续在进步，对宋画里程碑的界定和了解就是一个例子。这归功于资讯的增加和缺陷多得令人气馁的传统鉴定。鉴定虽常受贬斥，但无疑有其一贯的价值，只是我们需要继续努力。

我另一个不赶潮流的研究主题是影响。中日和中欧之间的文化和艺术互动，自然两端都受影响，但我的兴趣，是这些互动在中国艺术上留下的踪迹，从秦始皇到董其昌。董其昌是否影响到利玛窦是互动的另一面，但我无法回答。

我一而再、再而三地回到宋代。《异代宗师》《李源与圆泽》《宋代绘画中的“拟真”实验》和集中其他几篇论文，反映我从 1962 年初见宋画，便一再受其启发。近年来，我回顾从晚清和 1911 年以降中国和世界发生历史性变化的这段时期宋画研究的进展。我们已走过漫长的路，但即使在百年以上的收藏里，尽管广为人知，屡经探讨，仍有尚待发现和辨识的宋画。像端方和弗利尔这些 20 世纪早期的学者、鉴定家和收藏家，不会认出他们去世后新发现的宋画传统。他们一定会诧异这样多他们以为的宋画，后来证明是晚期作品。但我们今天认识的宋画传统，正是他们百年前寻找的对象。

世上有成百上千的人喜爱研究中国深远历史和文化宝藏里的丰硕艺术，我很幸运与他们及前代学者分享这悠久的传统，这是难得的良缘。

班宗华

2016 年 2 月 19 日

刘晞仪　译

译者单位：纽约大都会博物馆

编者序

本书所收班宗华先生论文20篇，由他本人自选。除了少数文章早有中译本外，参与翻译的多为班先生在耶鲁大学培养的博士，他们是黄士珊、赖毓芝、李慧漱、刘和平、刘晞仪、王正华、王仲兰、严守智和我本人。此外，还有四位年轻同道也帮助了我们的翻译，他们是陈霄、华蕾、王明玉、俞乐琦，在此深表感谢。

由于班先生的论文发表于不同时期的不同杂志，部分文章的体例（特别是注释部分）有差异，若要完全统一，颇有困难，希望读者见谅。由于我的中国绘画史素养不够，编辑过程定有疏漏，敬请专家和读者批评指正。

中国大陆和港台关心艺术史的读者对班宗华先生并不陌生。但由于这是他在中国大陆出版的第一部论文集，我想借此机会向读者们介绍一下班先生的生平和他对中国艺术史研究的贡献。

1934年2月4日，班宗华先生在美国宾州的匹兹堡出生，在匹兹堡和周边的两个小镇（Ligonier和Latrobe）长大。他的父亲是钢铁业的工程师，他所从事的行业在二战中和战后的很长一段时间都很蓬勃，所以，虽有大萧条和二战，班先生早年的生活是愉快而又无忧无虑的。他的母亲在大学时学的是表演，终身参加业余的戏剧演出。班先生从少年时就喜欢艺术，1952年高中毕业后，到辛辛那提艺术学院学习绘画。在这个学院的一年中，他的主要兴趣是美术、音乐和文学。除了学习素描和绘画外，他还创作漫画书，并在不同的乐队中吹长号和弹钢琴，参加当地的合唱团。

1953至1956年，班先生在美国陆军服兵役。在此期间，他曾在位于加州的一所陆军语言学校进行一年的汉语强化学习。21 岁抵达日本大阪，随后驻扎在东京和台北。在这些地方，他开始了与东亚接触的经历。1956 年退伍后，到宾州艺术学院学习，直至 1959 年。1960 年 1 月，班先生到匹兹堡大学继续汉语学习，他的老师包括柳亚子先生的哲嗣柳无忌（“班宗华”即柳先生所起）、宋史专家刘子健先生、语言学家梅祖麟先生。此后，班先生转学至斯坦福大学，在那里他师从高友工先生和刘君若先生，并在 1963 年获得文学学士学位。

1962 年春，台北故宫博物院藏中国艺术精华展在旧金山的狄杨博物馆举行，班先生随高友工先生去参观，他被范宽、郭熙、宋徽宗、马远、夏圭、赵孟頫、董其昌等的画作和书法所震撼，当即决定报考研究生院。此后，研究中国绘画成为他终生的事业。

1963 至 1967 年，班先生在普林斯顿大学攻读博士，在方闻（导师）、牟复礼（Fritz Mote）、高友工、陈大端、岛田修二郎等教授的指导下学习。1964 年的夏天，他曾到哈佛大学短暂地跟从罗樾先生（Max Loehr）学习。对于西方的中国艺术史研究领域来说，20 世纪 60 年代是一个令人振奋和充满挑战的时代，虽说个人与个人、机构与机构之间的学术竞争触目可见，学者之间在理解中国绘画史时也产生了巨大歧异，但是，为以后西方的中国艺术史研究奠定下最重要的基础的那些学者，正是在这个时期涌现的。

1967 年，班先生获普林斯顿大学博士学位，并开始在耶鲁大学教书。除了曾在 20 世纪 70 年代后半期到普林斯顿大学任教四年外，班先生的执教生涯都是在耶鲁大学度过的，直至 2000 年退休，退休前为耶鲁大学 John M. Schiff 讲座教授。

班先生对中国绘画史的研究维度很广，从五代绘画到 20 世纪的中国画家，从浙派院体画家到八大山人这样的文人艺术家，他都怀着极大的兴趣去观察和研究，但正如他自己所说，他对“宋代画家那不可比拟的成就抱有最高的兴趣”，他也是国际艺术史学界公认的宋画研究权威。

班先生是一位负责而又严格的老师。记得我在耶鲁大学读书期间，学生们的每一份学期论文，都会有他的批注和评语。凡有同学要参加学术讨论会，他都会亲自主持试讲会，让试讲者听取大家的意见，以做改进。他和博物馆、收藏界、鉴定界保持着密切关系，在研究和教学中始终注重作品本身。我刚到耶鲁大学读书的第一个学期，正值班先生休学术假，他请纽约大都会博物馆的何慕文博士（Maxwell Hearn）为我们上宋元绘画史的课。每个星期五的上午，我和几位同学一起出发，坐火车到纽约，在大都会的库房里看画讨论，回到耶鲁已是晚上七八点钟。开车带着学生访问公私收藏，也是班先生的教学内容之一。我当学生时，他就曾带着我们一起去王季迁先生家和王南屏先生的儿子家看过他们的收藏。

在三十多年的教授生涯中，班先生培养了三十多位研究生，其中绝大多数是博士生。由于美国博士教育的周期通常在6—8年，这个数字在西方中国艺术史领域中是相当可观的。如今他的许多学生都在重要的大学、博物馆和研究机构任职，成为各自领域的中坚。值得注意的是，欧美学界在近年来开始反思过于注重理论话语而出现的一些偏差，“作品”重新回到人们关注的视野。近两年来，梅隆基金会联合数个大博物馆为美国在校中国艺术史博士生举办了一系列仔细检视作品的工作坊，班先生和他的多位学生直接参与了这些工作坊的策划和教学，这也可以被视为对班先生从作品出发的教学和研究方法的肯定。

班先生退休后，和妻子住在美国西北部普吉湾的一个小岛上。在那里，他重拾画笔，每日作画自娱。但他对中国绘画的热爱依然如故：到美国各地的博物馆观看中国绘画，出席学术会议，发表演讲，撰写论文，他还活跃在艺术史学界。除了对中国早期绘画的鉴定问题的持续关注外，近年来他的学术兴趣还涉及欧美收藏中国绘画的早期历史，并开始发表这方面的论文。回首一生，班先生说，他花了33年的时间成长、获取经验、接受教育，在耶鲁大学和普林斯顿大学任教33年，目前他正处在人生的另一个33年轮，享受着退休生活中对艺术和智识的追求。我们衷心祝愿班先生健康长寿，在今后的岁月里继续和读者们分享他研究中国艺术史的心得。

白谦慎

2016年6月12日拜撰于杭州

早期论文选例

传巨然《雪景图》

一

这幅被董其昌（1555—1636）鉴定为10世纪名家巨然所作的优雅的冬景山水【图1】，是最有争议性的早期中国画之一。1955年，李雪曼（Sherman E. Lee）和方闻视其为“巨然或接近巨然风格”的作品，把它放在北宋巨幅山水传统来仔细分析。[1]他们的兴趣主要是绘画结构，他们的目标是大规模的没有作者署名的北宋图像，因此绘画的个人风格和具体鉴定没有受到重视。然而他们的研究可信地呈现出这幅画作为早期，亦即“明代以前”绘画的结构特色，以及它在这些方面和范宽《溪山行旅图》自然相属的关系。

但在1956年，喜龙仁（Osvald Sirén）立即否定此画为北宋绘画，认为它可能是“南宋或元”的作品，而且在其七卷巨作中没有提到它。[2]其他专家或许也和喜龙仁的意见一致。无论如何，数年后的台北故宫博物院在美国展览的112件名作中，没有包括此画。[3]

台北故宫博物院在1959年出版的《故宫名画三百种》中，指出在寻找和评估此画的真确历史特色时所遭遇到的复杂的矛盾。尽管此画被后代最杰出的鉴赏家归在江南大师巨然名下，也被权威的画家及收藏家认同，但比起其他传为巨然的作品，它的风格其实和北方郭熙的《早春图》有较多相似处。因此之故，传统的归属已被排除，目前此画暂时被定为无名氏所作的宋画。[4]

李铸晋在1960年的宋画研究论述中，提出新的而且很有潜在意义的资料。[5]除了沿袭李雪曼和方闻的说法，认为《雪景图》是“巨然或

图 1
佚名
雪景图
（传巨然作品）
台北故宫博物院

相近人士”所作，李铸晋坚定地指出它对李成 / 郭熙派大师曹知白的风格的直接影响。

傅申 1967 年关于巨然绘画的初步研究肯定了此画和曹知白的关联，并进一步确切地展示《雪景图》和巨然画法完全无关。傅申提出关于年代和此图作者的两种可能结果：1.《雪景图》是南宋作品，和李成 / 郭熙传统有关；或是 2. 它由曹知白所画，模仿一幅李成风格画作。[6]

基于对《雪景图》和李 / 郭传统之间的相近性的兴趣，我最近讨论这幅画时，把它定为“一位不知名的李成追随者”所作的北宋早期山水画，它呈现了许多李成风格的特性，并且有可能保存了他的一种构图。[7]

因而，《雪景图》仍有着某种谜似的成分，它可能的创作年代从 10 世纪一直到 14 世纪，它的作者不明，而且它基本的风格特征也被质疑。这样的现代争议和 17 世纪专家之间的意见分歧有着不寻常的相似性。

二

此图上方的题款，正是董其昌鉴定《雪景图》为巨然作品的文字：“巨然雪图。董其昌鉴定。”没有人知道在此前这幅画作的流传历史，因此没有任何早期鉴定的记录，但是这条简短的声明也令其他权威人士感到震惊和疑惑。此图在当时为董其昌的学生王时敏所拥有，而王本人也对这样的判断有疑问。他的反应被另一个疑惑者，也是精明的鉴赏家顾复所记录。顾回想起以下的对话：

> 予与王石谷（王翚）、（顾）维岳弟观于娄东王奉常（王时敏）家。予曰：树枝曲屈，山石卷云，岂巨然法？奉常曰：予心亦屡疑焉。谁居，其李成乎？[8]

顾复对绘画的鉴赏品味大致不受董其昌的影响，这也许和他对于董其昌的前辈对手王世贞的敬仰有关。面对这样一幅优秀的佚名宋代山水画及其对后代名家影响的可能性，这两大批评阵营的反应不足为奇。王世贞认为李成是有史以来最伟大的山水画家，[9] 因此《雪景图》被归属于李成；董其昌认为江南是后期山水画的源头，因此《雪景图》

和巨然有关。

无论如何，顾复相信此图是出于李成或其追随者之手的“妙迹”，而且呼唤出另一位具有米芾的“慧目”和“直笔”的鉴赏家王时敏，出面解决他和董其昌之间的异议。

精明强势的收藏家安岐在18世纪初得到这幅画。他无法抑或不愿反驳董，只简单地留下如此记载：

> 山头从上至下全以焦墨直皴。树多欹曲之势。坡石微用卷云法。与李咸熙（李成）同一眷属。[10]

安岐接着记下董把此画归为巨然，并解说他“必有所由来”。这似乎是护着董而不只是评述。他的著录记载以这样的个人意见结尾：

> 忆甲午岁十二月（1714—1715）余在吴门。时久雪初霁，顾维岳从玉峰携来，与王石谷同观于吴江舟次。

顾维岳是顾复的幼弟，早些年正当顾复认为李成是《雪景图》的作者时，他曾和王翚一起在王时敏家。这样的意见对安岐而言无疑应是相当熟悉的。

因此，在董其昌最亲近和最信任的弟子之间，在他当代的对手和后来的鉴赏家之间，他们都在争辩董其昌对于巨然的鉴定结果是一个错误，《雪景图》其实是属于李成的传统。现在，我们似乎是回到17世纪的前辈所处的氛围：董其昌或顾复？巨然或李成？

三

显然，如果可以找到一个答案，那将会通过17世纪之前唯一确定的立足点，亦即《雪景图》和曹知白之间的联系。

李铸晋已经建立了大致的曹氏风格的发展脉络。[11]学者们一直对此类细致描写寒林的早期作品感兴趣，曹知白1329年的《双松图》和一幅无年款的普林斯顿藏扇面是其最佳代表。[12]此后，他朝向“一个更广阔、更包容”的远景成长，[13]变成一位在1350年创作出刚劲的《群山雪霁》【图2】的巨幅北宋风格的山水画家。介

图 2
曹知白
群山雪霁
1350 年
台北故宫博物院

于这两个粗略界定的风格时期之间的，正是李铸晋所论证的《雪景图》。视觉上的比较更确定了这个关系："构图上，这两图的相似性使人相信他在作画之前已经看过（《雪景图》）。"[14] 傅申表达了一个更强烈的意见："（曹知白的《群山雪霁图》）是根据《雪景图》而来，两者有血缘的关系。"[15]

这两幅画的基本构图十分相似，包括从靠近画心位置泻下的瀑布，黑如蚀刻的树点标示出中景山峰的轮廓，圆柱似的远峰，在淡染水墨之上广泛运用干笔和焦墨，以及一种冷冰冰的优雅姿态。

故宫博物院藏曹知白 1351 年所作无题山水图【图 3】的积累式山块，尤其是细而弯的前景树丛，似乎呈现了《雪景图》的影响。后者甚至比郭熙的松树更接近《雪景图》中的丛树。[16] 以 1350 年和 1351 年的画为证，曹知白的成熟风格乃直接从那无名的冬景山水画而来。

既然《雪景图》被董其昌认为是巨然所作被李铸晋所接受，而曹知白又被董其昌认为发展出了对江南风格的兴趣（此说无疑因《雪景图》新近被归入江南派而被"证实"），如同董其昌曾做过的，李铸晋得出以下结论：

> （曹的风格的改变）是从 1320 年代典型的李郭传统到全然掌握了这个元素的 1350 年左右的董源和巨然传统。[17]

对于这样的论点，很遗憾的是，在董其昌之前从没有人把曹知白和董源或巨然联系起来。相反，整个 16 世纪中的人，甚至包括董最亲近的友人和早期的传记作者们都提到，唯有王维 / 李成 / 郭熙谱系中的画家才是曹知白的范本。[18]

而且，傅申已经在极大程度上澄清了以往对巨然画作与画风的模糊认识。巨然没有任何原作留存，傅申明确指出《雪景图》和巨然风格没有任何相同处，他断定两者"没有关联"。[19]

在这个背景中，巨然的名字全然是独断且不必要的插曲；它呈现的只是董其昌个人的理论和莫名其妙的偏见，是曹知白去世 250 年后才形成的，而且在本质上与此问题无关。

因此，我们所剩下的仅是前人遗留的仍然难解的《雪景图》，以及它对曹知白的影响。

图 3
曹知白
山水图
1351 年
故宫博物院

四

夏文彦1365年写的《图绘宝鉴》载有最早的曹知白的艺术史式传记，是在曹去世前10年完成的。它和较早的评论他的朋友黄公望和倪瓒的记录相当不同，他们的绘画特色通常被笼统地归为“王维的残留风格”或隐性的李成的遗产，[20] 夏文彦对曹知白的评论却非常具体：

> 画山水师冯觐，笔墨差弱而清气可爱。[21]

夏文彦提到冯觐是曹师法的对象。冯觐是徽宗宫廷内的宦官。夏文彦对14世纪的艺术界了如指掌，是陶宗仪和杨维桢等人的朋友，他指出的曹知白和冯觐的不寻常关联，透露出一个知情者对内幕的了解。它也提供了解开《雪景图》谜底的第二个重要部分：1.《雪景图》对曹知白山水艺术的形成有一定的影响；2．曹知白是冯觐的追随者。

鉴于米芾有言在先，“今人以无名命为有名不可胜数”，[22] 理性上，我们仍被迫要询问《雪景图》和曹知白的艺术范本之间是否有关系。

冯觐的传记见于《宣和画谱》：

> 内臣冯觐字遇卿，开封人，少好丹青，作江山四时、阴晴旦暮、烟云缥缈之状，至于林樾楼观，颇极精妙，画《金风万籁图》，恍然如闻笙竽于木末，其间思致深处，殆与《秋声赋》为之相参焉。惜乎觐性习未宁，但恐他日参差耳。[23]

徽宗收藏了13件冯觐的画作，其中有《江山春早》《雨余春晓》《清风潺湲》《熏风楼观》《雪霁群山》等。

很有意思的是，在数百件《宣和画谱》所记录的宋代山水作品中，“群山雪霁”的画题只出现过两次，一次列在李成名下，另一则在冯觐名下。[24] 而它也是曹知白1350年的山水画的主题。

在北宋末期，冯觐显然是个年轻人。由于1120到1300年间没有任何关于他的记录，我们不能确定南宋时期他是否还在世。无论如何，在这期间他寂寂无名。之后，周密的宋末元初的南方收藏品目录中，提到数件他的作品。譬如，贾似道拥有著名的《金风万籁图》。[25]

新发现的14世纪材料显示冯觐在当时为众多人所知。元初的艺术史家汤垕提供了关于冯觐山水风格的非常具体的资料，列于王诜之条目下：

> 内臣冯觐摹其笔墨，临仿乱真。高宗竟题作王诜，观者不可不察也，然余能望而知之。[26]

根据王诜的友人米芾所说，王诜是李成的直接追随者，冯觐的风格脉络如是确立。王诜同时代的画家郭熙同样属于李成风格，但似乎较不受限于此，《宣和画谱》著录的冯觐的《江山春早》，其画题似乎也暗示着冯和郭之间的某种关联。[27]

夏文彦在 1365 年提供了大部分相同的资料，更告诉我们可敬的文人画家曹知白的山水风格是由冯觐的山水画而来。[28]

五

冯觐是李成的追随者，活跃在北宋末期。这时期的山水画风格水平线大致被李成的追随者许道宁、郭熙、李公年所界定。如果《雪景图》真的和冯觐有关，它应该和这些大画家的现存作品有相合之处。

这些承续优雅而有活力的李成北宋山水传统的绘画，确实是现存的此期最精华的作品，而且是对这位“百代标程，前古莫能方驾，近代难继后尘”大师最崇高的敬礼。[29] 和大部分 10 世纪画家一样，李成的作品没有留存下来。即使那些传为 11 和 12 世纪他的追随者的优秀作品，也没有肯定的日期和作者。无论如何，有一些从这一传统而来的作品提供了可信的暗示，它们任何一件的日期大致不会晚于 1050—1150 年之间。

这些画按日期排列在此：1.《晴峦萧寺》传李成作品，约 1040 年【图 4】；2.《秋江渔艇》传许道宁作品，约 1050 年【图 5】；3.《秋山萧寺》传许道宁作品，略晚于前者【图 6】；4.《树色平远》传郭熙作品，约 1080 年【图 7】；5.《山水图》李公年作品，约 1100 年【图 8】。

此处所建议的年代只是为了便于讨论。要确定年代并不是不可能，尤其是第一例。据高居翰研究，它的年代较李成（919—967）晚一个世纪。[30] 第 2 和第 4 、第 5 例的断代似乎可以被接受。如果第 2 例是许道宁的作品，正如证据所显示的，则第 3 例必定和另一位同时代的李成追随者有关，譬如宋迪（仅代表一个可能性）。[31] 这 5 个例子中的每幅

图 4
（传）李成
晴峦萧寺
堪萨斯纳尔逊 -
阿特金斯美术馆

图 5 （传）**许道宁　秋江渔艇**　手卷　局部　堪萨斯纳尔逊 - 阿特金斯美术馆

图6 （传）许道宁 秋山萧寺 手卷 局部 京都有邻馆

图 7 （传）**郭熙 树色平远** 手卷 局部 纽约顾洛阜（John M. Crawford, Jr.）收藏

图 8
李公年
山水图
普林斯顿大学美术馆

画都呈现生动活力，也展示宋画原作的模样。每件作品有着细致的优雅，亦即宋人始终如一地谈到的李成传统的标志性特征。[32]

《雪景图》置于这些画之中相当自在。构图上，所有作品都有刚劲的斜角开口带领我们进入画面：在3幅立轴上（见图1、4、8），一条水道以锐角倾斜从前景退入画中；在手卷（见图5、6、7）中，两条或更多的空间道路在主山周围展开。然而，这些强势而诱人的开口并没有掩蔽一贯横向发展的组织形式。当个别的组织有底线时，它们偏向和图画表面平行发展。常见的效果是：组织的成分几乎似非实质的轮廓，轻轻地横飘过一个镜面。这样的效果可以和米芾对李成画法的描述呼应："淡墨如梦雾中，石如云动。"[33]在这些画上，甚至个别的石块和土岸都有一种轻缓翻腾的云样的面貌（见图1、6、7）。这样的空间秩序呈现出一个明晰的、接近数学式正确的规整。

尽管这些作品具有绘画的视觉丰富性，它的画面经营手法却特别简单和有限：少量的组织样式——1或2个样式的石块，2或3种的树或灌木，经常以和前景、中景、背景相应的三个独立的大小比例，置于一个概念性的空间架构。这种语汇的简朴性和不变的架构，使人想起古典文学中的唐诗，它同样地以有限的语汇在严格规定的结构内，达到有力又有效的表现。

具体形式和理论上的连续空间相互穿透的情形还没有出现，虽然包罗万象的空间的幻景较非常早期的宋画更为先进。

燕文贵约于1000年创作的《江山楼观》【图9】也许是我们所能达到的和李成时代的李成风格最近的距离。以晚了一个世纪的李公年的《山水图》和燕文贵的画相比较，可以看出一个趋势，形式漂游在一个更广阔的伸展空间上，更微妙的墨染介入雾气迷漫的空间。比较起来，

图9　燕文贵　江山楼观　手卷　局部　大阪市立美术馆（安倍藏品）

燕文贵画中的空间似乎像是简单的白纸；在李公年的画轴上，或是和许道宁比较，很难看到丝绢本身在何处消失，或墨色在何处出现，尤其是在形式转化成空间的地方。如果这样的效果和不同材质的纸和绢有关，我们必须将其置之度外，但是同样较为原始的效果也在赵干约970年的《江行初雪》中见到，这是以水墨与色彩完成的绢画。[34]

树木在李成传统中有一种无与伦比的冷峻的优雅感和暴裂的生命力（见图1、6、7）。高松或几乎无叶的落叶木，以一种玲珑美妙的姿态和舞蹈似的旋律屈身或弯腰。流动的笔法借由自然的运转，奇妙地结合书法的自发性以实现最有效果的表达。这些作品是后来摹本的任何可能性，在这样的细节审视之下，已被完全排除。当然，理论上这些画仍有可能是李成追随者在这个时期所作。

最后一个比较，也许应是《雪景图》和新近发表的传宋徽宗的《雪江归棹》【图10】，后者是李成风格的冬景山水，正好来自冯觐活跃的年代和背景（比较图1、10）。[35] 有两个特点和这两图尤其相关：在干净的建筑性结构中，积雪的土地衬着灰色的水与天；小而细致地刻画出的黑树，标识出起伏的白色群山。不仅仅是母题，这些伸展的树，总是弯曲或盘绕，从不挺直，有着承载构图的脉动和横越虚空流动的效果。

图10 （传）**宋徽宗　雪江归棹**　手卷　局部　1110年　辽宁省博物馆

《雪景图》明显地属于这个传统和大致的年代范围之内。如果不是寂寂无名的冯觐所画，它也是类似冯觐的人的作品。徽宗在位时期正是李成声望的最高点。《宣和画谱》中简单地记载着："于时凡称山水者必以成为古今第一。"[36]于是许多画家从事李成传统的创作。无论如何，曹知白的艺术和夏文彦的传记等证据，都指向冯觐是《雪景图》的作者。

由《宣和画谱》所观察到的画题相似性，使我得到这样的看法，即李成、冯觐和《雪景图》，和曹知白的《群山雪霁》之间有直线式的连贯性。还有其他证据支持这个观点。《雪景图》和许道宁、郭熙及李公年画的不同处，在于它的形式较为实在，尤其是在深缝隙的阴影深处，从那儿瀑布流泻而下（见图 1），大群远山若隐若现。它有种和范宽《溪山行旅》【图 11】，或是董源的《寒林重汀》【图 12】相近的可触摸的量块和深度的有形感，两图是宋代初期表现实体、石块和可触及的实在感的代表作。我在别处讨论过这些作品之间的关系。[37]别的作者也有同样的讨论。[38]燕文贵的画卷（见图 9）意味着类似的关系。它同样指向《雪景图》的一个最原始的源头，亦是对简单重复的形式元素的依赖，正如所见的重复柱状主山脉和在近处土岸出现的尖锐吹云似的石块。

图 11　**范宽　溪山行旅　局部　台北故宫博物院**

图 12 董源（摹本？）寒林重汀 局部 日本兵库县黑川古文化研究所

的确，如果不是较干的笔触和渐淡的墨色，以及一种过于微妙的墨染，《雪景图》很容易让人认为它是北宋初期的作品。类似的干笔、焦墨和隐约墨染上的渐淡笔触，并没有在传许道宁的《秋山萧寺》之前出现，然而它的轻柔开放的空间，却可以在前面讨论的作品中找到最接近的平行的例子。于是《雪景图》似可很恰切地被归为北宋晚期的作品，出自一个次要的李成追随者之手，保留了甚至较更有天分和个性的许道宁、郭熙或李公年等人更多的李成风格的特色。在所有可能的情形下，这构图是李成的。无疑地，在冰雪覆盖的群山，缝隙深刻的河岸，尤其是被强劲北风从山顶吹下的冰块浮流中，存在着一种精致的戏剧性动力。

六

讨论至此，我们可以说是达到了一个纯属推测的阶段。有太少的画，太少的文献，太少的工作者投入北宋绘画研究的领域。在我自己研究《雪景图》的过程中，我曾很兴奋地写信给在台北故宫博物院工作的韩庄（John Hay），想要解读《雪景图》上两枚字迹模糊的印。如果其中一枚印可证实是冯觐的，则最后的问题将会被解答。但是，这两枚印仍然无法辨认。

尽管如此，《雪景图》的有关信息允许我们得出一个可能的结论。图左下角有两枚无法辨读的印。在它们正上方是南宋皇室1233—1264年间的“缉熙殿宝”印。一枚1373—1384时期的明代半印，和另一枚模糊的印交叠在右边沿。[39]这些早期的印鉴告诉我们，这幅画可能是1233—1264之前完成的作品，它在元代曾在私人手中，而在1373—1384之间重新回到皇室收藏。这样的历史确切地对应着我们所知的冯觐。南宋时毫无记载，但他为元代专家所熟知，却在明代完全失去了个人身份。我们如今留存的印象是，这幅古画进入明初皇室收藏后，开始坠入它最黑暗的佚名时期。当《雪景图》在16世纪回到私人手中时，它毫无疑问有着一个全新的伪装。《雪景图》在17世纪曾为王时敏拥有，它以巨然作品的身份发挥了第二波的影响力。在18世纪的安岐以后，它再次进入皇室收藏，直到现在。

所有的证据指向冯觐和北宋李成传统，而且这画的历史记录和这样的理解没有相冲突之处。因此，逻辑上的总结是目前唯一可能的结论：

1.《雪景图》决定性地影响了曹知白的成熟风格。
2. 曹知白的典范是冯觐。
3. 冯觐是北宋末期李成的追随者。
4.《雪景图》是北宋末期李成传统的作品。
5. 冯觐画了《雪景图》。

罗樾的观察提醒我们，“在历史研究中，逻辑并非是一个可以全然依赖的手段”，[40]但至少我们可以带着一定的自信说，上述假设似乎解答了这些材料提出的所有问题。

七

李成追随者冯觐的一幅画可以这么容易地变成巨然的作品仍然是个令人烦扰的问题，或许董其昌的评论提供了一个解释：

> 云林山水，早岁学北苑，后乃自成一家。《图绘宝鉴》以为师冯觐。觐阉人耳。云林负气节，必不师其画！[41]

此处提到的画家是“云林”，亦即倪瓒。然而，“林”或是“西”字之误，应为“云西”，亦即曹知白，因为董其昌很清楚地知道曹知白被称为冯觐的追随者，而不是倪瓒。冯觐在《图绘宝鉴》中从未和其他任何画家有关联，而董其昌在别处也曾提及“曹本师冯觐、郭熙”。

夏文彦没有拥护任何理论，只是简单地报告他的观察。曾提出“南北宗”理论的董其昌，显然不愿相信像曹知白这样一位文人画家，也是他的偶像黄公望和倪瓒的密友，会追随一个宦官——尤其是一个侍奉徽宗的宦官，这是文人传统所厌恶的事情。[42]

王仲兰　译

译者单位：美国哈特福大学

译自 “The ‘Snowscape’ Attributed to Chü-jan,” *Archives of Asian Art*, 1970-1972, pp. 6-22.

注　释

〔1〕Sherman E. Lee（李雪曼）and Wen Fong（方闻）, *Streams and Mountains Without End, Artibus Asiae*, Supplementum XIV, Ascona, 1955.

〔2〕Osvald Sirén（喜龙仁）, *Chinese Painting, Leading Masters and Principles*, Ronald Press, New York, 1956, v. II, “List,” p. 26.（此后简称：喜龙仁，《中国绘画》。）

〔3〕*Chinese Art Treasures*, Skira, Geneva, 1961. 台北故宫博物院 1961—1962 年在美国展览的目录。

〔4〕《故宫名画三百种》，台北故宫博物院，1959，卷 3，第 133 号。

〔5〕Chu-tsing Li（李铸晋）, “Rocks and Trees and the Art of Ts’ao Chih-po,” *Artibus Asiae*, XXIII, 1960, ¾, pp. 153-192.（此后简称：李铸晋，《曹知白》。）

〔6〕傅申，《巨然存世画迹之比较研究》，《故宫季刊》1967 年 10 月第 2 期，页 51—79，英文摘要见页 21—24。（此后简称：傅申，《巨然》。）《雪景图》的讨论，见页 57—60。

〔7〕Richard Barnhart（班宗华），*Marriage of the Lord of the River*, *Artibus Asiae*, Supplementum XXVII, Ascona, 1970.（此后简称：班宗华，《河伯娶亲》。）

〔8〕顾复，《平生壮观》，原版序 1692 年（上海再版，1961），卷 3，章 7，页 24—26。顾以"奇峰积雪"为此画之画题。

〔9〕王世贞重复提及李成是山水名家中的"极致"。见于他的《艺苑卮言》，引自俞剑华编，《中国画论类编》，卷 1，页 116—117。

〔10〕安岐，《墨缘汇观》，原版序 1741 年（艺术丛编），第 3 章，页 136—137。

〔11〕李铸晋，《曹知白》。

〔12〕同上，图 1 和 2。

〔13〕同上，页 160。

〔14〕同上，页 169。

〔15〕傅申，《巨然》，页 59。

〔16〕李铸晋，《曹知白》。比较曹知白和郭熙 1072 年《早春图》的松树。故宫博物院藏曹知白画轴的树和弗利尔美术馆藏郭熙《溪山秋霁图》（喜龙仁，《中国绘画》，第 3 册，页 172—173）较为相近。很有意思的是谢稚柳认为弗利尔轴是王诜所作，不是郭熙（谢稚柳，《唐五代宋元名迹》，上海，1957，图 15—20）。

〔17〕李铸晋，《曹知白》，页 169。

〔18〕如李铸晋所指出的，《曹知白》，页 169，注 53。有很好的理由来怀疑这唯一可能的例外，即所谓的文徵明题跋。

〔19〕傅申，《巨然》，页 59。

〔20〕李铸晋，《曹知白》，页 165，167。

〔21〕夏文彦，《图绘宝鉴》（画史丛书），第 5 章，页 132。

〔22〕米芾，《画史》，约 1104（美术丛刊），页 88。

〔23〕《宣和画谱》，原版序 1120（中国画论丛书），页 210。

〔24〕《宣和画谱》，页 183，210。李和曹的画名均为《群山雪霁》，冯的画名为《雪霁群山》。

〔25〕《悦生所藏书画别录》（美术丛书），页 237—238；周密，《云烟过眼录》（美术丛刊），页 56。

〔26〕汤垕，《画鉴》（中国画论丛书），页 39。

〔27〕《画史》，页 96。

〔28〕见注 21。

〔29〕该句可见于江少虞，《皇朝事实类苑》（1145 年序）；王辟之，《渑水燕谈录》，第 7 章。见《佩文斋书画谱》，第 50 章，李成条目下。我受惠于何惠鉴的李成研究，以及他最近的论文，发表于 1970 年 6 月台北故宫博物院在台北举办的国际中国画研讨会。

〔30〕James Cahill（高居翰），*Chinese Painting*, Skira, 1960, pp. 29-32。

〔31〕在许多北宋的李成追随者之中，有现存作品但仍未被确认的是翟院深、李宗成、宋氏兄弟（宋道和宋迪）和他们的家人。他们之中可能有人是《秋山佛寺》的作者。对该画涉及的广泛

文献的研究将可澄清它的定位。

〔32〕关于李成风格的讨论，见班宗华，《河伯娶亲》，页 33—37。

〔33〕《画史》，页 110。用这些译文取代我在董源研究中所用的翻译，乃是根据何惠鉴给我的有关米芾文字断句的建议。

〔34〕此图曾被讨论及发表在班宗华，《河伯娶亲》，页 32—33，图 15。

〔35〕此图曾引起一些疑惑。博文堂翻印的图轴是复制耶鲁美术馆的摹本；原画在辽宁博物馆，可见于邓白，《赵佶》，上海，1958，图 4—8。

〔36〕《宣和画谱》，页 182。

〔37〕班宗华，《河伯娶亲》，页 30—37。

〔38〕李和方（见注 1），页 7—15；傅申，《巨然》，页 57。

〔39〕我很感激韩庄和江兆申对此画图印的研究，以及韩庄对印的图解和辨识。有关文件的简明摘要亦见于《故宫书画录》（4 卷，修订版），卷 3，第 5 章，页 22—23。

〔40〕Max Loehr（罗樾），*Chinese Landscape Woodcut*, Cambridge, 1968, p. 71.

〔41〕董其昌，《画旨》（画论丛刊），卷 1，页 92。

〔42〕我察觉到自己的挫折，在关于冯觐经常模仿王诜的画的论点上，未能进一步探求汤垕的证据。很不幸，带着王诜风格的主要作品均为目前无法接近的中国大陆收藏，以致要做出有关它们的结论是很冒险的。《渔村小雪图》（喜龙仁，《中国绘画》，卷 3，页 222—223），明显地不仅和《雪景图》有很多共同点，也和其他前面讨论过的李成风格的作品相近。以上仅是目前研究的结果。

李唐和高桐院山水画

关于李唐（约1050—1130）画风的难题集中在他最令人难忘的两组作品的对比之上，这两组作品都有署名，然而，我们却显然不能通过假设个体画风的线性发展来调和它们之间的明显差异，这一点，加深了这个问题的难度。《万壑松风图》【图1】，一幅具有重大意义的山水画，创作于1124年，即画家大概75岁的时候；而两幅有署名却无记年的高桐院山水画【图2】，则极具书法意味，并且从技术上看更显成熟，因此，这只能是他的晚期作品。从任一方面来看，《万壑松风图》和高桐院山水画都是截然相反的，但如果它们都出自李唐之手，便也只能作于他一生中几乎相同的时期。

因此，不难让人理解的是，在早期中国绘画研究中，几乎没有其他争论像这个问题那样激烈而持久。一些艺术史学者，特别是艾瑞慈（Richard Edwards），曾假设李唐创作了这两组作品，同时认为李唐还创作过其他作品，从风格上应分别与之相似。[1]然而，没有任何理论构架曾被提出用于解释这巨大的风格分歧。喜龙仁接受了这两种风格的极端性，并将它们置入一个线性时间序列——《万壑松风图》在先，高桐院挂轴在后——这当然有悖常理，而且明显站不住脚，这导致后来的研究往往走向两个极端：或者认定高桐院挂轴是真迹，或者认为《万壑松风图》是真品，但绝不能兼顾。[2]

反对高桐院绘画属于李唐画作的一个主要理由是它们的构图。两件高桐院挂轴通常被认为是从构图上相分离的独立作品，常常像图2那般复制出版；这两幅挂轴，特别是左边的这幅，较之于《万壑松风图》那样宏大集中的北宋构图，更接近于成熟的南宋院画的“一角”

图1 **李唐 万壑松风图** 挂轴 绢本设色 纵188厘米 横139.7厘米 台北故宫博物院

图 2　**李唐　两幅山水**　挂轴　绢本墨笔　纵 97.8 厘米　京都大德寺高桐院

图 3　同图 2　但两幅挂轴位置相互调换

构图。然而，在最近的一份日本出版物中，这两幅挂轴的传统位置却相互调换【图 3】；看起来极有可能，这两幅长久分离的山水画事实上曾被画家设计为一幅由巨大的中央山体主导的整体构图。[3]

两幅挂轴的整合当然不是完美的，我们不可能确定每幅图画在数百年中经过多大程度的修整。因为每幅挂轴的宽度只有 16.9 英寸，重装过程中任何小小的修剪都可能导致画面不少部分的丢失。而且，四个接合处有形式上的联系，说明这两幅画很可能曾是一个整体构图：（1）从左边画卷右下角的水面中，一个锯齿状的前景岩层形成一个陡峭的角度，并在右边挂轴中精确地接续形成一样的角度；（2）右边画卷中那条从远处蜿蜒而至的路径再次出现在左边挂轴相同的水平方向，这条路从

图4　同图3　但包含装裱边沿

一座小山后面出现，有两个人站在瀑布旁边，从而形成了一个一致而有逻辑的序列；（3）右边画卷中，道路消失在前景岩层、树木和一个茅草屋的交界点，这里却有一个小山坡突然出现，切断了茅草屋的左侧，然后沿主山结体的方向爬升。靠近右边画卷的左侧边缘，有一棵模糊的树在背景中标示了这种上升趋势，这种趋势直接持续到左边的画，那里有三棵树沿着山顶生长，标记了这种趋势；（4）在上部靠近中间山体，一条主要的轮廓线描绘出一个稍亮的刻面正对着阴影，这条轮廓线从一个画卷持续进入另一个画卷。

虽然任何一种联系都能被斥作偶然，但它们同时出现，在数学上的概率极小，所以我们需要反思它们是否出于偶然。某种不一致主要显现在中间的树丛区域，那里有不少对树枝顶端和叶丛的描绘已经丢失。然而，甚至在这个区域，丢失的部分还是相对算少的，而且，对边缘部分的仔细研究也可以显示出连贯性的附加痕迹。

最可能的是，两幅挂轴间的关系不应被理解为一种直接的、边接边的关系；也就是说，很可能，它们并不是为了被画成一张看起来不间断的绢本的。从最早的现存于日本的连接性构图来看，也即那些出自 11、12 世纪并无疑体现中国模式的绘画，[4] 在类似组合中的分离挂轴或屏风面往往是被框边分隔的，这说明高桐院绘画的安置应该与【图 4】相似。从任一例子来看——这种联系留待将来的研究证明——如果将一对挂轴中的任何一个当作单独的构图，明显是对这些挂轴的原始目的的曲解。

特别令人感兴趣的是，在这种形式下，高桐院绘画的结构与《万壑松风图》惊人地相似，甚至包括左边的瀑布和右边的小路与山泉。两者的前景中央都由极具冲击力的岩石、扭曲盘绕的树木和流动的山泉来主导，这两件作品生动而充满情感地展示了自然元素，从而极大地区别于早前的山水画。

现在，因为季节性的过渡是直接的，而不仅仅是象征性的，这个结构的两部分由右边起，必须分别表现秋到冬，或夏到秋。尽管曾有人提出一个整体构图中的季节变化的概念的发展不可能早于明代早期，[5] 现有的证据——即使除去高桐院绘画——也远远不能形成这个定论。举例来说，南宋绘画的一件代表性作品，即夏圭的《山水十二景图》[6]，在一个单一手卷中表现了从早晨到晚上的一个连续时间序列。甚至更早地，乔仲常在一个连续的空间时间序列中表现苏东坡的第二次赤壁夜游。[7]

尽管这些例子说明时间变化的表现存在于宋画中，但我们却没有别的表现持续季节变化的挂轴来说明这一点。遗憾的是，这种宋代季节性山水只有两组现存于世——约 1030 年的庆陵壁画 [8] 和现存的传为宋徽宗的一组四幅挂轴中的三幅 [9] ——在此薄弱基础之上得出的消极结论会是危险的。

至少在 15 世纪，高桐院挂轴就作为连续的构图悬挂；藏于克利夫兰的天章周文（Tenshō Shūbun）的六扇山水屏风便是证据【图 5】。李雪曼指出，制作这些屏风的画师受到了中国作品的影响，并且，画师确实可以接触到那些中国作品："天章周文的风格有一个很好的基础。

图5　**冬春山水**　（传）天章周文　六面屏风　纸本墨画淡彩　纵385厘米　克利夫兰美术馆

图6　**伯夷叔齐**（或《采薇图》）　李唐　手卷　绢本设色　纵27.2厘米，横90.5厘米　故宫博物院

作为一个幕府画家，他无疑可以接触到足利义满所收藏的优秀的中国南宋绘画。马远的笔墨风格体现在他岩石上的斧劈皴中，夏圭的形式可以在他的树木中看到。而他那些倚在附近高大断山上的树木的普遍特点，很显著地与两件著名挂轴类似，这两幅挂轴传为李唐画作，是足利义满的藏品，目前保存在京都大德寺。”〔10〕对此，我们应该做些补充，这些克利夫兰屏风，特别是中间的两扇，有很多特点说明它们不仅仅以高桐院绘画为基础，而且以后者的持续序列为基础。屏风中的桥和挂轴中出现的小径相呼应。而且，这里有一个相似的季节转换，在这个屏风的例子里，是从冬季到春季。〔11〕因此，这可能暗示，我们不仅可从这个对比中看到15世纪日本绘画的常见技艺，也可看到唯一现存的宋代原型的痕迹。

任何一个接受高桐院绘画为李唐画作的人，都不曾怀疑它们是李唐的晚期作品；这不仅仅是说它们的创作时间在他晚年，而且客观地说，它们的风格和李唐作品中最有名的《伯夷叔齐》（或《采薇图》）【图6】有所关联。[12]品德高尚的伯夷叔齐兄弟矢志效忠商朝，拒绝出仕周朝，相继逃入深山，不食周粟死于饥饿。这个主题在金攻占中国北部之后的几年，具有了更强烈的道德意义。在那之前，这基本不是一个问题，这主题也不太可能流行。因为有署名，而且有绍兴时期（1131—1162）的印章跋文，这幅画也被著录为作于1124年的《万壑松风图》，其断代和画师生平时期也吻合。我们不能忽视两个中的任何一个。正如岛田修二郎教授二十年前所指出的，当他在高桐院绘画中发现李唐署名时，他认为在所有可能传为李唐的作品中，《伯夷叔齐》在风格上最接近高桐院山水画。[13]换言之，前者不但从风格上确认了后者的可靠性，也暗示出它们的创作年代是在画师的晚年。

《伯夷叔齐》和高桐院挂轴中相对淋漓随意的画风在李澄叟1221年《画山水诀》中提及，这是对李唐艺术最生动的早期记录："简淡急速"；"落墨苍硬，辟绰简径"。[14]这位李唐的崇拜者生活于画师卒后的一个世纪以内，在他的描绘中，只有"落墨苍硬"这四个字能遥遥呼应《万壑松风图》的画风，不过，所有的描绘却都能很好地诠释《伯夷叔齐》和高桐院藏山水画的风格。

然而，李唐的另一位崇拜者宋高宗（1107—1187），却给他的艺术下了一个非常不同的评价："李唐可比李思训。"[15]在当时提及李思训（651—716）无疑预设了一些特点，比如复古、重色、线性，以及对实体而非空间的侧重，所有这些特点都有效地体现在《万壑松风图》中，但却和画家淋漓随意的风格鲜有关联。[16]因此，即使在南宋记录中，我们都能发现文献证据来说明李唐的艺术并非单一风格，而是有多种样式，比如从复古风格到极端随性和迅疾的运笔：这两种对立的风格，恰巧可分别见于《万壑松风图》，以及《伯夷叔齐》和高桐院山水图。

进一步观之，一个画家同时掌握两种截然不同的风格不仅是李唐的特点，而且普遍存在于北宋末年、南宋早期的画坛，这从现存的12世纪早期作品中可以看出。以下这些作品有着《万壑松风图》的诸多特点：赵大年1001年的《湖庄清夏图》，[17]赵伯驹的手卷《江山秋色图》，[18]以及藏于波士顿美术馆的杨士贤的《赤壁图》手卷；[19]以下作品则证明了高桐院绘画淋漓宽阔风格的存在：郭熙的《树色平远图》，[20]普林斯顿大学所藏的李公年绘画，[21]以及李安忠1117年的小册页。[22]当你涉及这个问题，无论从哪个角度看，风格的多样性都是

12 世纪早期山水画的特征，并且，你会无数次隐隐感受到李唐的跨时代影响。

个体风格跨度的问题并没有得到充分的重视，特别是在早期中国画的研究中。我们当然知道，王翚（1632—1717）可以绘出多种令人费解的风格，并且不会失去自己的个体性。[23] 文征明（1470—1559）也能绘古朴的风格和艺术史家所说的粗细风格，并且，这些风格的运用并不按照时间先后有所区别；它们存在于他一生的作品中。[24] 这一点在李铸晋的研究中更为清楚，他提到，赵孟頫（1254—1322）在他的成熟期至少能作四种风格，一种是王维、董源的江南传统，另一种是李成、郭熙的北方风格，第三种是六朝唐代的古典风格，第四种则是他能用生动自然、极具书法性的方式来描绘古木竹石。[25] 此外，他的人物风格源自李公麟。[26]

在更古老的人物画类别中，这样的风格跨度可以追溯到更久远的时代。李公麟（卒于 1106）的世俗人物画具有六朝风格，可以追溯到顾恺之，所画宗教主题则具有吴道子的唐代风格。[27] 研究蜀画历史的黄休复说，晚唐画家贯休（832—912）画罗汉"师阎立本"；但同时，欧阳炯（896—971）则描绘贯休"窸窣毫端任狂逸，逡巡便是两三躯"。[28] 这些差异也许反映在今天能见到的与贯休相关的两组非常不同的罗汉图中，一组古朴精致，另一组迅疾率意，即为"逸品"。[29] 总的来说，这种风格的多样性看来是许多逸品画家的特点。[30]

但为了探究早期中国艺术风格多样性的起源，我们有必要转向书法。很可能，中国这种首要的视觉艺术对它的姊妹艺术所起的深刻影响已经远超我们的了解。认定这种书面文字是中国艺术的基础太过武断，但围绕这些书面文字发展出的美学结构界域，则的确建立起了后来发展的基础。也许，这足够让我们记起这一点，所有的画家首先是书法家，即使他们最终没有选择成为书法家，他们还是很早便受过持续训练。这项艺术的规范准则深深地根植于所有书画学习者的意识之中。

作为一种艺术形式，书法的主要特点是有五种、八种，甚至更多不同的书写形式或风格的共存。[31] 这种复杂性在 4 世纪就出现了，那时王羲之以备精诸体闻名，他兼擅隶、八分、飞白、真、行、章草、草各体。[32] 一位优秀的书法家可能擅长篆、隶、真、行、草，所有书法家对最后三种书体都信手拈来。然而，对于主要的风格差异，我们可以区分为三种主要模式：古体，主要是篆、隶；楷书，或者说标准常规的书

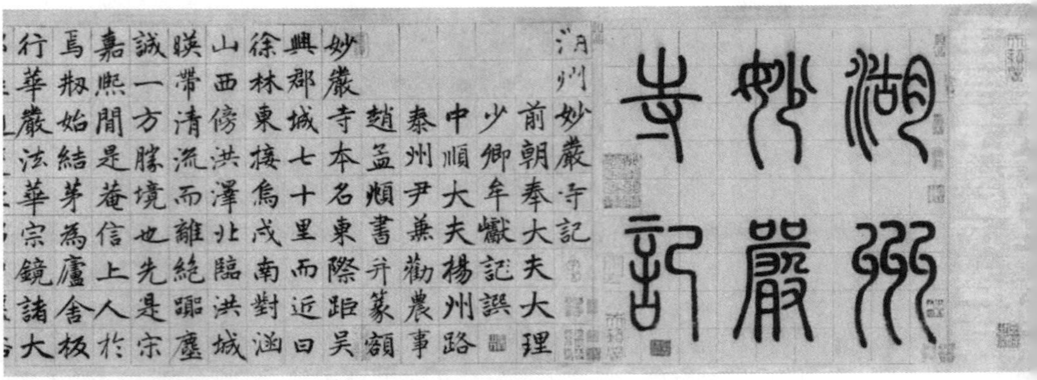

图 7　**赵孟頫　妙严寺记**（引首为篆书，正文为楷书）　手卷　局部　纸本墨笔　普林斯顿大学美术馆

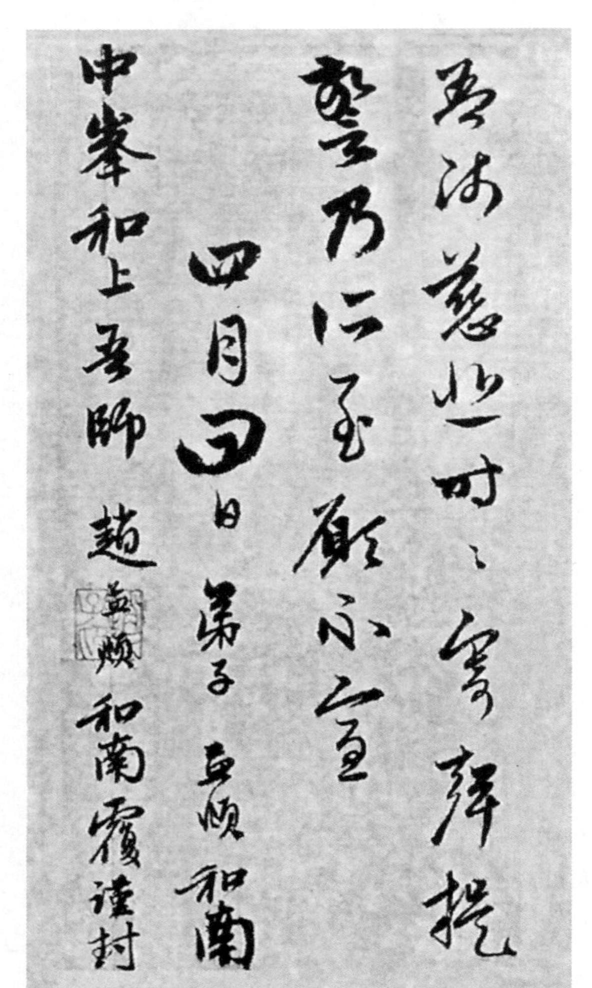

图 8
赵孟頫
致中峰明本尺牍（行草）
局部
纸本墨笔
（引自《书道全书》
第 17 卷，图版 13）

体，可轻易转化为行书；还有草书，是缩写和速度的极端体现。这些分界，从原始的、古朴的字体到简约的草书，共存于所有时代。

用西方艺术史的话来说，这好像是沃尔夫林（Wölfflin）视觉范畴的极端和几个极端间的中点同时存在于大多数时代大多数艺术家的作品中，此外，每一个范畴都是一个考虑周全的实体，无须借助于与其时代前后的实体的对照来定义自身。比如，如果我们要考虑赵孟頫的篆、楷【图7】和草【图8】各书体的样本，我们的直觉回答也许会归纳为它们体现了他时间和形式发展中的先后阶段，然而，它们却也可创作于同一天。

使得书法的形式分析更为复杂的是，基于个体名家或名作的独特方式，在任何一种书体下会有无穷无尽的多样风格存在。因此，书法习者在学习基本书体时，也会同时掌握每一种书体中多样的个人风格：比如王羲之的行书风格、王献之或怀素的草书、石鼓文或李阳冰篆书、汉碑的隶书形式等。

绘画中的表现元素自然将这两种艺术的目的区分开来，但可以观察到的现象是，绘画多样类别中的任何一个最终都可归结为一种状态，这与书法惊人地相似。因此，佛教人物画中有“曹、张、吴”风格；[33]世俗人物画中有顾恺之和吴道子之分；[34]古典山水画中有李思训的青绿山水和王维的水墨山水；[35]花鸟画中有徐熙和黄筌的不同风格；[36]山水画中有李成、范宽、董源的代表性模式。[37]十分相似的是，从另一个层次来分析，贯休和其他10世纪人物画家的仿古和放逸画风，或者元代的仿古或书法性山水画风格，也都体现了这一点。

因此，就一个中国艺术家来说——这也许可以很好地被证明——我们应该预料到在他发展的任何一个阶段，至少会有三种不同的风格类型：古典的，精细的，放逸的。当然，也许在每种风格中会体现出某种程度上的多样化个人传统。在艺术或其中一个类型超越原初阶段并使得过去成为明显的前现代方面之前，古典风格不会出现。只有篆书在日常使用中被隶书取代时，篆书这种书体才会成为古典形式。书体的所有形式谱系事实上或多或少涉及从古文篆书到隶、楷、行、草的一系列逻辑形式序列。然而，没有任何一种风格在中国消亡，这不像西方艺术传统那样，当新的风格介入时，旧的会弃之不用。在中国，即使当书法家持续发展新的个人风格时，每一种历史性书体依然是具有活力的其他选择。

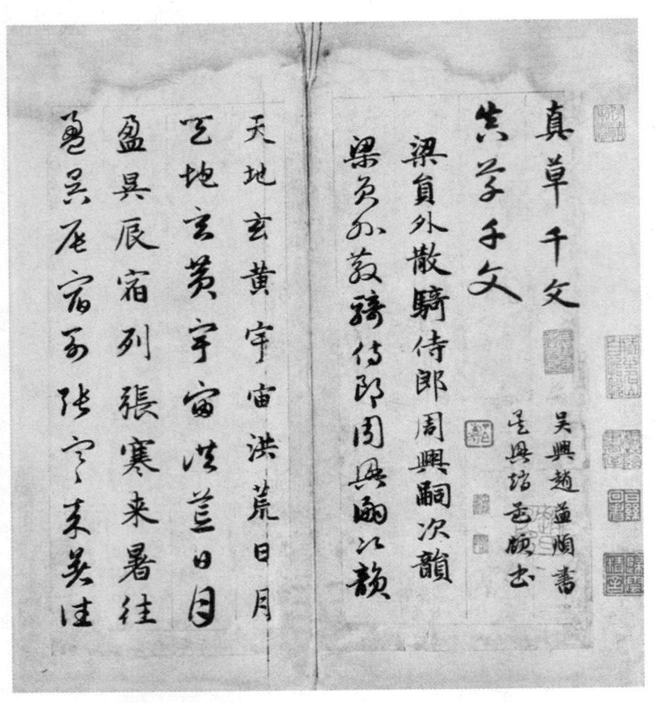

图9　**赵孟頫　真草　千字文**　局部　纸本墨笔　京都小川收藏

在山水画中，后来所说的古典风格往往是指唐代的“青绿”装饰风格；虽然有证据显示，早在10世纪山水画大师就使用“青绿”作为正统古典方式，〔38〕但似乎直到北宋晚期，才是古典模式广泛流行的第一个时代。〔39〕

我们正应该在这个语境下，在书法中普遍的风格类型的框架下，来考察《万壑松风图》。从风格上来看，它坚硬、严峻、迟缓的表面，同轻快而有力的高桐院绘画完全相反。并且，如果与当时流行的李郭风格优美动人的山水画比较，它未免显得粗糙迟钝。〔40〕正如那些幸存的早期艺术，这幅画是强有力的古典宣示，是对当时流行风尚的挑战。由于它对物质实体触觉感的坚持远远超过了对空间留白诱人魅力的强调，使得这幅画成为宋画中唯一可与范宽名作匹敌的作品。在这里，时间和季节稍纵即逝的细微差别让位于空山松林中风声的永恒回荡。

为了这一坚韧不拔的宣示，艺术家构思出类似古老的篆隶书体的绘画形式：坚硬、恢宏、非书法性，似乎深深地刻入岩石，甚至连署名也用隶书。广为学界所知的是，《万壑松风图》的真伪受到质疑，正是由于它坚硬的用笔和空间灵巧性的缺失；[41]一个人也许会因为一个书法家的篆书缺少他草书书写的自由和灵动，而怀疑前者是伪作，正是由于这两种模式的表现和形式构成的目标相互对立。

然而，如果我们不因风格的表面外观而忽视图绘结构的更深层次，我们也许可以观察到《万壑松风图》和高桐院挂轴整体中的基本协调性。它们的关系正如相同的字用两种完全相反的书体来书写——相当于在绘画中进行一般书法家的练习：连续用不同的风格书写相同的文字【图 9】。[42]

它们的基本一致性不仅表现在总体的结构外表上，也体现在诸如树根抓住土壤的结构、树丛的布置——像高桐院绘画结构中靠右的五棵树和《万壑松风图》右边的七棵一组树——两件作品中重叠的树枝和树干精巧的弯曲细节、花岗岩和悬崖有着缺口的硬质表面、地层的地质结构，还有整齐的组成部分的重量和分布。除了一个在右边、另一个在左边，甚至连署名在两个构图中的安置也有一种模糊的相似性。当你同时看两幅画，时间越久，就越能感受到那种固有的和谐。

如果我们将《万壑松风图》和高桐院作品理解为李唐成熟艺术的两种极端风格，即古典和放逸的对立，那么，台北故宫手卷《江山小景》【图 10】和这幅被高居翰认定为李唐作品的扇面【图 11】，就很明显地介于两种风格之间，可以说体现了他的精细风格。[43]两件作品都可

图 10　**李唐**　**江山小景**　绢本设色　手卷　局部细节　纵 49.9 厘米　横 186.7 厘米　台北故宫博物院

图 11 **李唐 奇峰万木** 扇面裱为册页 绢本 水墨淡彩 纵 24.8 厘米 横 26 厘米 台北故宫博物院

与李思训作品进行类比，同时，较之于高桐院绘画，更接近《万壑松风图》，但是，从整体上来看，却有着更自然、更巧妙的描绘，也更关注形式和空间的微妙变化。这个手卷的一个方面，即用鱼鳞纹程式来绘水面，说明此图可能体现艺术家发展的早期阶段，正如艾瑞慈所指出的，14 世纪的《格古要录》赞颂李唐后来消除了这种古典传统。[44]这种猜测至少可被卷轴中偶尔迟疑不确的用笔所证实。相对地，这个扇面却是熟练而充满自信的一件作品，正如《万壑松风图》或高桐院绘画那样。尽管这个扇面与李唐的联系主要立足于它与那手卷的相似之处，但是，在我们的理论框架下，它也可能创作于艺术家晚期。

李唐是最早的一位在极大的风格范畴内表现自己艺术的山水画家。大概在同一时期，山水画家开始对他们的艺术的历史有明确的定位。比如说，有两幅传为王诜的重要作品，在单一风格条件下来看，很难被理解为同一画家的作品，但它们的确都是真迹。[45]

一部关于山水画艺术的论著，即韩拙 1121 年所写的《山水纯全集》，可以支持现存绘画所体现的证据。韩拙不仅和李唐同时代，而且如同后者，供奉宫廷画院，是专攻山水的画家。风格和历史的概念贯穿了他的文字，这些概念本身就暗示出北宋晚期艺术的本质：“且画李成之格，岂用杂于范宽？正如字法，颜柳不可以同体，篆隶不可以同攻。”[46] 换言之，山水画中有李成风格和范宽风格（以及李思训风格和王维风格），并且，每一种风格都需要分别慎重地学习和掌握，就如一个人学习颜柳的不同书体，以及篆、隶、楷、草等不同字体。

两百年前，以“度物象而取其真”为目标的荆浩，[47] 在如何对待先贤方面，持有非常不同的态度。他说：“吴道子画山水，有笔无墨；项容有墨无笔，吾当采二子之所长，成一家之体。”[48] 言下之意，一个人可以从学习先贤的技艺中获益，但主要是为了更有效地表达当下的真实以及达到个体性。过去的艺术并不是完美的。紧接着这个追寻描绘性的自然主义以及提高技法的阶段之后的，是郭熙更为复杂的综合手段：“人之学画，无异学书。今取钟、王、虞、柳，久必入其仿佛。至于大人达士，不局于一家，必兼收并览，广议博考，以使我自成一家，然后为得。”[49]

当荆浩撰写《笔法记》的时候，北宋山水画大家多尚未出世；当郭熙编撰他的笔记时，他们又都已过世。此时，他已将绘画学习比作书法中的不断临摹；他的目标是兼容并蓄的综合。五十年之后，韩拙固执地撰写“古人格法”，将风格视为锁于一个框架下的一系列形式上的可能性的集合，因为书法的多种字体和个体方式的清晰性，它也有这样一个并行框架。也正因为这个并存框架的发展，韩拙认为，每个学画者都会对既有风格的界限了然于心。

因此，风格多样性是一个规律，而非例外。

俞乐琦　译　白谦慎　校

译者为美国宾夕法尼亚大学东亚语言文化系

中国艺术史方向博士生

译自 “Li T’ ang and the Kōtō-in Landscapes,”

The Burlington Magazine, May, 1972, pp. 304-315.

注　释

〔1〕Richard Edwards, “The Landscape Art of Li T’ang,” *Archive of the Chinese Art Society of America*, XII (1958) pp. 48-60.

〔2〕Osvald Sirén, *Chinese Painting, Leading Masters and Principles*, v. II（N.Y.: Ronald Press,1956）, pp. 92-98. 关于高桐院绘画，请特别参看岛田修二郎，《高桐院所藏的山水画》，载《美术研究》165（1951），页 136-149。岛田首先发现在两个挂轴上有部分擦除的李唐签名，从而开启了当前的争论。我相信，他也是第一个暗示《万壑松风图》可能是一件仿作的学者，这种观点主要在日本（最近铃木敬在他关于夏圭的故宫文章中提及）和普林斯顿流行。关于《万壑松风图》，参见 Max Loehr, "Chinese Paintings With Sung Dated Inscriptions," *Ars Orientalis,* IV, 1961, pp. 245-246; 以及同一作者的 "A Landscape by Li T'ang, Dated 1124," *The Burlington Magazine,* LXXIV, 1939, pp. 288-293，这是西方最早讨论这些画的论文。

〔3〕《世界美术全集》（东京：角川书店，1965），卷 16，黑白图版 8。这个系列中的此卷涵盖中国宋元艺术，主要由铃木敬撰写。然而，他既没有在第 225 页的图释，也没有在任何其他文字中，提及这样一种反转。迄今为止，我能断定，Laurence Sickman 是第一个关注到这个变化的西方学者。他告知了李铸晋，后者将这个信息带到了普林斯顿大学，当时我是那里的学生。

〔4〕Miyeko Murase, *Byobu, Japanese Screens From New York Collections*（New York: The Asia Society, Inc., 1971）, text pp. 10, 12, and figs. 2, 4. 也请参见 Chuang Shang-yen, "Notes on the Practice of Hanging Chinese Scrolls," *The Palace Museum Bulletin*, 1: 2（May 1966）pp. 1-6.

〔5〕Laurence Sickman 讨论了一件明代初期的四季手卷，见 *Chinese Calligraphy and Painting in the Collection of John M. Crawford, Jr.*（New York, 1962）, no. 55, p. 123.

〔6〕一幅早期摹本的完整构图收于 *A Garland of Chinese Paintings*（Hong Kong: Cafa Company, Ltd., 1967）, v. I, no. 27; 原图的现存部分在纳尔逊美术馆，出版于 Richard Barnhart, *Marriage of the Lord of the River , A Lost Landscape by Tung Yuan*（Ascona: *Artibus Asiae*, 1970）, fig. 19.

〔7〕高居翰讨论了这个问题，参见 Laurence Sickman, ed., *Chinese Calligraphy and Painting in the Collection of John M. Crawford, Jr .*, no. 14；图版参见谢稚柳编，《唐五代宋元名迹》（上海：古典文学出版社，1957），图版 23—33。

〔8〕R. Tori, "On the Wall Paintings of the Liao Dynasty," *Kokka*, Nos. 490-491（1934）.

〔9〕Osvald Sirén, *Chinese Painting*, v.III, plates 241-243.

〔10〕Sherman E. Lee, *A History of Far Eastern Art*, p. 382.

〔11〕克利夫兰屏风的重构有可能是错误的。原则上讲，这样的构图往往以冬季结束。（参见 Murase，见注 4，Nos. 8, 9, 10）然而，右侧的四扇屏风无疑按原始顺序放置；唯一的问题是描绘春季的那两扇是否是按现在的顺序排列的。

〔12〕这幅绘画在下文中详细论述张安治，《从〈采薇图〉看李唐的艺术成就》，《文物》，1960 年第 7 期，页 23—24。

〔13〕在注 2 中提及的《美术研究》文章的刊后语中，岛田提及这幅画也可能是摹本；如果真是这样，将能解释为何在岩石的处理中有一种扁平而无生气的特点。一样的副本出版于 *A Garland of Chinese Painting*（Hong Kong: Cafa Co. Ltd.,1967）, v. X, no. 18.

〔14〕《王氏画苑》本，页 34a-b。

〔15〕夏文彦《图绘宝鉴》（1365 序）引用，见《画史丛书》本，页 100。

〔16〕Richard Edwards（见注 1）讨论了唐画特点在李唐艺术中的表现，特别指向台北故宫所藏传为李思训的《明皇幸蜀图》。另一幅与李唐有关的重要作品是《长夏江寺图》，此图至今难以

见到，宋高宗曾在此图题下那个名句。据说此图藏于故宫博物院（Sirén, *Chinese Painting*, II, Lists, p. 63，在此书中此图被译为 *The Long River in Summer*）。

〔17〕最近详述于 Robert J. Maeda, "The Chao Ta-nien Tradition," *Ars Orientalis*, VIII（1970）, pp. 243-253.

〔18〕全图出版于《中国画》（1959），页 10；部分包括在 Sirén, *Chinese Painting*, III, p. 271.

〔19〕只出版于 *Chinese Art Treasures*（Boston: Museum of Fine Arts, n.d.）, fig. 20. 与《万壑松风图》有关的还有胡舜臣作于 1122 年的《送郝玄明使秦图》（见《美术研究》, 104 号）；武元直的《赤壁图》（Sirén, *Chinese Painting*, III, pp. 262-263）; *500 Lohans of Daitoku-ji*（ibid., pp. 206-207）.

〔20〕Laurence Sickman, ed., *Chinese Calligraphy and Painting in the Collection of John M. Crawford Jr.*, no. 7.

〔21〕James Cahill, *The Art of Southern Sung China* , New York: Asia House, 1962, no. 1.

〔22〕Sirén, *Chinese Painting*, III, p. 228.

〔23〕Roderick Whitfield, *In Pursuit of Antiquity: Chinese Paintings of the Ming and Ch'ing Dynasties From the Collection of Mr. and Mrs. Earl Morse*（Princeton: The Art Museum, Princeton University, 1969）.

〔24〕*Chinese Art Treasures*（Catalogue of the Palace Museum exhibition held at five U.S. museums, 1961-1962）, Nos. 97 and 98, dated 1547 and 1549；又见作于 1551 年的《拙政园》册页，见于 *In Pursuit of Antiquity*, no. 3. 也可参见 Sirén: *Chinese Painting*, VI, plates 210（1535 and 1532）and 209A（1527-1531）. 完成于 1532 年的《关山积雪图》，可说是他古典风格的一个更好的例子，但我相信，这幅画还没有出版。

〔25〕Chu-tsing Li, *The Autumn Colours on the Ch'iao and Hua Mountains*, Ascona: *Artibus Asiae*, 1965; "The Freer *Sheep and Goat* and Chao Meng-fu' s Horse Paintings," *Artibus Asiae*, XXX（1968）, pp. 279-326; and "Stages of Development in Yuan Landscape Painting," part I, *The Palace Museum Bulletin*, IV:2（May-June 1969）. 赵孟頫模仿李郭的最好例子，则是王季迁（C.C. Wang）收藏的手卷《双松平远图》，出版于 Sirén, *Chinese Painting*, VI, p. 23；而且我没有任何理由可以怀疑这件动人的唐代风格挂轴，即 1312 年的《秋郊饮马图》（同上，p. 17）。

〔26〕Li, "The Freer *Sheep and Goat* and Chao Meng-fu' s Horse Paintings,"（参见上注）探讨了赵孟頫和李公麟的关系。也请参见我的文章，"Survivals, Revivals, and the Classical Tradition of Chinese Figure Painting," 这篇文章用于 1970 年 6 月的故宫研讨会，但未发表。

〔27〕大多数宋代资料为李公麟绘画的每个种类引用了不同的模仿原型，比如风俗人物源自顾恺之或韩滉，佛教主题源自吴道子，马源自韩滉，山水源自王维或李思训。参见《宣和画谱》，卷 7；邓椿，《画继》，卷 3。

〔28〕两条出处俱为黄休复《益州名画录》（1005 年序，画史丛书本），页 35, 36。

〔29〕两种传统的例子都出版于 Sirén: *Chinese Painting*, III, pp. 114-116. 至于"逸品"，参见 Shimada, "Concerning the I-p'in style of Painting," James Cahill tr., *Oriental Art*, n.s. VII:2（1961）, VIII:3（1962）, X: 1（1964）; and Jan Fontein and Money L. Hickman, *Zen Painting and Calligraphy*（Boston: Museum of Fine Arts,1970）, pp. xix-xx, catalogue Nos. 2-3.

〔30〕承名世，《论孙位〈高逸图〉的故实及其与顾恺之画风的关系》，载《文物》1965 年第 8 期，页 15—23。我正在准备另一篇关于四川逸品画家孙知微的文章，他的艺术也有相似的特点。

〔31〕Tseng Yu-ho Ecke, *Chinese Calligraphy*（Philadelphia: Philadelphia Museum of Art, 1971）一书根据不同书体，著录了她策划的展览中的 96 件展品，其中包括了同一书写者的不同作品，比如

Nos. 33-34（鲜于枢），49-51（文征明）。我有一篇短文 “Chinese Calligraphy: The Inner World of the Brush,” 发表在 the *Metropolitan Museum of Art Bulletin*，在此文中，我探讨了书法作为一种艺术形式的这一特点和其他特点。

〔32〕张怀瓘（8 世纪），《书断》，收于张彦远，《法书要录》（艺术丛编本），卷 7—9，特别是页 116—120。

〔33〕参见张彦远，《历代名画记》，卷 2。英译见 W.R.B. Acker, tr., *Some T'ang and Pre-T'ang Texts on Chinese Painting*（Leiden, 1954）, p. 165. 在北宋时期，主要是曹、吴风格。参见 A. C. Soper, tr., *Kuo Jo-hsu's Experiences in Painting*, Washington, D.C., 1951, pp. 16-17.

〔34〕在我的故宫文章中有所讨论，在脚注 26 中有提及。

〔35〕最早提及这种山水二分的是郭若虚 1080 年的《图画见闻志》，在 10 世纪董源的条目中他提到："善画山水，水墨类王维，着色如李思训。" 参见 Soper, tr.（note 33）, p. 46.

〔36〕同上 pp. 20-21.

〔37〕我曾在我的书中讨论过这些风格：*Marriage of the Lord of the River*, pp. 33-37；也请参见李铸晋的研究，这在注 25 中有所提及。

〔38〕参见注 35 及《宣和画谱》卷 11 中的董源生平。

〔39〕在北宋晚期画家中，李公麟、米芾、赵大年、王诜、李唐、晁补之、江参、王希孟、乔仲常等以在山水画中使用古典形式而闻名于世。

〔40〕我的文章 "The 'Snowscape' Attributed to Chü-jan," *Archives of Asian Art*, XXIV（1970-1971）, pp. 6-22，考察了北宋晚期的李、郭风格。

〔41〕最近，铃木敬在他的故宫文章中有所提及，详见注 2。

〔42〕这种类比在我下列的文章中有更全面的论述，"Archaism and Classicism in the Art of Li Kung-lin," 此文发表在 *Proceedings of the Princeton Symposium*（17th May 1969）。

〔43〕高居翰在李唐建立南宋院画特点中所居角色的讨论中强调了这种风格，见 *Chinese Painting*（Skira, 1960）, pp. 38-42。他观察到这种风格能最好地适应新流行的小幅山水手卷、册页和扇面。

〔44〕Edwards，见脚注 1, p. 51.

〔45〕两幅画收录于下述专著并有所讨论：《中国美术》，卷 3（讲谈社，1965），图 4、5。

〔46〕韩拙，《山水纯全集》（画论丛刊本），页 45。

〔47〕荆浩，《笔法记》（画史丛刊本），页 7。

〔48〕郭若虚，《图画见闻志》，卷 2，见荆浩生平。

〔49〕郭熙，《林泉高致》（画史丛刊本），页 18。

陈嘉言画作系年

1663 年底或 1664 年初的冬天，梅花画家金俊明（1602—1675）画了一本梅花小册页。此后，他邀请友人至其苏州家中，在册页上添补各种花卉树石或题诗，其中一位友人便是陈嘉言。过去通常认为陈嘉言可能生于 1539 年，约卒于 1623 年。当 1983—1984 年我们在耶鲁大学美术馆筹备“玉骨冰魂：中国文学艺术中的梅花”展览时，他的生卒日期和为金俊明题画日期的明显差异令我们非常吃惊。在展览图录中，这一差异被搁置而未被指出。但是，既然现在金俊明的梅花册和另一件陈嘉言的纪年画作已经被耶鲁大学美术馆收藏，我在这篇文章中将讨论陈嘉言的生卒年问题。

所有关于中国绘画的重要工具书（包括《中国美术家人名辞典》），都将陈嘉言的生平置于 16 世纪和 17 世纪初之间。[1]《中国美术家人名辞典》和喜龙仁都根据陈嘉言的一些纪年作品将他的生年定于 1539 年，并认为他活到了八十多岁，卒于 1620 年代。所有的当代著作都说他是嘉兴人。

与这些记载相抵牾的是，在嘉兴府地方志中，找不到陈嘉言的名字；在最近出版的辽宁省博物馆所藏的一个陈嘉言所绘的册页上，陈嘉言署款的日期是 1658 年，这使我们必须重新考虑他的生卒年。[2] 作为一个侦探小说的忠实读者，我把这件事视为一个有待解开的秘密：谁是陈嘉言？他在何处生活？何时？他的朋友是哪些人？他的生活状况如何？他的艺术的意义何在？

从未有人宣称过陈嘉言的伟大之处。他在画史上默默无闻，最近出版的两本最具权威性的中国绘画史著作——徐邦达的《中国绘画史图录》[3] 和高居翰的多卷本中国绘画史的晚明卷，[4] 都没有提到陈嘉言其人。总的来说，他是一个不那么重要，同时也被忽略的画家。

我对这位身世模糊而又不那么出名的画家的研究，始于收集原始资料。文字资料少得可怜，而且令人失望的是，它们还常互相矛盾。但是，迄今为止我们发现了三十余件陈嘉言的画作，时间跨度近六十年（见附录）。而且，每一件画作都有年款。这些画作告诉我们，尽管陈嘉言身世模糊，并不出名，但却是一位严肃的画家，绘画乃其终生事业。他的很多画作还有题诗，这些诗与画勾勒出他的人生轮廓。

如果所有的陈嘉言画作都有年款，为何在他的生卒年和生活年代方面还会出现如此的不确定性？在传统中国，有两种主要的纪年方法。其一，每个皇帝在位期间都有其年号，年号后的年份数字都能找到日历上对应的年份。如崇祯二年即 1629 年。其二是用天干地支来纪年，同样的天干地支年份会在六十年后重复，如癸未年可以是 1523 年、1583 年、1643 年、1703 年等。

陈嘉言使用的是后一种纪年方法，在其存世作品中仅一件有年号。这仅有的例外，本可以告诉我们以往陈嘉言生卒年推算的错误，正如耶鲁美术馆册页的 1663—1664 年，辽宁省博物馆册页的 1658 年可以做到那样，但是，这唯一有年号的作品却从未被很恰当地出版过。

这一画作存于吴讷孙的收藏中【图 1】，纪年崇祯癸未，毫无疑问，这一年为 1643 年。按照传统的陈嘉言生年来计算的话，此时陈嘉言已经 104 岁。如果 1663—1664 年他还能作画，那时他应该 124 岁。和他的年纪有关的另一个有趣的现象是，在 70 岁后，陈嘉言为自己的画作落款时还会加上自己的年龄。因此，我们在其晚期作品上看到 73、78、80、85 的字样。可以肯定，如果他超过 85 岁还作画的话，他一定会在落款时写明自己的年纪。

吴讷孙所藏陈嘉言 1643 年的画作，辽宁省博物馆藏作于 1658 年册页，和耶鲁大学美术馆藏作于 1663—1654 年册页，明白无误地说明陈嘉言不可能生于 1539 年。根据这一证据，他活跃在画坛的时间肯定在 1643—1664 年之间。只要简单地把纪年向后推 60 年，所有记录年纪的作品都告诉我们，他生于 1599 年，卒于 1683 年，亦即写明 85 岁的画作完成不久（按照中国人计岁数的方法，要去掉一年）。已知现存最早的画作绘于 1625 年，作为一个画家，他的职业生涯至少有 58 年。

我们不再像过去那样，把陈嘉言作为 16 世纪和陈淳、周之冕、文

图 1
陈嘉言
荷塘禽鸟
1643 年
立轴　水墨
吴讷孙旧藏

嘉等许多吴门晚期画家同时代的画家，他被证明是一个17世纪的艺术家。他的生年1599将其划入一个完全不同的艺术家群体，这个群体中包括：萧云从（生于1596），项圣谟和杨文聪（生于1597），陈洪绶（生于1599），金俊明（生于1602），万寿祺（生于1603），傅山（生于1607）。他们是背景各异的遗民画家，与陈嘉言有许多类同。

只有陈嘉言的绘画才能使我们得到他正确的生卒年。这些绘画不但和文字记载矛盾，而且还证明它们是错误的。这只不过是艺术史研究方法的观察中一个基本的例子：如果绘画和文本之间产生矛盾时，绘画是对的，文本是错的——如果绘画本身是“对”的话。在本个案中，可以令人放心的是，所有落陈嘉言款的绘画看来都是真迹，在我看来，目前还没有人以陈嘉言的名头来作伪，这是因为他身世模糊、名气不大的幸运结果。

当我们还没有发现关于陈嘉言生平的可靠文献时，他的绘画成为了解他的身世和思想的重要线索。如果他真如现代所有关于他的记载所说是嘉兴人的话，我们可以思考这一出生地对他的人生和艺术的影响。作为画家吴镇、姚绶、李日华、项圣谟的同乡，他可以被认为分享着一些共同的特色和兴趣，并可以利用丰富而又有影响的地方传统。

当我在嘉兴地方志中未能找到陈嘉言的名字时，我开始怀疑两者之间的关联。他从未在画作的题款中提到过嘉兴。中国画家在署款时通常会写家乡名加姓名，如“嘉兴陈嘉言”。但是，在陈嘉言仅有的提及家乡的落款中，他提到的不是浙江嘉兴，而是“古吴”，[5]一个指向江苏苏州地区的地名。在最早提到他的传记的《明画录》（撰于陈嘉言去世后不久），他被列为吴人，亦即苏州人。[6]

不过，古吴和吴并不完全是一回事。陈嘉言使用“古吴”说明他生活的地区并非就是苏州，但在政治上却与苏州地区关联。

揭开陈嘉言身世之谜中这一部分的答案在江苏省崇明县的地方志。[7]作为县名，“崇明”是在明代才用来命名长江三角洲出海口的一系列岛屿的。这些由长江冲积的沙土逐渐形成的岛屿只有到了15世纪以后才有人定居。在那时，它隶属于南直隶的苏州府。

在崇明县的地方志中，陈嘉言被列为本地人。志中所列陈的传记，虽然有些可以被证明为错误外，依然是迄今发现的最为完整和包含最多信息的传记。它告诉我们，陈嘉言生于崇明一个贫穷的农家，少年时便专心学习儒家经典，特别是《春秋》，在生活中，谨守道德规范，十分简朴，但对家人和友人却很慷慨。在地方志中，他被列为1570年的贡生。[8] 我在此将这一错误的年代推后60年，将其改为1630年。在这一年，陈嘉言还被任命为安徽寿州的学正。根据这一传记，陈嘉言的官宦生涯是短暂的，他因不屑事权贵，拂袖而去。归故乡后，闭户专研经典，凡是学习《春秋》的士子，多出其门下。“暇则绘花鸟小帧，颇秀润。……年七十，忽一日冠服肩舆，遍诣亲友告诀，随沐浴更衣逝。”[9]

由于陈嘉言在八十多岁以后的画作上写明了自己的年纪，他肯定没有在七十岁时仙逝。我们只能推测，而且也有可能是这样，像其他一些著名的中国艺术家那样，他本人相信他将在七十岁去世的预言。[10]

不管怎样，有两个例子似乎说明他对自己活过了七十岁而感到惊奇。梁章钜在其1845年出版的《退庵金石书画跋》著录了陈嘉言的一件梅花横幅，署款为“丙申春二月花朝日摹会稽王元章本于竹梧草堂。七十三岁叟陈嘉言。”[11] 在日本江田勇二收藏的一张作于1671年冬天的画上的题款中，陈嘉言第一次提到了自己的年龄：“七十三岁老人陈嘉言”。在他传世的作品中，有一个1668至1670年的三年空缺，这正是他70、71、72岁的时候。由于存世的作品中还能显示出其他时期的空缺，这三年的空缺可能并不必然地那么重要，但是，在陈嘉言70岁左右的那几年中发生了或是没有发生什么事，仍是一个谜。

《崇明县志》中陈嘉言的小传几次提到了他的贫穷。他出身穷苦之家，当了学正之后又因为不事权贵而归隐，在家乡过着清贫的生活，直至去世。他的画作也告诉我们，除了教书的收入外，绘画可能也是其生活来源之一。我们能见到的三十多件存世作品，13件是挂轴，11件是扇面。小的挂轴和折扇可能是绘画市场上最通行的形式。它们可以在闲暇时完成，落款后出售、赠送，或是用来交换，如果某些情境需要的话。大多数陈嘉言的画作都有受画人的上款，不管是为了金钱、歆慕，还是互惠，我认为它们起着通货的功能。那些上款中的人名，除了极少数例外，都身份不明。陈嘉言经常和其他画家合作，但那些画家也大多身世不清。在与陈嘉言合作的人中，金俊明可能是最出名的一位，这在陈嘉言那些身份不明的友人中是个例外。换言之，这些绘画也和那些简短而零星的文字记载一样，说明了他八十四年的生活清贫而又默默无闻。描述在这一真实的环境和状况中作画的典型表达方式便是：“闲窗漫笔”，“写于竹梧荫下”。他的很多画都作于“竹梧草堂”和“保墨斋”。

存世的陈嘉言画作及其题款和印章见证了他的艺术创作的频率。我们注意到，他从事绘画超过了59年，每个季节和月份都会作画。存世画作可以系于他在艺术上活跃的59年中的21个年份，分布相当地均匀。这使得作品平均有三四年的间隔，这一模式只是59年中幸存作品的随机分布而已。仅有的比较集中的阶段是1663—1664年，有5件作品作于这一时期；以及1678年，这一年陈嘉言80岁，有4件作品。存世画作中，有两件绘于元旦，数件绘于农历五月五日端阳节。这说明，作为一个花鸟画家，陈嘉言经常选择为庆贺主要的节假日来作画。

陈嘉言在其画作上用了许多不同的印章，[12]它们的大小形状各异，包括差不多六个不同的名号或词语，最常见的就是他的姓名"陈嘉言"和字"孔彰"。这么多不同的姓名印和字号印，显示出在他长达六十多年的绘画生涯中，经常出现印章磨损后重新镌刻以替换的情况，而且他还根据画作尺幅的大小不一，匹配相应的印章。他在绢上和纸上作画，形式包括扇面、册页、手卷和挂轴。

对陈嘉言的艺术为数不多的评论相当一致。徐沁的评论堪称典型，爰录于下：

> 陈嘉言，字孔彰，吴人。工花鸟，纵笔挥染，韵格兼胜。[13]

对这条著录，一位评论者这样写道：

> 阮林曾见其墨梅小直幅，其格在中正苍茂，然殊少逸气也。[14]

在后来的《图绘宝鉴续编》中有这样的记载：

> 陈嘉言，字孔彰，嘉兴人。善写意花卉，松秀可佳。[15]

这些简略而且通常能令人满意的评论，传达给我们的是一个鲜为人知的小画家的形象，他是一个有尊严的人，出于某些原因，他可能被人们所敬佩，但是他的作品却没有激发起人们很多的热情。

今天看来，这些评判算是允当。但是，如果就此离开，不再前行，我们就为自己竖立起了一道障碍，阻隔了对这位画家及其艺术的进一步了解。换言之，像所有的艺术评论一样，这些评论是理解和欣赏的终止

图 2　陈嘉言　**菊花**　洒金扇面　1663　耶鲁大学美术馆

而非开始。

在他的题跋中，陈嘉言最为经常地提及明代的花卉画家陈淳是他效仿的对象（正如耶鲁大学收藏的扇面，见【图 2】)。事实上，在我们所知的信息中，他只提起过自己的另一个绘画渊源，亦即宽泛的“宋”。[16] 陈嘉言在吴门画家沈周、文征明、陈淳、周之冕的基础上形成了自己典雅的画风。最后这位画家是陈嘉言和前几位前辈之间的连接，正是周之冕的画风对早年的陈嘉言影响最大。

人们多年来错误地将陈嘉言认作 16 世纪的画家，也可能是因为他的画缺乏原创力。很显然，他本人对运用苏州的绘画遗产感到满足，以一种几乎是谦卑而又永恒的方式，来探究一年四季变换中的花鸟外观。1643 年所绘的是一件技艺娴熟、招人喜爱的画作，但除了自身及其所处的微观世界，它没有留下任何和外部世界相关的线索。画面上没有题诗，就像他 17 世纪 50 年代之前的画作都没有题诗那样，它代表着他创作的是怎样的画作，正如他的一位传记作者所说，他在研究和教授古代经典之余，闲暇时作花鸟画。

1644 年的明清鼎革从本质上改变了陈嘉言的生活和艺术追求。在 1644 年之前，他过着归隐的简朴生活，朝代变迁也并没有给这种生活方式带来任何戏剧性的变化。但是明显地，他生活的意义改变了。他从一个明代政府退休的儒家学者、教书先生，变为一个既受尊崇又被追念的明朝的儒家学者，他成为遗民，一个前朝遗留下来的子民。

关于这一新的身份最为重要的证明，是Kimbell艺术博物馆收藏的陈嘉言作于壬辰元旦（公元1652年2月10日）的画作，亦即满人入主中原的八年后。他的绘画对象发生了微妙的变化。在此前的画作中，他画池塘边的鹭鸶（1627），禽鸟，蝴蝶，草莓和竹子（1630），禽鸟和梨花（1633），荷塘边的禽鸟（1643，参见图1）。存世作品在此时第一次出现题诗，赋予画中形象新的意义和联想，由于题诗暗喻着他的生活和文化，画中的形象变得丰富。在【图3】中陈嘉言抄录的是明代诗人王世贞咏水仙花的一首诗：

瑶池消息路还通，谪藉初分弱水东。
吟罢冰壶秋片片，摘残朱蕊夜丛丛。
霓裳舞夺唐宫月，纨扇歌留汉殿风。
零落总如交甫珮，汉江清梦晓来空。
壬辰元日闲窗漫笔。[17]

这是一首苦涩而压抑的哀歌，陈嘉言题录于寒冷的元旦——在明朝覆亡后更多令人郁闷的消息不断来袭之后。他试着吟唱，才吟又罢；试着采花，花蕊已残。他的故国恰似安禄山叛乱后的唐朝，他的哀伤正如汉代班婕妤所述说的遗弃。他现在感受到了同样的失落和孤独，和其他的遗民一起，如碎玉散落在地。当在黎明醒来之时，梦中闪亮的汉江随着夜色一起消逝。诗中援引了多个古诗中哀伤的典故，陈嘉言借此微妙地将个人、家国、历史、斑竹、水仙等编织成述说绝望和凄凉的悲歌。

陈嘉言的绘画也具有同样的表现力。作为画家，他并不那么引人注目，但是他不张扬的艺术却找到了合适的主题和手段来表达丰富性、深度、意义。画中明暗相间的岩石，枯萎的荆棘，半隐的水仙，达到了我们在元代遗民画家龚开笔下嶙峋瘦马那样的简洁而强烈的感染力。[18]早年的自娱在这里变成了一个身份沉沦而又困顿的遗民维持尊严的修身手段。一系列的事件改变一个人和他的生活。他曾经如此高傲而不事权贵；如今，他的骄傲找到了相称的陪衬：作为征服者的满人。他的履历无懈可击：早在明亡前他就已经拒绝为那些要对明代覆亡负责的官员效力，如今他更不可能对一个入主中原的异族称臣了。

耶鲁大学美术馆所藏金俊明作于1663—1664年的册页，可以从交游方面来为他在明亡后的遗民身份提供一个有趣证明。[19]金俊明是苏

图 3
陈嘉言
水仙竹石
1652 年
立轴　水墨
Kimbell 艺术博物馆藏

州人，一个杰出的明遗民代表。[20] 在金俊明的册页上作画或题诗的多为苏州人或江苏籍，如陈嘉言。虽然总的来说声名不显，但大多看来在明朝覆亡后过着隐退的生活。其中顾苓（字云美，1609—1682 年后）在明亡后，自辟塔影园于虎丘山麓，隐居不仕。篆刻和隶书享有时誉。钦揖在明亡后成为一位名僧。徐树丕是诗人和书法家，一个稀见的传记简略地提到，他在甲申（1644）后过着隐居生活。

1663—1664 冬天时，南明的最后一个君王永历皇帝朱由榔（卒于 1662）已经死亡，对明遗民而言，已经看不到任何可以取代满族皇帝康熙的希望。[21] 他们只能过着隐居的生活，交往者多为志同道合的友人，平静地把精力投入诗书画印之中，以此来维持人格的完整。不过，他们也目睹了越来越多的子弟在清政府中为官，他们越来越像是来自另一个时代的老人。

个人的形象也因此改变。1644 年后，陈嘉言和金俊明都开始画梅花。那些老梅形象的含义很清楚。耶鲁册页中陈嘉言所作的梅花下的岩石上，钤盖着一方朱文印“明”。【图 4】在 1663—1664 的冬天，它的意义既是清晰的，也是无可奈何的：明王朝现在已仅仅是一个记忆。

在安思远（R. H. Ellsworth）收藏的一张梅花立轴上，陈嘉言题了一首元代画家赵孟頫的梅花诗。【图 5】赵孟頫同样经历了朝代鼎革。他虽曾仕元，但一直和家乡的遗民朋友保持着联系，分享着他们的故国情思。陈嘉言借用此诗来描述自己如默默伫立在江干的梅花，它的清高和纯洁令桃花和梨花逊色。陈嘉言及其所绘自我形象，正合另一位遗民画家石涛在一本梅花册上的题诗：“古花如见古遗民”。[22]

陈嘉言差不多一半人生在明代度过，另一半人生在满清做遗民。可以这样说，在满人入主中原前，他的性格和生活方式都已定型；1644 年后，他更为坚强地成为一位清高甚至高傲的隐士、学者、老师、诗人、画家。他那情感充沛的绘画在 1652 年冬达到了高峰，那时，可怜的永历皇帝带着他那些衣衫褴褛、丧魂落魄的随从再次逃亡，从“玉池”传来的消息确实令人沮丧。存世极少并分散各处的陈嘉言 1650 年代画作，告诉我们其艺术延续的概况，但是从 1663 年开始，陈嘉言在自己的艺术中找到了栖身之地。

1663 年以后的作品显示，他的创作更为严谨，对物象的观察也更为细致，离开了一些既有的传统，更加亲近禽鸟和花卉，蝴蝶和鹭鸶，进入一种由小事物构成的世界中简朴低调的生活。他把对竹子和水仙的

图 4 **金俊明画竹石，陈嘉言补天竺、长春** 册页 1663—1664 年 耶鲁大学美术馆

图 5
陈嘉言
梅
1672 年
立轴 水墨
安思远旧藏

精美勾勒和用墨色直接挥写图中其他部分结合起来，发展出一种优美而又具原创性的风格。1663 年（Sogen 藏）和 1667 年（天津艺术博物馆藏）的画作是这一风格的早期例子，而耶鲁大学美术馆藏 1663 年仿陈淳风格的扇面表明，在 17 世纪 60 年代初，他的绘画越来越流动，对写意水墨画的掌控愈加熟练。

在我所见到的陈嘉言的晚年作品中，看不出这位年迈的艺术家笔下有任何衰老的痕迹。他 80 岁和 81 岁的画作，下笔雄健肯定，85 岁时在画上的题款中自豪地写下自己的年龄。在他存世的作品中，至少有两件作于 1683 年，说明他还在不停地挥动画笔，而此时，他的绘画生涯已经长达一甲子。他似乎在提醒我们注意两位明代苏州的长寿画家——沈周（1427—1509）和文征明（1470—1559），他们在八十多岁时，依然充满着创造力，驱笔自由如意。陈嘉言虽然没有像他们那样成为文化偶像，但是，绘画于他而言，一直是伴随着生命的起伏的必要活动。从我们已知的信息可以想象，直至生命的最后一刻他才停下画笔。

陈嘉言是晚明的学者和老师，清初的画家和诗人。他是画家、遗民，一个命里注定要生活在一个特殊时代的人。他本被认为要死于 70 岁，但却活到 85 岁。八十多岁的时候，他的画作还充满力量和自信，像位年轻画家。他在崇明这座沙土堆积而成的岛屿上平静地度过了他人生的大部分时间，并努力在野梅丛或竹枝小雀上寄托自己的生命。

可以肯定，关于陈嘉言，我们还将会知道得更多。读了这篇文章的人们，如果有关于他和他的艺术更进一步的信息可以分享，我将十分感激。

白谦慎　译

译自 “On Dating the Paintings of Ch’en Chia-yen,”
Yale University Art Gallery Bulletin, Spring, 1987, pp. 47-57.

注　释

〔1〕参见俞剑华编，《中国美术家人名辞典》（上海：1981），页 1033。又见喜龙仁（Osvald Sirén），《中国绘画：主要画家和原理》（*Chinese Painting: Leading Masters and Principles*），第 7 卷，页 161。

〔2〕Baden-Baden, *Im Schatten hoher Baume*, 1958, no. 49, p.1。Herbert Butz 在为这个册页写的札记中，提出了正确的陈嘉言生卒年。最近的一个订正来自册页的前主人黄君实，他在为佳士得 1985 年 12 月 3 日的拍卖图录撰写的词条中提出了自己的看法。见拍卖品 48 号。

〔3〕徐邦达，《中国古代绘画史图录》两卷本（上海，1981）。

〔4〕高居翰（James Cahill），《山外山：晚明绘画（1570—1644）》（*The Distant Mountains*）（纽约和东京，1982）。

〔5〕在现存和著录中的陈嘉言的画作中，仅有两件提到了出生地“古吴”，而且都是陈嘉言的早期作品，作于 1644 年明朝覆亡之前。一件作于 1633 年，另一件作于 1637 年（天隐堂见本文附录）。陈嘉言从未在署款和印章中再提到自己的出生地。在我看来，除了崇明，没有其他地方的人知道陈嘉言是哪里人，多少有点奇怪。我现在换一种论述方式。在存世的陈嘉言的画作中，只有一件署款有帝王年号，亦即 1643 年，明亡的前一年。仅有两件提及自己的故里，也都同样在明亡前。因此，在明王朝覆亡后，陈嘉言一再拒绝使用新朝帝王的年号，并避免提及一个和政治相联系的地区。这些例子似乎告诉我们，他不承认自己所处的政治时间和政治结构，依然把自己和鼎革巨变斩断，活在另一种历法序列中。

〔6〕徐沁，《明画录》（画史丛书本），第 6 册，页 87。

〔7〕曹炳麟纂修，《崇明县志》（民国十三年修十九年刊本），卷 12，页 874。这一传记由当时正在耶鲁大学艺术史系攻读博士的的林小平发现。传记的一个有讹误的简短版本可在乾隆版的《江南通志》（1736）的卷 170、页 24a 中找到。

〔8〕曹炳麟纂修，《崇明县志》，卷 13，页 1020。

〔9〕译自《崇明县志》所载传记。

〔10〕齐白石是那些深信自己将于某一特定的年份会逝世的画家中的一位。为了避开那特定的年份，他有意多写两岁来跳过，结果他活了差不多一百岁。

〔11〕梁章钜，《退庵金石书画跋》（卷 17，台北重印本，页 1067）。梁章钜著作中记录的陈嘉言绘画有几处讹误，并不能让我们完全放心。换言之，这个记录，如同其他所有的文字记录，是种种错误信息、传写和印刷之误与真实资料的混合体。譬如，梁章钜在谈到陈嘉言时，把他视为一个主要画梅花的画家，并把他排在金农、罗聘之前。但是，却认为童二树比陈嘉言略高，不过我却对童二树所知甚少（事实上我从未听说过这个画家）。另一条令人半信半疑的信息出自《国朝画征录》，也认为陈嘉言是乾隆年间的画家。《中国美术家人名辞典》说，有两位名为陈嘉言的画家，根据是一条杭州当地的资料，这当然有可能。我在这里引用的是只和那个字为孔彰、斋号为保墨斋和竹梧草堂的陈嘉言相关的资料，他的题跋、书法、绘画显示出一致性，他生活在 1599 至 1683 年这一期间。

〔12〕孔德（Victoria Contag）和王季迁编著的《明清画家印鉴》（*Seals of Chinese Painters and Collectors of the Ming and Ch'ing Periods*），修订版并有高居翰的补遗（香港：1966），页 329 和 694 共印出了 11 方陈嘉言自用印。4 方读作“陈嘉言印”，4 方读作“孔彰”。此外，在存世的陈嘉言的画作上，起码有 4 方印章没有收入王季迁和孔德的书，据估计，还有其他几方不同于已发表者。已被确认陈嘉言用在其画作上的 15 至 20 方不同的印章告诉我们，他是一个长期不断地认真工作的画家。他所使用的名号不多而且相当稳定一致，说明在近六十年的艺术生涯中他对个人身份的认定相当稳定。

〔13〕徐沁，《明画录》，见注6。

〔14〕同上。

〔15〕蓝瑛等，《图绘宝鉴续纂》（画史丛书本），第1册，页11。

〔16〕梁章钜（见注11）引用了自己收藏的陈嘉言的画作上的题款，提及摹王冕风格。梁在解读这件绘画时，犯了一些错误，但是我看不出为何他在引用题跋时也犯了错误。在叶义收藏的陈嘉言画作上，题跋提到了仿宋代画风。（见附录）

〔17〕有几位友人帮助我解读这首寓意隐晦的诗，他们是王方宇、林小平、李慧漱，在此谨致谢忱。"霓裳"和唐代杜牧《过华清宫》、白居易的《长恨歌》等诗歌的典故有关，这些诗篇都表达了对安禄山叛乱带来灾难的哀叹。《纨扇歌》为汉代班婕妤所作，哀叹被离弃的悲伤。

〔18〕见何惠鉴（Wai-kam Ho）撰《蒙元时期的中国人》，载 Sherman E. Lee 和 Wai-kam Ho 著，《蒙元统治下的中国艺术》（*Chinese Art Under the Mongols*, Cleveland, 1968），页73—117，特别是页93—95。

〔19〕毕嘉珍（Maggie Bickford）等编撰的耶鲁大学梅花展的图录《玉骨冰肌》（*Bones of Jade, Soul of Ice*, New Haven, 1985），讨论了金俊明册页合作者的身份。见展品编号30，页264。

〔20〕关于金俊明的生平事迹，见 Ellen Johnston Laing，《文点和金俊明》（"Wen Tien and Chin Chun-ming"），载 *Proceeding of the Symposium on Painting and Calligraphy by Ming I-min*, edited by Cheng Te-k' un, Jao Tsung-i, and J. C. Watt, *The Journal of the Institute of Chinese Studies*, 8（Dec. 1976）, pp. 441-442.

〔21〕Lynn A. Struve, *The Southern Ming, 1644-1662*, New Haven and London, 1984.

〔22〕这一梅花册现藏于普林斯顿大学美术馆。

附录：陈嘉言现存画作编年

在编制这个附录的过程中，我主要根据以下三种标准的著录，并根据第二种著录的格式来编制本附录。Osvald Sirén, *Chinese Painting: Leading Masters and Principle*, 7 volumes, New York, 1965-1967; "Lists" v. 7, p. 161; E. J. Laing, *Chinese Paintings in Chinese Publications* Ann Arbor, 1969, pp. 154-155; 铃木敬，《中国绘画总合目录》（东京，1982-1983），卷 5。

1625　立轴。与其他画家合作。天津艺术博物馆，2-61。

1627　扇面。Dubosc 收藏（Sirén, "Lists"），无图像。

1630　扇面。Christie's 拍卖图录，1984 年 11 月 30 日，拍品 710 号。

1633　挂轴。故宫博物院，见《故宫花鸟》，页 58。

1635　水墨花卉挂轴。芝加哥艺术博物馆。无复制品？

1637　12 开册页。天隐堂（I），页 36—47。

1639　扇面。Seligman 收藏（Sirén, "Lists"）。无复制品？

1643　挂轴。吴讷孙收藏。见铃木敬图录（SI 046-5）。

1647　挂轴。Chang Wan-li collection.《中国画》，XV, 14。

1652　挂轴。Kimbell 艺术博物馆。年款：壬辰元旦，公元 1652 年 2 月 10 日。*Toyo Nanju* 20。为本文的图 2。

1656　绢本手卷。江田勇二收藏。见铃木敬图录，JP 14-028。

1657　挂轴。《石渠宝笈》三编，页 3753。

1658　诸家合作册页中的一开。辽宁省博物馆藏。《辽宁省博物馆》II，页 73。

1663　扇面。耶鲁大学美术馆。见本文图 3。

1663　与金俊明等合作册页。耶鲁大学美术馆。见本文图 4。

1664　挂轴。Sogen 收藏，182。

1664　挂轴。SCPC，第一版，页 1133—1134。

1667　挂轴。天津，I，页 37；又见 Sogen 183。

挂轴。郑德坤收藏。（木扉，op. 页 14）。

1671　挂轴。江田勇二收藏。铃木敬图录，JP14-036。有款"七十三岁"。

1672　挂轴。安思远收藏。见本文图 5。

扇面。Dubosc 收藏。见 Sirén "Lists"。

1676　扇面。上海博物馆藏。扇面画，29 号。有款"七十八岁"。

1678　扇面。日本私人收藏。铃木敬图录，JP12-195。

挂轴。原由叶义收藏。Sotheby's 香港拍卖，1984 年 11 月 21 日，29 号。有款"八十岁"。

扇面。Christie's 拍卖，1985 年 12 月 3 日，48 号。

挂轴。《石渠宝笈》初编，页 1145。有款"八十岁"。

1679　挂轴。天津艺术博物馆。《艺苑集锦》，页 15。作于已未元旦（1679），有款

“八十一岁”。

1683　扇面。故宫博物院藏。有款“八十五岁”。

扇面。故宫博物院藏。有款“八十五岁”。

1684　扇面。日本私人收藏。见铃木敬图录 14-068。由于照片模糊，不能清晰地辨认究竟是 1654 还是 1684。权列于此。

在完成了本文的写作后，我又发现了 5 件陈嘉言的画作。3 件作于崇祯年间，所以已知共有 4 件作品作于这一时期，但我们尚未发现 1643 年后的作品有帝王年号。这 5 件作品是：

1629　花卉手卷。设色绢本。款“崇祯二年”。王季迁藏。

1641　挂轴。鹭鸶荷花。款“崇祯十四年”。虚白斋藏。《艺苑掇英》第 31 期，页 12。

1628-1643　挂轴。款“崇祯”年间。黄君实藏。

1671　绢本挂轴。禽鸟在梅竹水仙丛中。静嘉堂，《中国绘画》（东京，1986），彩色图版 28。有款“七十三岁”。

1677　洒金扇。山水和鸭子。Sotheby's 拍卖图录，1986 年 12 月 4 日 32 号。有款“七十九岁”。

山水画中的人物

> 刘道士亦江南人，与巨然同师。巨然画则僧在主位，刘画则道士在主位，以此为别。（米芾《画史》）[1]

米芾，或许是宋代最别具只眼，或至少是声誉最为卓著的鉴赏家。随着我个人对于宋代绘画学习的增长，我愈发现米芾在鉴别上的说服力。[2] 他尤其仰慕江南山水画大师董源，以及其《画史》中所记载的董源传人巨然与刘道士。

巨然与刘道士皆师承董源，故一如米芾所言，两人画风应非常相近。至于两者的区别，根据米芾观察的总结是：道人以道士为主位，而僧人则以僧为主位。这究竟何所指？是不是意味着刘道士确实在画中突显道人的位置，而巨然则代之以僧人呢？近代的作伪大师张大千，在改装一件巨然山水画为刘道士画作时，理所当然地，他首先是去掉巨然的名款，然后将僧人的袍服改画成红色使其变身为道人，以吻合米芾的文字记载。[3] 然则，米芾的评论是否也可以解读为巨然的画中蕴含着某种虚幻难以捉摸的佛禅观想，而刘道士的画则传达出某种道家超凡的仙气？

当然，如果米芾还在世，我们或可与其坐而论道，面对面来评论这些画作，或许他本人可以为我们澄清这些观点。抑或，米芾那些模棱两可闪烁不定的言辞，本就是有意为之，以诱导我们去推敲其言下之意。无论如何，我希望依循着他的思路与理念，就其论述中较明确的一些观点，来反思点景人物在宋代山水画中的种种意涵。

北宋的山水画巨制，顶着无比崇高伟大的标记与神秘的光环，使

图 1　**郭熙　早春图**　1072 年　轴　水墨浅设色　绢本　158.0 厘米×108.1 厘米　台北故宫博物院

得艺术创作者往往笼罩在其作品的阴影之下。因之，一如米芾所言，问题的症结在于如何在山水中发现与辨识出画家个人的定位？又该如何识别？米芾经常能洞悉各种蛛丝马迹的证据，并借此以明察出人物在山水画中的重要性。譬如说，他从许道宁山水中描绘的那些闲散的村夫野老，便可体察出许道宁个人粗鄙的出身与落拓的天性。（容后详论）还有，如前提及，从巨然山水中的僧、道人物之别及其山水表现的特质，即能断定山水的内涵究竟是道抑或是佛禅。

点景人物是北宋山水画中常见的视觉元素，然而我们鲜少予其应有的注意，更遑论详究其重要性。比如说，郭熙《早春图》【图 1】中所绘的十三个男女老少，在一般的出版印刷品中，由于人物的刻画过于细微，几乎完全无法辨识。此外，画中还包含了两座大型寺院建筑组群、一个小村落、两只渔船、一头驴和一条狗。难道这些视觉元素只是某种普遍山水传统形式下的附属品，而不具任何意义？或者说，在伟大永恒的大自然之下，他们的作用仅仅在于图示人类生命与活动的迹象？归根结底，这些点景人物究竟有什么意涵？又若真有什么意涵，又是如何传达的呢？

以中国山水画中常见的人物——渔父为例。一般来说，渔父，似乎只是野逸生活与离世隐遁理想的一种体现。[4] 然而在宋人的传记中，我们却发现李公麟所画的渔父别有意指。他在以王维诗为题的《阳关图》中，不作一般送别时“离别惨恨”“人之常情”的描绘，而写一渔父“设钓者于水滨，忘形块坐，哀乐不关其意”来作为画家自我个性与意图的表达。因之，览者从画中感受到这是李公麟独处时恬然自适的一种心象呈现。[5]

类似这样渔父的母题也出现在许多宋画中。比如说，东京国立博物馆藏的李氏《潇湘图》【图 2】，有一渔父悬浮于画卷中景群山的天际之上，完全超越于山水的结构之限。随着这个梦幻般的渔父，周遭迷离的烟水幻境亦随之飘荡。而另一件传董源的《龙宿郊眠图》【图 3】中，尽管画面前景描绘着形形色色的节庆仪式与活动，远方的烟水中，却有一位完全置身世外的渔人，兀自怡然遗世独立。

从以上三件作品，我们可以看到从董源、李公麟到无名款的李氏《潇湘图》的创作者，一脉相承的宋画传统。画中的渔父点景人物都有着一致的作用。他们兀自漂浮于远水之上的形象，体现出一种远离尘世、卓然物外，寄寓自我于时空之外的情怀。

反观许道宁在《渔舟唱晚图》【图 4-1】一作中的渔父又是如何呈现？画上一脉天上人间的山水中，有一位穿蓑戴笠的渔人，悬浮着钓竿于水面

图 2 **舒城李氏 潇湘图** 约 1160 年 卷 局部 水墨 纸本 30.3 厘米×400.4 厘米 东京国立博物馆

图 3 **董源 龙宿郊眠图** 轴 局部 水墨设色 绢本 156 厘米×160 厘米 台北故宫博物院

图 4-1 **许道宁 渔舟唱晚图** 卷 局部 水墨浅设色 绢本 48.9 厘米×209.6 厘米 堪萨斯纳尔逊 - 阿特金斯美术馆

之上，莫非他也是个卓然物外、志节高超的隐逸之士？然则似乎不然。因为就在近处的水滨岸边，一位醺然酒醉的店家正在用皮鞭赶驴上船。而另一位带着随从，骑着驴儿的旅人，刚过了桥，在土堤上继续专注地赶着路。水面上，一艘利索的小船，正对着渔人的垂竿钓丝直冲过去，把所有可能钓到的鱼儿都赶走了！此外，还有两艘载酒的小贩船，快速地从两旁划了过来，彼此竞相叫卖兜揽生意。（右下）置身于此起彼落喧嚣扰攘的闹市众生群像中，蓑衣渔翁怎得安宁垂钓？想来他必然懊恼怨叹怒火中

图 4-2　**许道宁　渔舟唱晚图**　局部

烧，其愤慨之情，油然地激起了阵阵涟漪，而映现在水面之上。【图 4–2】

我总爱遐想这个懊恼的渔父，或许就是许道宁个人生活与心象的写照。一个在扰攘尘世中，以卖药为生，放浪形骸，潦倒于酒肆之中的醉汉与职业画家；在困顿中挣扎，却不得解脱尘世的羁绊。[6] 然而，相对地，超越个人小我之上，画中那拔地而起的崇山峻岭，却是一派谐和静谧，高耸无以企及，近乎一种幻象的世界。或许，唯有在那幻境中，渔父可以挣脱周遭喧闹的烦嚣以及鲁莽的市井小贩，而托寓自我于崇山远水之中。

可见宋代山水画中的人物扮演着极其重要的角色——他们是画家的替身与代言人。画家谱写他们，也就等于是呈现其个人与自我。

在一般典型的宋画中，往往就是有一个像许道宁画中的渔父般的关键人物。我将这些如同诗歌中眼目一样的关键人物称之为画眼。艺术家总会不期然地，从画眼中所投射的观点与角度，将其个人所置身的情境，透过其艺术构建来倾诉或突显自我。

我在许多宋人的作品中都注意到这样的画眼人物，而且他们总是给我提示一个可以分享的观点。赵干的《江行初雪》长卷中，描绘了42 个人物，其中可能包括画家的丈母娘、上司，以及家里的各个成员；除此之外，我认为还包括了画家个人寄寓画中的一双眼睛。透过画中那个赤足、半裸、衣衫褴褛的孩童，以他那纯真讶异的双眼，惊奇地窥视

图5 **赵干 江行初雪** 卷 局部 水墨设色 绢本 25.9厘米×376.5厘米 台北故宫博物院

可能是他生命中首逢的江上初雪。那是画家掩藏在儿童眸子中的画眼。观者因之得以分享画家个人体验初雪的惊艳。【图5】

范宽的《溪山行旅图》【图6】巨作，除了前景右下方的两位赶驴人与驴队之外，在接近山水构图正中央的山脚下，还掩藏着一位居于画眼地位的出山行脚僧人。我推想他正要渡水返回大山前那座他常年住持的寺院。这个僧人在画中的存在，就如同画家隐藏在树下叶丛石堆中，树叶状的名款一般；对我来说，这几乎就跟画家的生命、心象与存在，是一样有力的迹象。因之，也理所当然地，等同于画家的“签名”了。

山水中的人物，在功能上，是一种道心德行的体现，或是某种价值观的标记。这些画眼人物，不但呈现出画家的心灵，并且可以作为一种密码，由之开启了他们所置身其中的山水的真义。关仝的《关山行旅图》【图7】中，在山郊荒野、尘土覆盖的小路上，有两位身着长袍，伏地顶头、相互揖拜的人物。他们不寻常的举动，引发周边的村犬吠了起来，同时也惊动了蹇驴，使性不肯前行。这些画中人物显示出这般真

图 6
范宽
溪山行旅图
轴　绢本
水墨浅设色
206.3 厘米×103.3 厘米
台北故宫博物院

图6　局部

情挚性的动作，所牵引、感染的一连串犬吠、驴鸣，或许是某种早已为人们所遗忘的远古礼俗，但是偶然地保存在山野村舍或者宫廷之中。当然，借由这些点景人物，我看到画家的心象，并且将画中人物的动作景象与画家个人的生活与思想联系在一起。

无可厚非，这种对于某种点景人物的分析，往往也不能完全确定其重要性、内涵，或什么特定联系。在推测时，要根据对画作的解读、反

图 7　关仝（十世纪）　关山行旅图　轴　水墨浅设色　绢本　144.4 厘米×56.8 厘米　台北故宫博物院

思，以及对画家个人传记与艺术史文献材料的梳理与联想；针对山水画中的点景人物与艺术创作者之间的共通性；以及对宋代艺术内在既成章法的熟悉度等，综合推论而成。这种推测也可以是基于画作中某种与众不同并独到的特质。关仝画中伏地揖拜的人物，在宋画中就非常见；而范宽标志性的道人行者之所以引人注目，也在于其不寻常之处。因为画中的这位行者，不但顽强地居处于山水构图的中心位置，而且更引发我们联想起传记中种种关于范宽的记载：

> 宽，仪状峭古，进止疎野，性嗜酒好道。尝往来雍、雒间。[7]居山林间，常危坐终日，纵目四顾，以求其趣。虽雪月之际，必徘徊凝览。[8]

事实上，在所有宋代山水画的点景人物中，范宽的道人行者，似乎最真切地反映了米芾所谓刘道士画“道在主位”的评论。

许道宁画中鸣驴、醉汉、村野小贩等各式各样的演员，不仅呈现出一种与众不同的鲜明个性与观点；同时也似乎完美地吻合了米芾对许道宁所作人物类型的一般描述：

> 他图（许画传为李成）画人丑怪，赌博村野如伶人者，皆许

道宁专作成时画。[9]

对米芾来说，那些鄙俗的众生群相正是许道宁自身的写照。然而，于我，那些喧闹扰攘的小贩人物，与其周遭那些难以名状的崇高山水，两相对照之下的强烈落差，似乎才正是画家所要表达的主题。而更吸引我的是米芾的这种信念，他从许道宁所图写的人物之状态与特点，就能洞悉画家本人蕴藏其中的个人特质。而且，更令人笃信不移的是，米芾的见解与以上所讨论纳尔逊美术馆所藏的许道宁山水中的人物，竟然完全契合。

米芾总是能从作品中看到画家本人。譬如说，他曾在一件辟支佛画中，辨认出王维自己的写真画像；反之，在描述自己的作品时，也大言不惭地表达出他自己得意浪漫不羁的形象。[米芾评李公麟"尝师吴生（吴道子），终不能去其气，余乃取顾（恺之）高古，不使一笔入吴生。又李笔神采不高，余为……"][10]

然而，我们必须认清的是，这种对应的暧昧之处，往往难以完全确定。关仝画中作揖的人物行为举止是如此不寻常，可同时又是那么特定，因之，我们或许应该考虑此画是否在描绘《阳关送别》这首诗歌中的情境呢？尤其是，画中的山腰上明确地图写出关隘的景点特色。但即便如此，画家如何想象构思这样的景致，也仍然是非常个人化的问题，是因人而异的，而且所有的作品皆然。因之，如果我们还是要在作品中找到画家本人，那么，到底要怎么做依然是个问题。

山水中的人物，几乎总是提示着一种形态配置上的构型（configuration）。亦即，凡山水中的人物、模式或者结构等的形成，都是关涉着某种义涵的。就如同寺院和桥梁建筑物一般，山水画也是人创作出来的，因此一定反映出创作者的心灵与价值观。李成的《晴峦萧寺图》【图8】中有好几个人物，他们全都安置在前景山脚下提供歇息的村落附近，依次散布在一条通往半山腰寺院的小径上。居高临下的寺院，虽然凌驾众人之上，却是人所创造的。而寺院上方，拔地而起的崇山峻岭，也是人所创造的，只是无人能够攀登，唯有画家和观者的心灵得以遨游其上。

总之，李成山水中的人物，是我们体验他的山水及其内涵的向导。这些人物无论是否都与上方的寺院有关，或者仅仅是山中的行旅过客；那座高高在上、可望不可即的寺庙，成为引力磁石，加之其正好坐落在画面的正中央，凡此，无可置疑地，这座寺院便是这件山水作品的画眼。相较于这座寺庙所散发出的那种引人入胜的磁场力道，画中的点景

图 8 （传）**李成　晴峦萧寺图**　轴　水墨浅设色　绢本　111.8 厘米×56 厘米
堪萨斯纳尔逊 - 阿特金斯美术馆

人物，反之，除了作为方向与旅行的指标之外，没有哪一个人物具有特别的重要性。而这或许正是李成晚年皈依佛教寓艺合道的体现。[11] 如此解读李成的这件山水作品，我想或许就不辜负米芾的教诲了！

李成的《晴峦萧寺图》，即便没有这十三个点景人物，也无碍于此山水画在表达、结构以及象征上的效果。这些点景人物，事实上，或许只是拿来作为叙事性的细节与元素，以赋予山水构成上的生命迹象与活动；因此，即使空无一人，也不会影响其山水画所要传达的讯息。巨然创作《溪山兰若图》【图9】时，一定明白这个道理，所以这件山水作品的画眼就聚焦在前景那座虚空无人的草堂，草堂与河对岸那虚渺高耸的山头，两相映照着宇宙天心。观者的心灵缘此进入，盘旋在那无人的山水之中。

宋画中，偶尔如此刻意省略点景人物的做法，亦可达到有力并引人入胜的效果。而举凡存世的少许几件这类作品，都各有其特色。比如说，关仝的《秋山暖翠图》【图10】就寓意着在幽晦秋山中的困顿与奋斗。开启画意的法门，是从左下方石壁屏障后那一条狭窄

图9 **巨然 溪山兰若图** 轴 水墨 绢本 185.4厘米×57.6厘米 克利夫兰美术馆

图 10
关仝
秋山暖翠图
轴　绢本
水墨浅设色
140.5 厘米×57.3 厘米
台北故宫博物院

图 11
巨然
层岩丛树图
轴 绢本
水墨浅设色
144.1 厘米×55.4 厘米
台北故宫博物院

的小径进入，蜿蜒迤逦而上。小径忽隐忽现，消失了一会儿后，又在接近山巅的石林中重现。盘旋过主峰顶后，豁然出现一掩藏于山后，几乎不能辨视的宝塔或神龛顶端，标示着小径的终点，同时也寓意着前方蹇途的起点。所以，无须图绘什么艰苦跋涉的登山者，来传达山路究竟是如何的险阻，观者自是一目了然，攀越那崇山峻岭的路途，不仅艰苦而且凶险难卜。《秋山暖翠图》的情境或可比拟李白千古传唱的《蜀道难》诗意〔12〕，同时也完全符合唐朝帝国覆灭后，关仝个人身处五代时期分崩离析的历史情境。

山水中省略点景人物的做法，时而会有谜一般的效果。比如说巨然的《层岩丛树图》【图 11】，图中那条淡薄朦胧的小径，究竟要引领观者何处去？小径何以似是通往虚空，而不知所终？当然，小径是不会虚空没有目的地的，而应是指向无限可能的乌有之乡！在那一片清虚、云烟缭绕的佛国净土中，冥想着虚空与光明中的佛心与真理。这或许就是米芾在巨然的艺术中所体觉的佛禅精义吧！

反之，若出奇制胜地省略指引线路与目的地的小径，也会给予观者一种解脱与启发的效果。董源的《夏山图》中，那种乡间田园、一脉天真烂漫的野逸之趣就是如此达成的。观者在画中找不到标绘的途径，只能循着小舟和各个散落在画中的牛羊足迹，在如诗如画、绿草如茵的梦幻之境漫游。这种特质与董源名下的其他作品大不相同，反而与王诜在 1080 年后所创作的梦幻般的山水相似。令我大惑不解的是，他们之间的这种共通性到底是怎么达成的？王诜将山水中一般可预料的路向与终点，经过巧妙的操控处理，创造出我在其他文章中曾经指称的"放逐山水"，其独到的山水情境与《夏山图》竟有如此谜样的契合。〔13〕

那么，郭熙《早春图》中的 13 个点景人物、寺院、桥梁，以及种种人类迹象又到底该作何解？在功能上，他们与李成的《晴峦萧寺图》一样，都是作为山水经验的向导。而且巧合的是，虽然我不知道这数目到底有何重要性，两件山水中都正好各有 13 个人物。依我所见，郭熙的这些点景人物，没有哪一个是有特别意义的，亦即，没有一个扮演着山水的画眼。他们仅仅是在辅助山水的可游性、标示生命的迹象以及动线的细节。

类此点景人物亦可见于北宋其他山水画中，比如宋初的燕文贵，以及北宋末年王希孟的《千里江山图》。〔14〕这些画家的共通之处在于他们都是帝王的御用画家，他们的山水也因此图写的是帝国的意象。画中的人物就是太平盛世中丰衣足食、各司其职的子民。当然，像郭熙这样的大师，也不排除在画中留下某些人物动态作为其个人的标示，但即便如此，也不难想象他不可能经常为之。因为他的作品是为了满足帝王、皇亲贵胄以及朝廷宰臣们的愿想而特地制作的。

郭熙画中的大山是帝王本身的呈现，一如其山水论述中所言：

> 大山堂堂为众山之主，所以分布以次冈阜林壑为远近、大小之宗主也。其象若大君赫然当阳，而百辟奔走朝会，无偃蹇背却之势也。长松亭亭为众木之表，所以分布以次藤萝草木，为振契依附之师帅也。其势若君子，轩然得时，而众小人为之役使。无凭陵愁挫之态也。[15]

《早春图》中，那十字型中轴线的基型构图，就像紫禁城的布局一般，尊卑上下，次序分明。一如我文章开头所提及的米芾精神，我想象这位大鉴赏家在评论郭熙时，可能会说郭熙的画中，皇帝的忠心臣子居主位。

米芾所抱持的宋代画家置身于自己画中的信念，不只缘于他是一位有真知灼见的鉴赏家和评论家，还在于他自己本身也是画家。作为中国帝王的御用画师的郭熙也曾表达相同的观点。[16] 事实上，所有的画家与鉴赏家都有这个共识，期许绘画作品就是画家个人心灵、生命与信仰的体现；而且精敏的鉴赏家，是有洞察与了解画作动机的能力的。

一种表达的确切形式究竟如何具体地呈现，时过境迁，如今是很难揣测的。即便是精鉴如米芾，有时也会刻意用模棱两可的语言来表达他的深刻见解。然而，他在观览山水画以及山水中的人物时，不但可以体觉贵、贱，还可以辨析佛、道。他标榜自己超逸脱俗的创作，是个人崇高雅致心灵的呈现，并且坚信那些别具只眼者，一定也会轻易地洞悉他的这些特质！

山水中的人物，就如同他们所寄寓的山水画，及其引人入胜的内涵，是艺术家心灵与其存在的寓意。

李慧漱　译

译者单位：美国加州大学洛杉矶分校艺术史系

译自 “Figures in Landscape,”

Archives of Asian Art, XLII/1989, pp. 62-70.

注 释

〔1〕米芾，《画史》，于安澜编，《画品丛书》（上海：上海人民美术出版社，1982），页 191。

〔2〕关于米芾的鉴赏研究，参阅 Lothar Ledderose, *Mi Fu and the Classical Tradition of Chinese Calligraphy* (Princeton, N.J. : Princeton University Press, 1979); Nicole Vandier-Nicolas, *Le Houa-che de Mi Fou (1051-1107), ou, Le carnet d'un connaisseur à l'époque des Song du nord* (Paris: Presses universitaires de France, 1964), *Art et sagesseen Chine,* 以及 *Mi Fou (1051-1107) peintre et connaisseur d'art dans la perspective de l'esthétique des lettrés.* (Paris : Presses universitaires de France, 1963).

〔3〕张大千此件标为刘道士的画作刊印于 J. D. Chen, *The Three Patriarchs of the Southern School in Chinese Painting: one of the King-Kwei's books* (Hong Kong: Union Syndicate, 1955)，图六。此作的旧照片显示原作为王季迁所藏（改装之后，依然是王季迁所有），画的右下角边上，有显著的"巨然"名款。现在巨然款已经不见了，而且那位从中央偏右下方山后出来的僧侣，却身着可疑的鲜红色袍服。

〔4〕关于早期中国画中的渔父主题参阅 John Hay, "'Along the River during Winter's First Snow' : A Tenth-Century Handscroll and Early Chinese Narrative" , *The Burlington Magazine*, 114: 830 (May, 1972) , pp. 294-303.

〔5〕《宣和画谱》（序于 1120），卷 7，页 131，俞剑华编，《中国画论类编》（北京：中国古典艺术出版社，1957，1964）

〔6〕有关许道宁的传记生平，参阅武丽生（Marc F. Wilson）于《八代遗珍》中的精彩论述。William Rockhill Nelson Gallery of Art and Mary Atkins Museum of Fine Arts, and Wai-kam Ho, *Eight Dynasties of Chinese Painting: the Collections of the Nelson Gallery-Atkins Museum, Kansas City, and the Cleveland Museum of Art* (Cleveland, Ohio: Cleveland Museum of Art in cooperation with Indiana University Press, 1980) , pp. 20-24.

〔7〕北宋刘道醇《宋朝名画评》，原文参阅陈高华，《宋辽金画家史料》（北京：文物出版社，1984），页 264。英译参阅 Alexander Soper, *Kuo Jo-Hsü's Experiences in Painting (T'u-huachien-wênchih): An Eleventh Century History of Chinese Painting* (Washington: American Council of Learned Societies, 1951), p. 57.

〔8〕郭若虚，《图画见闻志》，原文参阅陈高华，《宋辽金画家史料》，页 264。英译参阅 Susan Bush and Hsio-yen Shih, *Early Chinese Texts on Painting* (Cambridge, MA: Harvard University Press, 1985) , p. 117.

〔9〕米芾，《画史》，于安澜编，《画品丛书》，页 205。

〔10〕王维于辟支佛画自写真画，见米芾，《画史》，于安澜编，《画品丛书》，页 189；又评述自己的画作，见同引书，页 196。

〔11〕李成寓艺合道及晚年涉佛，见董逌《广川书跋》诸评，于安澜编，《画品丛书》，页 277，279，289，306；又参见 Osvald Sirén, *Chinese Painting: Leading Masters and Principles* (New York: Ronald Press, 1956), 1: 200, Alexander Soper, *Kuo Jo-Hsü's Experiences in Painting,* pp. 159-160.

〔12〕李白《蜀道难》古体诗，全诗 294 字，起首"噫吁嚱，危呼高哉！蜀道之难，难于上青天。"

〔13〕董源的《夏山图》藏于上海博物馆，图见 Richard Barnhart, *Marriage of the Lord of the River: A Lost Landscape* (Ascona: Artibus Asiae Publishers, 1970)，图 3。又笔者的王诜山水研究一文"Landscape Painting Around 1085," 发表在 Willard Peterson, Andrew H. Plaks, and Ying-shih Yu, eds., *The Power of Culture: Studies in Chinese Cultural History* (Hong Kong: The Chinese University Press, 1994) , pp. 195-205.; 又稍早的一篇 "Wang Shen and Late Northern Sung Landscape Painting"，收于《亚洲山水画表现研究：国际美术史研究会第二届专题研讨会论文集》(京都：京都国立博物馆，1983)，页 61—70.

〔14〕燕文贵山水画，参见 Fong, Wen. *Summer Mountains: The Timeless Landscape* (New York: Metropolitan Museum of Art, 1975)，图 9，10；《中国历代绘画：故宫博物院藏画集》(北京：故宫博物院，1981)，Ⅱ, 页 94—132。

〔15〕郭熙，《林泉高致集》，英译参见 Susan Bush and Hsio-yen Shih, *Early Chinese Texts on Painting*, p. 153.

〔16〕郭熙，《林泉高致集》原文："画亦有相法。李成子孙昌盛，其山脚地面皆浑厚阔大，上秀而下丰，人之有后之相也。非特谓相兼，理当如此故也。"英译参见 Shiho Sakanishi, *An Essay on Landscape Painting* (London: J. Murray, 1959) , pp. 34-35.

宋代山水画研究

传高克明《溪山雪意图》研究

自从1962年顾洛阜（John M. Crawford, Jr.）藏品目录出版以来，[1]中外学者已经澄清或肯定了目录中诸位作者的许多看法，但传高克明（活动于11世纪上半）所作《溪山雪意图》卷【图1】的遭际却比较奇特，它很少在学术出版物中被提及。例如目录中为此卷撰写说明的罗樾，在其1980年出版的《中国的伟大画家》（*The Great Painters of China*）一书中，没提到高克明或此画卷；[2]高居翰虽是最早发表此画的学者之一，[3]但他在《中国古画索引》（*Index of Early Chinese Painters and Paintings*，1980）书中对此画没有评论，也未加上表示重要作品的标志。[4]尽管罗樾在1962年认为此画可能会影响我们对宋画的看法，可它显然不符合我们对宋画的理解，因此被淡然忽略了。

但《溪山雪意图》卷仍引人关注，可与任何宋代大师名下的杰作等

图1 （传）**高克明 溪山雪意图** 卷 绢本设色 高41.7厘米 纽约大都会博物馆（Gift of John M. Crawford, Jr., 1984）

量齐观。显然这是一幅任何人看了都会赞赏，但却令艺术史家不知所措的画，学者们不太了解它，不知该如何为它定位。我们若不知道这幅画是什么，如何能进行讨论？我们能告诉我们的学生或一般观众什么？

这篇初步研究出于我的好奇心——我们现在知道的比从前多吗？也出于我自己对此卷长年来的赞赏。许多年前当我还是一个研究生的时候，在顾洛阜家见到这幅画，并捧在手里，这是我最早亲身接触的中国画之一。

记录和承传

最早提到高克明此卷的文字著录是都穆（1458—1525）的《寓意编》。[5] 在刘珏（1410—1472）收藏的条目下，都穆列出“高克明山水一卷，宋秘府物，今皆归沈氏”。沈氏指苏州最杰出的画家兼名收藏家沈周（1427—1509），都穆并注明刘珏的长子是沈周之婿，言下之意，沈周通过这层关系得到刘珏此画。

画卷后现在仅存一跋，是沈周的友人兼赞助人吴宽（1435—1504）为他题的【图2】。从吴宽跋文可知，前面原有徐有贞（1407—1472）在1469年为刘珏所题的另一跋，但现在已分开了。徐跋在许多著录里都有，例如汪砢玉（活动于1640年前后）成于1643年的《珊瑚网画录》。[6] 徐有贞和吴宽都提到刘珏之前的藏家是朝臣任道逊（1422—1503），刘珏在京时从任处得到此画。

沈周去世后，此画转归王世贞（1526—1590），其收藏印见于卷上。

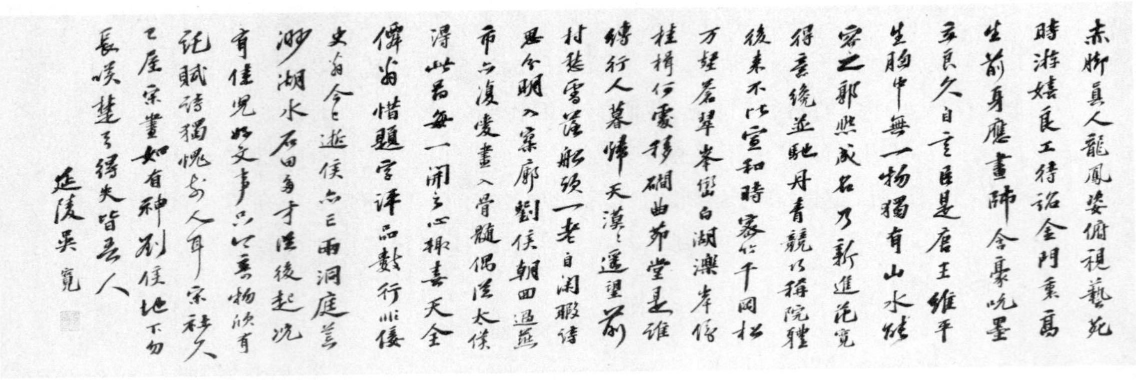

图2　吴宽　溪山雪意图　卷尾题跋

此画收录于王世贞1577年完成的文集《弇州山人稿》，[7] 其跋在成书之前书于徐有贞和吴宽跋文之后，并提及二人。

当鉴赏家吴其贞（1607—1677之后）1662年在顾维岳的收藏中见到此卷时，在徐有贞、吴宽和王世贞跋文之后又添了十跋。[8] 十三位书跋者中，吴其贞只提到徐有贞。但顾维岳之兄、另一位名鉴赏家顾复（活动于17世纪下半叶）在其成于1692年的《平生壮观》中，提到其他书跋者包括王世懋（1536—1588）、周天球（1514—1595）和王穉登（1535—1612）。[9]

此卷除了第一位藏主任道逊之外，其他15、16和17世纪的藏主及书跋者都与苏州和当地的艺术传统关系密切。在苏州，《溪山雪意图》是一件名作，得到四代艺术家和学者的珍藏和尊重，深具影响力。它如何将宋代院画风格传达给苏州艺术家，尤其是对沈周和唐寅（1470—1524）的影响，值得研究。这虽然超过本文的范围，但可一提的是，沈周不但认为此画胜于自己收藏的一幅许道宁画卷，而且显然曾仔细研读，将其许多特点融入自己的艺术中。[10] 唐寅对李唐风格的喜爱可能与高克明此卷的关系更为密切，胜于任何其他我们确认的李唐作品。

此卷后来的流传略述如下：吴升（约1660—1712之后）1712年著录于其《大观录》，[11] 但未增添任何新资料；同世纪稍晚，此画进入清内府收藏［卷上有乾隆（1736—1796在位）和嘉庆（1796—1820在位）御玺，成于1816年的《石渠宝笈三编》中有此卷当时状态的著录］，[12] 直到清末。本世纪的流传经过我尚未研究。

此画早期的历史比较重要，但从已有的学术出版物看来，其流传的

图 3 （传）**宋徽宗** 《花枝禽鸟》卷中的"麻雀寒梅"段 纸本墨笔 高 26 厘米 私人收藏（印自 *Bones of Jade, Soul of Ice*, New Haven: Yale University Art Gallery, 1985, fig. 20）

脉络尚未明确建立。

画卷清晰可见的是明晋王朱棡（1358—1398）的印。其中三方——"晋府图书""晋府书画之印"和"乾坤清玩"——符合《晋唐以来书画家鉴赏家款印谱》书中所录。[13] 靠近左上角的第四方印"清和堂章"在 1962 年编的顾洛阜藏品目录中未指出与朱棡有关，但显然是他的。这方印也出现在顾洛阜收藏的宋徽宗（1100—1126 在位）《翠竹双禽图》等作品上。

另一方印"缉熙敬止"在画卷左端中间偏下的地方，印文是《诗经 · 大雅》赞美周文王的诗句。[14] 印文的风格可比拟朱棡其他的收藏印，而且此印出现在传徽宗所作一卷四段花鸟图【图 3】上许多朱棡藏印之间。由于印文虔诚恭敬，朱棡可能在遭其父明太祖朱元璋（1368—1398 在位）除藩削籍为庶民的时期使用此印。后来他重建品行忠诚的声誉才恢复晋王身份。

朱棡卓越的收藏对我们关于中国早期书画的认识非常重要，因为藏品的绝大部分应该来自明官府的珍藏，都是在他封为晋王时其父整批赠给他的。[15] 时为 1378 年，朱棡年仅 21 岁。姜一涵对朱棡收藏的研究一共列出 32 件有其藏印的作品，[16] 其实还另有 11 件，包括高克明此卷，王羲之、颜真卿和蔡襄的书法、米芾的《吴江舟中诗》卷、传徽宗《奇卉珍禽图》卷、传卫贤（约活动于 961—975）《闸口盘车图》卷，及另外五件。这些加上姜一涵列举的一共是 43 件，其中又有分别。一幅佚名宋画（姜的名单第 25 号）从未发表过，因此无法评估。另一幅钱选作品（第 31 号）我仅见过模糊的图片，目前只好略去不谈。姜的名单上的其他作品中，有五件（第2、3、7、9、24号）明显是后代伪作，印亦伪。三件（第10、11、12号）作于14世纪晚期，与朱㭿同时，可能是他或朝廷雇用的画家为他的宫廷绘制的装饰画。其余33件是知名藏家整批收藏明代之前的早期书画最杰出的例子之一。

朱㭿收藏的早期书画

1. 王羲之（约303—约361），《上虞帖》，上海博物馆
2. 王羲之，《临钟繇千字文》，故宫博物院[17]
3. 王献之（344—386），《洛神十三行》拓本，苏富比公司1989年12月6日纽约卖出
4. 唐玄宗（712—755在位），《鹡鸰颂》，台北故宫博物院
5. 颜真卿（709—785），《竹山堂连句》，故宫博物院[18]
6. 柳公权（778—865），《神策军碑》拓本（收藏地不明）
7. 传卫贤，《闸口盘车图》，上海博物馆
8. 蔡襄，《自书谢表并诗》卷，台北故宫博物院
9. 关仝（约活动于907—923），《关山行旅图》，台北故宫博物院
10. 巨然（约活动于960—980），《溪山兰若图》，克利夫兰博物馆
11. 高克明，《溪山雪意图》，顾洛阜收藏，大都会博物馆
12. 崔白（活动于1023—1085），《双喜图》，台北故宫博物院
13. 崔白，《芦雁图》，台北故宫博物院
14. 郭熙（约1010—约1090），《早春图》，台北故宫博物院
15. 郭熙，《窠石平远图》，故宫博物院
16. 宋徽宗，《竹禽图》，顾洛阜收藏，大都会博物馆
17. 传宋徽宗，《奇卉珍禽图》，私人收藏
18. 宋徽宗，《金英秋禽图》，收藏地不明
19. 李唐，《烟岚萧寺图》，台北故宫博物院
20. 米芾，《吴江舟中诗》，顾洛阜收藏，大都会博物馆
21. 马远（约活动于1190—1225），《月夜拨阮图》，台北故宫博物院
22. 马麟（约活动于1216—1256），《秉烛夜游图》，台北故宫博物院
23. 马麟，《暮雪寒禽图》，台北故宫博物院

24. 林椿（约活动于1174—1189），《山茶霁雪图》，台北故宫博物院

25. 李迪（活动于12世纪晚期—13世纪早期），《风雨归牧图》，台北故宫博物院

26. 传陈居中（活动于13世纪早期），《出猎图》，苏富比公司1984年6月13日纽约卖出[19]

27. 宋人，《荷亭销夏图》，台北故宫博物院

28. 宋人，《翠竹翎毛图》，台北故宫博物院

29. 佚名，临郭忠恕（约910—977），《雪霁江行图》，堪萨斯城纳尔逊博物馆

30. 李衎（1245—1320），《双松图》，台北故宫博物院

31. 赵孟頫（1254—1322），《玄妙观重修三清殿记》，苏富比公司1985年6月3日纽约卖出

32. 刘贯道（约活动于1339—1356），《销夏图》，堪萨斯城纳尔逊博物馆

33. 赵雍（1289—1360后），《骏马图》，台北故宫博物院

朱棡的收藏就时代范围、绘画题材和艺术家而言，都近乎完美。除此之外，其流传记录最重要之处在于其中15件有明初内府的“司印”半印（第9、10、12、13、14、15、17、19、20、21、23、25、27、28和29号）。另外三件（第4、7、8号）有元代官印，另外五件（第1、2、5、16、18号）有宋、金官印。

《溪山雪意图》没有习见的“司印”半印，但在画卷右下角习见的“司印”半印通常出现的地方，有另一方“司印”半印，残损难读，边框比习见的半印细，印风也略不同。由于朱棡的印真确无疑，此卷必然也像其他作品一样来自明官府收藏。因此我们只能认为管理此事的部门的名称变了，使用一方稍微不同的印注册登记。高克明卷上的印可能是“纪察司印”的左半部，成立于1374年12月23日的纪察司取代了早先的典礼纪察司。

画卷的左下角有另一方残印“口口保书画印”，底部和左边不存，不能确知何人之印。此印不似任何我们知道的印，但时代与右下角的半印相近。只要再发现一方这样的印，我们就能断定印主和完整的印文，因此我相信终会水落石出，二印为明初官府的官印。但这对《溪山雪意图》的早年历史并不重要，因为画上另有一个宋代留下的证据。

图 4 **佚名**（旧传宋宁宗，1195—1224 在位）
高标贞色联句 纨扇册页 绢本墨笔
21.3 厘米×21 厘米 纽约大都会博物馆
（Bequest of John M. Crawford, Jr., 1988）

此卷卷首有南宋帝王风格书写的“高克明”三大字，显示南宋某帝曾见过并赞赏。字迹下约略可见一个方印，其大小和形状很像理宗（1225—1264 在位）的“御书”方印。[20] 我们现在只能揣测三字是宁宗或继立的理宗写的。宁宗的书风尚难确认，但三字的风格近似同为顾洛阜收藏的一个绢本扇面上由一未具名的南宋帝王（可能是宁宗）所题的联句【图 4】。

风格和创作年代

近年来对宋画的研究显示，画上或与画相关的记录通常和画的创作年代相当接近。接近当然是一种相对的说法，但几乎所有现存的宋画都有一些宋、金、元或明初的官府记录。从宋徽宗、高宗（1127—1162 在位）、理宗、金章宗（1189—1208 在位）、贾似道（1213—1275）、元和明初的官府，到明初皇族如朱棡和沐英（1344—1392）的一系列收藏，保存了绝大部分现知的宋画。

《溪山雪意图》就是其中之一，画上记录可从清廷御藏可靠地追溯到晋府和明初官府，直至南宋诸帝，但理宗或宁宗之前的流传较难重建。

此画作于宋代应毋庸置疑，但哪一类宋画？绘于何时？画家是谁？

画虽有款，但不是高克明写的。将高克明的官衔“少府监主簿”写成“少监簿主”就像将“会计主任”写成“主任的账户”。[21] 所以此款不是高克明写的。究竟是谁写的，动机何在，稍后再谈。

《溪山雪意图》的印鉴和题字只能确切追溯到南宋晚期，因此我们分析风格要慎重。首先要将此画联系到高克明时期的北宋山水画似乎很难，因为相当不类。高活动于1000至1050年之间，此一时期的山水画不多，但已足够建立时代风格，例如：

1. 范宽（950—1032），《溪山行旅图》，台北故宫博物院
2. 燕文贵（967—1044），《江山楼观图》，阿部收藏，大阪市立美术馆
3. 燕文贵，《溪山楼观图》，台北故宫博物院
4. 屈鼎（约活动于1023—1063），《夏山图》，大都会博物馆
5. 许道宁，《渔歌唱晚图》，纳尔逊—阿特金斯美术馆

这些画绘于1000至1050年之间应无疑问，而且除了范宽之外，都是高克明所属的画院作品。《溪山雪意图》极少见于艺术史的主因可能是它明显地绘制于另一个时期和地点。和上面的五幅画比起来，它似乎预示了其后一个半世纪的山水画发展。而且燕文贵是高克明的好友兼同僚，这五幅画虽然不多，应与高克明有另一种关联。

在我看来，最能显示《溪山雪意图》创作年代的细节是成熟的斧劈皴，画家似乎毫不费力地使复杂的树丛、竹丛和分裂的大石块在视觉上有很强的统一感。大都会博物馆收藏的传为李唐所作的《晋文公复国图》【图5】虽然在意旨和风格上与本卷有本质上的差异，却是极其耐人寻味的比较案例。比方说，常青树树干上有丰富的条痕，棱角峥嵘的大石块因流利强劲、富于造型力度的宽笔斧劈皴显得和谐统一，都见于《溪山雪意图》。此外，二画都强调混于枯树和常青树中繁茂的落叶树和坚固、宽敞、清晰引人的建筑物。《晋文公复国图》是一幅展现历史的设色画，而《溪山雪意图》的主题是山水烟云，二画尽管不同，却有许多相通处。

但我认为关于二画创作年代的前后关系，唯一符合逻辑的结论是《溪山雪意图》绘于《晋文公复国图》之前。由于后者的年代不确

图5 （传）李唐 **晋文公复国图** 卷 局部 绢本设色 29.4 厘米×827 厘米 纽约大都会博物馆（Gift of The Dillon Fund, 1973）

定，前者的年代也只能推断，但我们只能从这些假设和大致特点继续研究。

《溪山雪意图》的风格甚至早于北宋末、南宋初的院画。最明显的证据是由卷底伸至卷顶的大树和树后展开的低平景致。[22] 这种构图在两幅早期宋代山水画中尤其显著：台北故宫博物院所藏宋初绘于南唐的赵干（活动于 961—975）《江行初雪图》和现藏故宫博物院绘于 10 世纪中期或稍后的阮郜（907—960）《阆苑女仙图》。二画曾为徽宗收藏，且皆号称绘于 10 世纪。事实上，这种构图渊源于唐代，其雏形可见于 8 世纪的壁画。[23] 而其另一种形式一直延续到李成（919—967）款、但绘于 1050—1075 年的《乔松平远图》【图 6】。

这个传统极少见于南宋画，但在《溪山雪意图》中却是个鲜明的特色，因此我相信其构图与宋初绘画有重要但目前尚不明确的关联。甚至画卷阴暗的远方景物也近于北宋而非南宋画法，例如屈鼎的《夏山图》。此画因此会是北宋晚期对 11 世纪早期画风的深入成熟的诠释吗？这不是个简单清楚的答复，也不能解释所有相关问题，但正是我对此卷的看法。

我相信高克明画的重要元素（而且可能是原作的构图），确实保存于《溪山雪意图》。待我讨论宋代流行的组合分段山水的画法之后，再继续探讨这种可能性。

图6 （传）**李成 乔松平远图** 轴 绢本墨笔 205.6厘米×126.1厘米 日本澄怀堂文库 [引自《文人画萃编》（东京，1967）第二卷 图版18]

构图和顺序

对《溪山雪意图》构图的研究一向着重于此卷是否原来更长这个问题。没有文本资料支持这个假设，因为所有记录的尺寸都相当，而且画卷右端的宋帝御题和左端的名款都证明此卷在宋末已如现状。多年来画卷确实有相当的裁损，印鉴部分和卷末牟氏题文的上段都有缺失，但画卷的长度自宋代大致未变。

然而从构图看来，画卷并不完整，看似一系列结构中自成一体的一段，一个组曲中的一个乐章。《溪山雪意图》在系列末尾，不在起头或中段，内容只有晚间、冬季、休憩、幽静、归返和夜的来临，气氛稳定不变，好像冬夜最后悄悄地到来。

此画结构可能在手卷中颇不寻常，却是宋代山水组画常见的末段。这个假设不易证实，而且需要先转个话题。我们现在对宋代山水组画的认识只有一个线索，即最流行的名画《潇湘八景图》。由于宋迪（1014—1083）在1070年前后绘此题材时，高克明已经去世，我们探讨山水组画只能假设其传统的渊源包括其他题材，例如高克明曾画过的四季山水，有时亦为组画。

或许不是巧合，我们事实上能够用另一幅传为高克明的作品来探讨此事——即台北博物院所藏有高克明伪款的《溪山积雪图》册页【图7】，主题与顾洛阜藏卷不无关联。册页可能不是宋画，而是后来根据已佚宋画仿制的。现存有几幅构图大致相同的作品，传为夏圭（活动于13世纪上半叶）【图8】和萧照（活动于12世纪中期）【图9】等人所作，另外日本有一件传天章周文（活动于1423—1460）的重要仿本，一般认为是1420年前后根据中国画绘制的【图10】。这个课题司徒恪（Richard Stanley-Baker）〔24〕和庄司淳一〔25〕已彻底研究过。

简言之，我们可以假定有一个宋画原型，虽已遗佚，但类似现存的三幅中国画。画的是寒冬山景，一舟漂向岸边，这是夜景常见的题材。一人持伞徐行，看似一日将尽，返回前方的家，天色渐暗。寒冬的气氛很像《溪山雪意图》。

此作在宋代的画名已不可知。重要的是，当同样的构图15世纪初出现在日本时，是作为一幅壁面大的作品最左边末尾的一段，右边显然还很长，是一件组画末段的冬景山水。同样的构图继续出现在长谷川等伯（1539—1610）大屏风组画《潇湘八景图》【图11】最左端的末尾，

图 7 （传）**高克明 溪山积雪图** 册页 绢本墨笔
45.1 厘米×30 厘米 台北故宫博物院

图 8 （传）**夏圭 冬景山水图** 轴 绢本墨笔
47.6 厘米×32.5 厘米 台北故宫博物院

图 9 （传）**萧照 冬景山水图** 轴 绢本设色
39.4 厘米×24.4 厘米 王季迁家藏

图 10 （传）**天章周文 冬景山水图** 屏风 约 1420 年
纸本墨笔 163.5 厘米×86.4 厘米 东京国立博物馆
（引自《国华》1980 年 1035 号）

图 11　长谷川等伯　潇湘八景图　双屏之左屏　纸本设色　162 厘米×357 厘米　藏处不明［印自《日本屏风画集成》第二册《山水画，水墨山水》（讲谈社，1978），图版 93，94］

显示残存的天章周文画可能原为《八景》中的“江天暮雪”。

那么高克明/夏圭/萧照的“暮雪”景是否即《潇湘八景图》之一？要建立这个论点只需举出一系列这类对应关系，我在研究宋迪和最早的《潇湘八景图》的论文中已经谈过，司徒恪年来对室町时期（1392—1568）绘画渊源的研究也致力于此。许多我们现在泛称《山水》或《泛舟》的宋画事实上无疑在描绘“渔村夕照”或“远浦归帆”等熟悉的《潇湘八景图》主题。

这里我们只需检视现知最早的中国《潇湘八景图》，即普林斯顿大学博物馆 Elliott 家族收藏的王洪（约活动于 1131—1161）绘于 12 世纪中期的长卷【图 12】。卷中“暮雪”一段同样有积雪的山峦、逐渐靠岸的小舟、通往居处的小径、寂静的气氛和渐浓的夜色。画中各部分都如同高克明的《溪山雪意图》有特别的意境，表现某一时刻或短暂的过渡，与前后段息息相关，反映从日暮、晚间到入夜的光阴流逝。

宋代的《潇湘八景图》有多种不同的形式和尺寸。有的是一组八段横向构图，例如王洪、牧溪（活动于 13 世纪中期）和玉涧（活动于 13 世纪中期）的作品。有的是一套册页或扇页，也有成套的挂轴，例如波士顿美术馆收藏的夏圭大轴其实是“渔村夕照”。[26] 这些成套的挂轴中有构图连贯的吗？我们虽没有直接证据，但可以假定宋代有连续性的八景构图。王南屏的收藏有一幅董邦达（1696—1769）临马远名作的手卷【图 13】。[27] 一如纳尔逊美术馆收藏的夏圭《山水十二景》，马远画卷

图 12　**王洪　潇湘八景图卷之"江天暮雪"**　约 1156 年　绢本墨笔　高 23.4 厘米　普林斯顿大学美术馆
Elliott Family Collection, The Fowler McCormick Fund.

图 13　**董邦达　潇湘八景图卷之"江天暮雪"**　纸本设色　高 23.1 厘米　王南屏收藏

的八景是连续构图。

最重要的一点，马远卷中“暮雪”是最后一段。大多数的日本《潇湘八景图》中，“暮雪”也是最后一段。这是很自然的结尾，就像《四季山水》组画中的冬景一样。董邦达所临的马远画卷末尾的雪景中，也有熟悉可辨的元素：趋岸的小舟，一人撑伞走向房舍，应该是日暮归家，远方山峦积雪，全卷弥漫白色的沉寂。

鉴于马远的“暮雪”和绘于 1420 年前后的日本佚名仿本，我们只能指出传为高克明、夏圭、萧照和天章周文所作诸画的确反映了南宋《潇湘八景图》中的“江天暮雪”。

这当然表示高克明没有画过《潇湘八景》，因为如前文所言，这个题材出现于绘画时，他已经去世了。我无意建立高克明与《潇湘八景图》的关联，只想指出一幅冬景山水可以成为主题更广泛的山水组画如《潇湘八景图》的一部分。

《溪山雪意图》的作用很类似，尤其和最早的王洪所绘《潇湘八景

图 14 **刘松年 四景图卷之“冬景”** 绢本设色 纵 31.3 厘米 故宫博物院
（印自《故宫博物院院刊》第 2 号 [1980]，图版 7）

图 15 （传）**李唐 晋文公复国图** 卷 局部 绢本设色 29.4 厘米 × 827 厘米 纽约大都会博物馆（Gift of The Dillon Fund，1973）

图》中的“暮雪”比起来，可发现构图和母题都非常相似。二画的重点前后相反，但都有刻画鲜明的前景树丛和趋岸小舟，其后一道河川，远方山峦积雪。二卷皆有通往幽暗屋舍的小径，而且近岸处的小舟上，一人坐观对岸的雪丘。二作的类似令人瞩目。

我虽然不能完全排除《溪山雪意图》是《潇湘八景图》组画中的“江天暮雪”的可能性，但我认为二画的类似有另一种解释，我相信《溪山雪意图》是四季山水组画中的冬景。四季山水流行于宋代的证据不少。庆陵辽墓有四季山水。[28] 高桐院的李唐山水画是另一个例子。[29] 一套传为徽宗或胡直夫（12—13 世纪?）所作四季山水中的三幅现存日本，户田祯佑最近认为与刘松年（约 1150—1225 后）的时代和风格相关。[30] 故宫博物院收藏的一套四季山水画《四景图》则传为刘松年所作【图 14】。

最后这件对研究高克明的《溪山雪意图》尤其重要，因为许多研

究过刘松年《四景山水图》的学者都对二画的类似印象深刻。事实上，《四景图》的冬景山水极似《溪山雪意图》，好像许多同样的元素以不同的重点重组排列。刘松年故宫博物院卷不是《潇湘八景图》的片断，没有小舟，其他主要的母题也欠缺。但它有熟悉的撑伞人物骑驴穿行小径，逼真而宽敞引人的屋舍，高耸扭曲的松树丛，以及形象分明、结构清晰的覆雪石块，都非常类似。

《溪山雪意图》的笔触比较灵活多变，刘松年故宫博物院卷比较紧密扎实，但二画类似处这样多，应该有关联，但究竟何种关联，目前我无法进一步澄清。若如某些学者认为，《四景图》是明人仿刘松年的作品，那么《溪山雪意图》可谓刘松年的原作。但如果《四景图》是刘松年在12世纪末画的，那么《溪山雪意图》就应该是更早的作品，出于刘松年也是成员的院画传统。

我认为《四景图》是宋画，可能是宋代晚期复制的刘松年画，但绝不是明画。我的看法和对现存李唐《晋文公复国图》【图15】的看法一样，后者不似李唐亲笔，较像画院某位专仿李唐原作的不知名画家的作品。画院内（或许包括画院外）这种临摹工作有稳固的传统，从徽宗开始，他的每一件作品很快就有多件临摹本。现存最明显的例子是马和之（活动于12世纪下半叶）广受欢迎的《诗经图》在当时制作的多件复本。我们浪费了许多时间和精力，以为原本只能有一件。宋代画院每一件受到赞赏的成功作品极可能很快就有临摹本。我认为故宫博物院的刘松年《四景图》就属于这类。

我们暂可归结两点。第一，传高克明《溪山雪意图》是某一院画典范的最佳代表，刘松年的山水画实奠基于此；第二，回到宋代连续却又分离的山水构图这一课题，刘松年的作品正是范例。每一幅有独立构图，各自装裱，但又前后相连，若将春夏秋冬四段从右至左按顺序连接，即成一幅连续的广景画。虽然四段之间没有明确的接缝，只有几个细节和些许空间直接联结，但巧妙的构思使它们既能独立，又能相连。

由于《溪山雪意图》可能正是某一四季山水组画的末段，而且刘松年的院画风格基本上是一个半世纪之前的高克明院画风格的延续，我们该从历史证据检视高克明在塑造宋代画院典范中扮演的角色。

高克明对宋代画院的影响

11 世纪时，宫廷院画家两个主要而持续的典范是燕文贵和高克明。[31] 高克明在画院约四十年。他于景德年间（1004—1007）至开封，大中祥符年间（1008—1016）进入画院，仁宗（1023—1063 在位）时任待诏，皇佑（1049—1054）初年仍在职。因此他约略活动于 980 至 1050 年间，与燕文贵和许道宁同时。他常与燕文贵、王端（活动于 11 世纪早期）和陈用志（约活动于 1023—1038）合称四“画友”。许多北宋院画家模仿他的风格，其中梁忠信（约活动于 1023—1063）“体近高克明”，宁涛（11 世纪）“正如高克明”，何渊（11 世纪）“专师克明”，活动于徽宗朝的高洵“师高克明”。[32]

高洵的传记中，关于高克明的名声的资料尤其丰富，指出徽宗时学高克明的院画家太多，他因此改学范宽，而其侄在嘉定（1208—1224）年间学李唐。[33]

由此可见，从仁宗到徽宗，高克明是画院中的一股大势力，其风格的流行在 12 世纪早期臻于巅峰，直到北宋末年他的主导地位才开始受到挑战。

金人陷开封、宋迁都杭州后，李唐当然是影响力最大的院画家。刘松年、马远、夏圭都在此转变下，和南宋画院大多数名气较小的画家一样，师法李唐。在这个新环境里，北宋大师的号召力降低，高克明的影响力消减。但高克明的影响力在画院中根深蒂固，烙于画院的绘画，无论画院艺术如何，总有高克明的成分。甚至李唐的作品一开始很可能也反映高克明的影响，我们对同时期的高洵的了解，应也适用于李唐的成长。可能和画院许多（如果不是大多数）画家一样，高洵一开始是学高克明，但不满意这个传统太流行，“以画院多学克明”，因此改学被冷落多年的范宽。我们相信李唐也是如此，绘于 1124 年的杰作《万壑松风图》显示他也吸收范宽的风格。整个 11 世纪画院的主要典范是高克明和燕文贵，李唐学高的可能性甚于学燕。

李唐很可能初学高克明，转学范宽，然后自成一家，开创自己强劲的传统。高克明因此是这个传统的基础。

我认为仍可在《溪山雪意图》中看见高克明的一些面目，因此简略重建这个传统。高在南宋并未遭遗忘。

1187年周必大（1126—1204）应友人之请，为其收藏的一幅传王维（701—761）的画书跋，跋文提到高克明：

> 自崇宁（1102—1106）兴画学，名笔间出，有赐紫待诏高克明者，颇得摩诘用笔意，当时甚重之，今已不易致，况唐朝真迹乎！[34]

周必大似乎认为此画实为高克明的作品，而非王维。

岛田英诚最近有一个很有趣的想法，认为周必大所谈的画实际上可能与台北故宫博物院所藏传王维《江干雪意图》关系密切。[35]此画的确是风格近似《溪山雪意图》的几件现存作品之一，虽然也令人想到赵令穰（约活动于1070—1100）。和《溪山雪意图》一样，《江干雪意图》看似是从一山水组画中分离出来的一段。

无论如何，周必大显然对高克明评价甚高，且归之于广泛的王维传统。他在时间上的混淆很有趣，显示他看见一幅高克明的画或类似高的作品时，误将它和李唐年轻时的徽宗画院连在一起。吴宽在其《溪山雪意图》的跋文中，似乎也暗示他也相信这是徽宗画院的作品。因此将高克明的山水当作12世纪初绘画由来已久，或许因为宋代画院山水画的基本结构出自燕文贵或高克明。

最后让我说得确切一点。我觉得顾洛阜藏《溪山雪意图》卷在结构、设计和气氛上都像山水组画中的冬景末段。这个分析的原型案例是《潇湘八景》中的"江天暮雪"，但我更相信此卷实为四季山水组画中的冬景。这种组画在宋代非常流行，徽宗自己就画过一组，也画过一套《潇湘八景》。[36]这两个题材无疑关系密切，运用类似的母题和气氛表达四季的景象和声音，而且冬景都是自然的结尾。《溪山雪意图》看似组画中的最后一幅。

再回到《溪山雪意图》左端的"款"这个问题。书跋者犯下如此错误，显然不是高克明。而且此画应绘于高克明去世后。有人认为款是很晚添加的，因为直到17世纪全文才见于著录。这似乎是个简单而合理的结论，但我基于两个理由不同意。第一，卷首的宋代御题至少在13世纪已经存在，没有理由在卷末添加一个长款；第二，此"款"的书法很好，看起来几乎和画本身一样年代，是画的一部分，而非后人添加，事实上几乎看不见，必须仔细看才能读。它可能大部分时间都为装裱所覆盖，上海博物馆所藏传卫贤《闸口盘车图》就是如此，直到最近才露出长年隐藏于卷尾的题识。[37]

这个款识"景佑二年（1035）少监簿主高克明上进"也引人深思。刘道醇（活动于11世纪中期）的《圣朝名画评》[38]约编于1060年前后，离高克明去世仅数年，其中有他颇详细的传记，说在景佑（1034—1038）初年（相当于《溪山雪意图》上的纪年）高克明受命为皇宫的彰圣阁绘制一系列壁画，主题为"四时景物"。我认为画卷与著录的符合不仅仅是巧合，甚至也不是聪明的仿制者或画商运用想象力动的手脚。

此外编于1199年的南宋部分御藏清单《宋中兴馆阁储藏图画记》中，在佚名画15件一条下列有"学高克明山水二卷"。[39]另一个巧合？《溪山雪意图》曾为南宋御藏，仅存的部分御藏清单未提高克明，却有两件学他的作品，虽然不知画名，其中一件应该是《溪山雪意图》。

现在我们可以尝试重建这个复杂的过程。首先，高克明在1034—1035年间受命为宫廷绘制四季山水壁画，他作了一系列设计呈送皇帝，批准后绘于彰圣阁壁上。他继续保持其北宋画院山水画的主要画家的地位，大批画家临仿、学习他的作品。他的原创设计因此在画院内保存下来，被三代受命学习他的院画家仿制，其中仿制《溪山雪意图》的画家连原本的款识都一并复制，此即顾洛阜卷，到宋末一直在宫内。

高克明所作的原图可能已经损毁，只有仿本存留下来，彰圣阁的壁画在1126年焚毁北宋宫殿的大火中湮灭。但即使大火过后，高克明的艺术在南宋恢复的画院里继续启发画家，其风格持续隐现至于刘松年那一辈。

《溪山雪意图》显然在宋画里享有独特的地位。它不是无生命、无新意的临摹本，而是在某位原作不存但影响深远的大师去世后不久，其追随者对其作品自由而成功的再创造。《溪山雪意图》本身可能是北宋晚期的画院制作，但它的根源和主要的历史成分是初建的画院和湮没的宋代宫殿壁画。

刘晞仪　译

译者单位：纽约大都会博物馆

译自"'Hills and Streams Under Fresh Snow' Attributed to Kao K'o-ming," in *Words and Images: Chinese Poetry, Calligraphy, and Painting*, edited by Alfreda Murck and Wen C. Fong (New York and Princeton, 1991), pp. 223-246.

注 释

[1] Laurence Sickman, ed., *Chinese Calligraphy and Painting in the Collection of John M. Crawford, Jr.* (New York: Pierpont Morgan Library, 1962).

[2] Max Loehr, *The Great Painters of China* (Oxford: Phaidon Press, 1980).

[3] James Cahill, *Chinese Painting* (Geneva: Skira, 1960), pp. 38, 41.

[4] James Cahill, *Index of Early Chinese Painters and Paintings* (Berkeley: University of California Press, 1980), pp. 105-106. 本文初稿完成后，我又读到两篇有关高克明此卷的日文论文，在此增订稿中加入其见解。铃木敬认为此卷是南宋晚期临仿的早期画，参见《中国绘画史》(东京：吉川裾根馆，1985)，第三册，页104—109。并参见岛田英诚关于高克明及其在宋画院中身份的重要论文《高克明与高克明派》,《学园女子大学纪要》18(1985)，页27—48。特别感谢岛田教授对宋代画院的研究。我1983年10月在谷口基金会筹办的第二届艺术史研究国际研讨会上听到他对高克明和李唐的研究报告，他对燕文贵的研究发表于《美术史》101期(1976年11月)，页39—52。

[5] 都穆,《寓意编》,《艺术丛编》本(台北，1962)，页283。

[6] 汪砢玉,《珊瑚网画录》(1643年序),《美术丛书》1947年增订本(台北，1975)，第2辑，第1册，页283。

[7] 王世贞,《兖州山人稿》(编于1577年)，收于《佩文斋书画谱》(台北1969年复印本)，卷82，"高克明"条。

[8] 吴其贞,《书画记》(1677；上海1962年复印本)，卷5，页471。

[9] 顾复,《平生壮观》(1692；上海1962年复印本)，卷7，页39—40。

[10] 沈周的态度和看法见于吴宽跋，著录于上书，页40，41。

[11] 吴升,《大观录》(1712；台北1970年复印本)，卷3，页8。

[12]《石渠宝笈三编》(1816；台北故宫博物院，1969年复印本)，页1388—1389。

[13] 台北故宫博物院编,《晋唐以来书画家鉴赏家款印谱》六册(香港，1964)，第2册，页80—81。

[14] 英文译文见 Arthur Waley, trans., *The Book of Songs* (New York: Grove Press, 1960), p. 250。

[15] 这里关于明初政府职司及朱棡收藏及印鉴的论述，要感谢江兆申的论文《山鹧棘雀、早春与文会(谈故宫三张宋画)》,《故宫季刊》第11卷，第4期(1977年夏)，页13—23(中文论文)，页1—31(Robert D. Mowry 的英文翻译)，尤其是英译页9—10。我也同样感谢姜一涵对元代和明初官府收藏的深入研究：《元内府之书画收藏》,《故宫季刊》第14卷，第3期(1980年春)，页1—36，特别参见页29—30。

[16] 姜一涵,《元内府之书画收藏》，页1—36。

[17] 徐邦达曾发表文章谈及此作，见其《古书画伪讹考辨》四册。(南京：江苏古籍，1984)，第1册，页8—11，注释1；页9—12，注释2。

[18] 发表于《中华五千年文物集刊·法书篇》(台北，1984)，页148—149，177—178，309—310。Stephen Little 告知这条资料。

[19] 感谢 Tom Ebrey 告知。

[20] 此印可见于 *Signatures and Seals on Painting and Calligraphy*，第1册，页143。

〔21〕这个论点已由 Sherman E. Lee 和 Wai-kam Ho 确立，见 Lee 对顾洛阜收藏目录的评论于 *Artibus Asiae* 26, no. ¾（1963）, p. 341。

〔22〕铃木敬也谈到这个特点，见注 4 所列其书。

〔23〕例如建于 706 年的章怀太子李贤墓。参见 Jan Fontein and Wu Tung, *Han and T'ang Murals*（Boston: Museum of Fine Arts, 1976）, fig. 112。

〔24〕Richard Stanley Baker, "Gakuō's Eight Views of Hsiao and Hsiang," *Oriental Art*, n.s. 20, no. 3（Autumn 1974）, pp. 284-303 和他较新的论文 "New Initiatives in Late Fifteenth-Century Japanese Ink Painting, " in Proc. 5th ISCRCP, Interregional Influences in East Asian Art History（1982）, pp. 199-211。Stanley Baker 详尽的研究给我很大帮助。

〔25〕庄司淳一，《东京国立博物馆藏〈雪景山水图〉》，《国华》1035 号（1980），页 7—13。

〔26〕登记号 14. 54。刊登于 Kojiro Tomita, *Portfolio of Chinese Paintings in the Museum (Han to Sung Periods)*, 2nd ed.（Cambridge: Harvard University Press, for the Museum of Fine Arts, 1938）, pl. 87。

〔27〕全卷刊登于 Ju-his Chou and Claudia Brown, *The Elegant Brush*（Phoenix: Phoenix Art Museum, 1985）, no. 26。

〔28〕田村实造，小林行雄，《庆陵的墓葬与壁画》（京都：京都大学，1952-1953）；鸟居龙藏，《辽代的壁画》《国华》，第 490—493 号（1931）。尚未有人指出庆陵壁画若从左向右按春、夏、秋、冬的顺序来看，是一幅大致连贯的开阔全景画，好像从四扇稍微分开的窗户往外看的景象。鉴于发掘报告提到壁画山水很像墓外的实景，这种视觉效果很引人联想。

〔29〕铃木敬对高桐院山水画有最新的探讨（见注 4，1985）。和本文最相关的自然不是画家的身份，而是现在普遍认为二画可各自独立，亦可为构图连续的双幅这个罕见的宋画例案。小川裕充对此事的看法（见本研讨会他的论文注 11）或许只是玩笑：高桐院山水画的顺序完全没有疑问。

〔30〕户田祯佑，《刘松年的周边》，《东洋文化研究所纪要》，第 86 号（1981），页 337—366。现存此套三幅画的关联松散但脉络可循，似乎可各自独立，亦可成双。我因此认为现存的宋代四季山水组画（我们至少有两件）似乎都符合组画的构图原则，每一单幅可独立，或为一双幅或四幅组画的组成部分。

〔31〕见注 4 岛田英诚对燕文贵和高克明的研究。

〔32〕关于梁忠信，见郭若虚，《图画见闻志》，trans. A. C. Soper（Washington, D.C.: American Council of Learned Societies, 1951）, p. 60。关于宁涛、何渊和高洵，见邓椿，《画继》（1167）中小传，引用于陈高华，《宋辽金华家史料》（北京：文物出版社，1984），页 259—262，其他资料也可见。注 4 中的岛田论文也用到这些资料。岛田的研究使我注意到这些重要的史料，他对高克明在画院中地位的研究当然也比我的早，我这里只是列举他多年研究的梗概。

〔33〕其侄高嗣昌的资料见于朱铸禹和李石孙编《唐宋画家人名辞典》（上海，1958），页 171，引夏文彦，《图绘宝鉴》。

〔34〕周必大，引用于注 4 岛田论高克明文，页 33。又见注 30 陈高华，页 261。

〔35〕岛田只是暗示（而非明言建议）两者的关系，见注 4 中他对高克明的研究，文中也提到传王维此卷。方闻也刊登并讨论此卷，见 Wen Fong, "*Rivers and Mountains after Snow*（*Chiang-shan hsueh-chi*）: Attributed to Wang Wei（A. D. 699-759）," *Archives of Asian Art* 30（1976-1977）, pp.

6-33。但方闻不同意他人认为台北卷和小川家藏卷相关的看法。

〔36〕徽宗四季山水组画中的《冬景山水》现在的画题是《雪江归棹图》，藏于故宫博物院。可参见耶鲁大学美术馆所藏原尺寸复制品的题跋印鉴的翻译：Louise Wallace Hackney and Yau Chang-foo, *A Study of Chinese Paintings in the Collection of Ada Small Moore*（London/New York/Toronto: Oxford University Press, 1940）, pp. 51-56。

〔37〕郑为，《闸口盘车图》，《艺苑掇英》第 2 期（1978），页 18—19。

〔38〕刘道醇，《圣朝名画评》，于安澜，《画品丛书》本（上海：人民美术出版社，1982），页 132—133。

〔39〕杨王休，《宋中兴馆阁储藏图画记》（1199），收于《佩文斋书画谱》，卷 97。

闪耀之河

——宋画中的潇湘八景

1. 与夏圭有关的潇湘构图[1]

司徒怡（Richard Stanley-Baker）教授的近作揭示了日本室町时代画家在基于中国传入日本的《潇湘八景》构图之上创作的构图模式。[2]这些中国的原型与南宋画家夏圭、马远、牧溪等人有关。司徒怡识别了其中最流行也最具影响力的原型：夏圭的构图。日本画录载有几幅传为夏圭的《潇湘八景图》。中国流传的画史也记载了一些其他传为夏圭的版本。令人惋惜的是，没有一件记载中的画作存世。司徒怡研究的最大贡献之一，乃在指明了往后的研究有希望将未被认清的作品鉴定为《潇湘八景》构图的可能性。

我深受司徒怡研究的启发，潜心于探索宋画中《潇湘八景》及其在以后中国画史中之流传。现在，我深信这个研究将把我们带回到（北宋）宋迪，也就是第一个创作此画题的画家，他的画作已被认为散佚不可复原了。

首先，我想先确立一个研究方法，也就是以夏圭为中心进行探索，因为夏圭的构图已被认定是日本室町画家所作之《潇湘八景》的典型。司徒怡的研究已证明了这点，而我在此只再摘要复述一下关于他对夏圭典型的结论。

司徒怡所提到的室町画家中，以秀盛针对《山市晴岚》画题所作的构图最典型【图 1】。画中的山市聚集在山腰里，山的一边有一桥，另一边有小径。点景人物分别出现在村巷、小桥、山径上。与此类似的基

图1　秀盛　山市晴岚　细见美术馆

本特征也出现在其他描绘《山市晴岚》的日本作品及中国王洪【图2】、马远（清代董邦达摹本）【图3】、玉涧的作品上【图4】。

这些迹象即为我们鉴定《山市晴岚》构图的图像特征，三百年来它们持续出现在中、日画家描绘《山市晴岚》构图的作品中。这些迹象

图 2　王洪　山市晴岚　普林斯顿大学美术馆 Edward L. Elliott 家族收藏

图 3　董邦达（摹马远）　山市晴岚　王南屏私人收藏

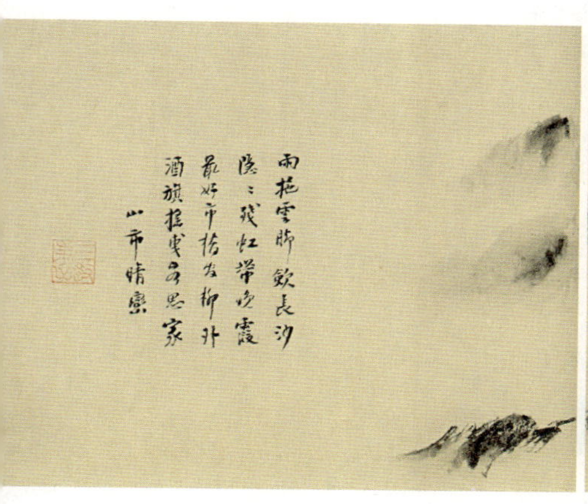

图 4　玉涧　山市晴岚　出光美术馆

或格套就像人的眼、鼻、嘴之于人的脸一样，可被适度地用于在某一限度中不同的风格与形式上。每个画家选择他的个人画风、重点、细节特征、样式，但是这些基本的格套在不同的版本中始终未变。

由此我们可以判断玉涧对《山市晴岚》这一主题在描绘手法上的与

图 5
阎次于
山市晴岚
弗利尔美术馆

图 6
夏圭
山市晴岚
大都会博物馆

众不同，以及他对基本不可或缺的俗套之使用。我们也可进一步观察到王洪构图中浓重的北宋特色，它的广度及深度，以及其中对范宽风格的呼应。我们开始注意到从王洪到马远、夏圭，乃至秀盛、贤江祥启等人一系列从北宋到日本室町时代的作品中，这些基本母题不断地出现，并观察到它们的持续性及变化弹性。

基于以上判断，我们也可轻易地看出现存弗利尔美术馆的阎次于册页应属《山市晴岚》的另一图例【图5】，这点铃木敬也观察到了。[3]弗利尔藏阎次于册页乃阎氏画家所作之《潇湘图》现存的例子——本文接下来还会提到其他阎氏画家的相关作品——这暗示了阎次于可能至少曾画过一套《潇湘八景》。[4]

存世夏圭关于《山市晴岚》的构图有两种。美国大都会博物馆藏有一个带有夏圭题款的册页【图6】，但应该是稍晚的摹本。另外两幅收藏在日本的大轴也是基于同一构图，保留了原有关于此画题的基本

图7　无款　山市晴岚　日本私人收藏

图8　无款　山市晴岚　日本私人收藏

图 9　**夏圭　江天暮雪**　台北故宫博物院

图像特征展现在较巨幅样式上的面貌【图 7、8】。其他的证据显示，夏圭制作了册页或扇面、巨轴、手卷等不同样式的《潇湘八景图》。不过现在我们只讨论他关于“山市晴岚”的构图，这是司徒恪引起我们注意的一点。

司徒恪具有启发的分析还提到其他几幅出自《潇湘八景》另一主题《江天暮雪》的现存图式，其中一幅被王铎定为传夏圭的作品【图 9】。我在另一篇发表于大都会博物馆馆刊、关于高克明的文章里也提到了这

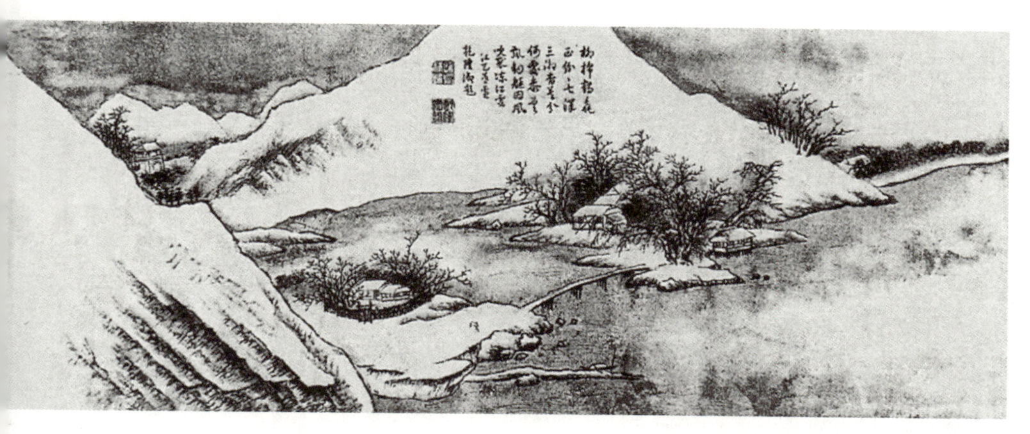

图 10　**董邦达　江天暮雪**　王南屏私人收藏

图 11　**无款　江天暮雪**　波士顿美术馆

图 12
夏圭
洞庭秋月
弗利尔美术馆

图 13 **秀盛 洞庭秋月** 细见美术馆

些作品，这里就简略地提一下那篇文章中发表的图例【图 10、11】。[5]

现存夏圭画作中唯一属于《潇湘八景》的，是弗利尔美术馆所藏一幅类似屏风尺寸的轴画【图 12】，上有夏圭签款及类似南宋理宗写有“洞庭秋月”的书法款题。傅申曾怀疑其上的元代官印，[6] 而铃木敬也曾把它当作明代浙派作品发表。[7] 我认为这幅画应该是元代基于夏圭的作品。它应与夏圭、孙君泽有关。

在基于夏圭此构图的日本画作中，以秀盛之作【图 13】最接近弗利尔藏的夏圭风格画轴。但是它们之间还是存在着实质性的差异，而这种差异性符合我们之前对于《潇湘八景》图式之流传的一般性观察：《洞庭秋月》和《潇湘夜雨》是两种最容易变异、变异幅度最大，但对观众而言依然能维持自己基本身份的图式。在许多情况下，如果不是画

图14　**夏圭　渔村夕照**　波士顿美术馆

作上有标题提示，也许我们无法识别出它们的主题，如弗利尔藏的夏圭画轴。此画中连画题提到的月亮都没有画，只有暗淡、宽广的水域，给人波光闪烁之感。我们在这幅作品上再度感受到令人熟悉并备受欢迎的

图 15
秀盛
渔村夕照
细见美术馆

潇湘画题里所保有的精致感。

此幅题有“洞庭秋月”的夏圭画轴及上述描绘《山市晴岚》的其他轴画，揭示了另一个关于夏圭巨幅画作的问题。我们也许经常把夏圭看作一个只作小景扇面及册页的南宋宫廷画家，但是有无数的证据显示，他其实也是一个在巨幅创作上颇有成就的南宋大家。现藏波士顿美术馆的一幅有夏圭签款的巨轴画就是个例子【图 14】。此画状似屏风，目前状况也极为破损。其画题无疑在描绘《渔村夕照》，这已成为日本画家秀盛【图 15】及贤江祥启的作品中所引用的典范。此构图其实出自那套保存最多传为夏圭的作品；那些传为夏圭的作品样式各异，从波士顿的大屏风（见图 14）、印第安纳藏的小册页【图 16】（题款“臣夏圭”），到三幅现藏日本的作品【图 17、18、19】，都提示了一个相通的原型。尤其是图 19，原来应是一幅手卷的一部分。透过与日本晚期的夏圭摹本之比较可知，它所描绘的主题应是《渔村夕照》。夕阳下晚归的渔夫，在画面上可能被描绘为向右或向左移动。其他基本的图像，则只是连接水域的一抹土坡、渔网和泊船（印第安纳藏的册页则只画了晾在船上的蓑帽）。一缕紫气点亮了印第安纳册页里的晚空，而这点也都在其他描

图 16　**夏圭　渔村夕照**　印第安纳波利斯美术馆

图 17　**夏圭　渔村夕照**

图 18　**夏圭　渔村夕照**

图 19　**夏圭　渔村夕照**

图 20　王洪　渔村夕照　普林斯顿大学美术馆 Edward L. Elliott 家族收藏

图 21　牧溪　渔村夕照　根津美术馆

图 22　董邦达（摹马远）　渔村夕照　王南屏私人收藏

绘共同画题的不同构图中被提示了，即使有些只是水墨画。

纵观传夏圭的这些不同版本，我们或可推测，这些构成《潇湘八景》的基本图像群，是透过怎么样的原则，被灵活地运用于多样的画作，但却又不失其图像意义。远山若出现在画轴上则可变大些；近景土坡若出现在手卷上则可水平延长一点；若是正方形或长方形的小画面，那就需要一些能保持中心平衡的元素。

图 23 **秀盛 远浦归帆** 细见美术馆

现存有几件王洪【图 20】、牧溪【图 21】以及董邦达摹马远【图 22】《渔村夕照》的图例。王洪画作中如归帆、泊舟、晒网、小渔村、土坡、水域等，都是大范围里可见的基本元素，这些都可在王洪的所有构图中看到，也使我们见识到王洪所师承的北宋绘画传统之广度。

牧溪的个人特色是强调景象变化、融合的过程，仿佛夕阳余晖只是宇宙千变万化中的一瞬间。他的视野也反映了北宋绘画的一种特色。而王洪或牧溪对横披——也就是可以固定在墙上的长方形水平式构图——的运用，也许就反映了宋迪在北宋时所使用的图式。

如果我们从日本画如何反映中国画原型这点来分析《远浦归帆》图式，将得到最意想不到的惊奇。日本画家秀盛的画提供了最基本的样式【图 23】：在远处水域上乘风而行的归帆、近景土坡以及衬在归舟后的远山。王洪【图 24】、马远【图 25】、牧溪【图 26】、玉涧【图 27】都在基本模式的基础上创作了各自的版本。这样看来，我们可以很清楚地判定波士顿传为夏圭的扇面就是夏圭对《远浦归帆》的描绘【图 28】。

我们在追索这些潇湘图式的流传过程中可以发现一个趋势，那就

图 24　王洪　远浦归帆　普林斯顿大学美术馆 Edward L. Elliott 家族收藏

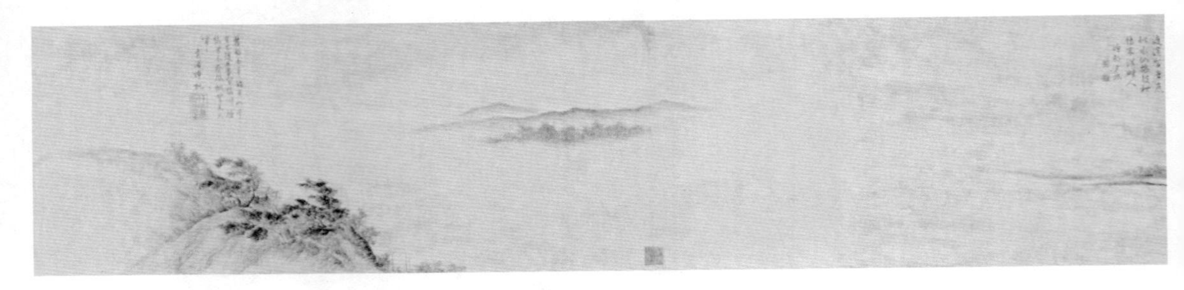

图 25　董邦达（摹马远）　远浦归帆　王南屏私人收藏

图 26　牧溪　远浦归帆　日本私人收藏

图 27　玉涧　远浦归帆　德川美术馆

图 28　**夏圭　远浦归帆**　波士顿美术馆

是简约风。比如王洪的《平沙落雁》出现了小丛的寒林、观望的舟客、降临平沙的一群落雁【图 29】，而董邦达摹的马远【图 30】和牧溪【图 31】的作品中则把大部分的母题都省略了，只剩下落雁。其作用当然也可能不是要故意表现或作艺术上的简约风，而是要加强、集中某些主题。牧溪的这种手法最为一致，他的这种风格也被无数后代的日本模仿者所继承。

克利夫兰美术馆的小扇面【图 32】有夏生的签款，这可能是夏圭的追随者之作（可能是他的儿子），其中模仿了这种 13 世纪集中描绘少数母题的手法，去掉了近景沙岸，只画远岸停泊的一叶扁舟。与夏圭或牧溪相较，这并不是最有力的图像，而这也是为何此作品有可能出自二

图 29　**王洪　平沙落雁**　普林斯顿大学美术馆 Edward L. Elliott 家族收藏

图 30　**董邦达（摹马远）　平沙落雁**　王南屏私人收藏

图 31　**牧溪　平沙落雁**　出光美术馆

图 32 **夏圭 远浦归帆** 克利夫兰美术馆

图 33
秀盛
潇湘夜雨
细见美术馆

流画家之手、而非一流画家的原因。

《潇湘八景》中最受争议的主题是“潇湘夜雨”。为 12 世纪业余画家辩护的邓椿低估了许多尝试描绘此一极具挑战性之主题的画家。[8] 幸好，邓椿认为夜晚下雨什么也看不见的这个说法，并没有阻挠后世画家对这个画题的尝试。

秀盛的《潇湘夜雨》【图 33】至少提示了夏圭传统里的一些基本图像。此构图描绘的是夏日里下了小雨，雾气弥漫、起风的景色，强调近景，置远景于暗淡雾色中。故宫博物院藏一夏圭扇面，尽管有细微的差异，但整体上的气氛及构图都和秀盛的《潇湘夜雨》非常接近【图 34】，应该就是一幅中国制的《潇湘夜雨》，只有人物的方向变了。但就如前文已经指出，人物的动向可以有所变化，并不影响到基本结

图 34
夏圭
潇湘夜雨
故宫博物院

图 35
夏圭
潇湘夜雨
故宫博物院

构的特征。

我甚至认为另一幅故宫博物院所藏、夏圭签款的扇面也可定为《潇湘夜雨》【图 35】。可以确定的是这幅画也表现了像夏圭主题所见类似的情调和画意——黄昏、归来、休憩、冥想。但是我们无法完全确切地辨识这些母题（虽然我认为大部分是可辨识的），而且也必须承认，在某一段时期里，画家确有想把这些相似的观念、主题、构图、表现联结

图 36　牧溪　**烟寺晚钟**　岛田纪念馆

图 37　**董邦达（摹马远）　烟寺晚钟**　王南屏私人收藏

图 38　**王洪　烟寺晚钟**　普林斯顿大学美术馆 Edward L. Elliott 家族收藏

起来的意愿。

令人好奇的是，牧溪的《烟寺晚钟》【图 36】与马远的截然不同【图 37】，而两者在日本都没有留下什么影响，至少不见于我们调查的画作中。我在下面的论述中会再继续讨论这个问题，在这里我只想简略地说日本画家所作的《烟寺晚钟》构图比较接近王洪的传统【图 38】。前景山径上的二人，正步向中景的佛寺，由此我们也可想象这些画中人物或许也听到迷雾中传来的寺庙钟声。这些旅人好像已经上路一阵子了，此刻他们在夜色渐暗、钟声响起时，慢慢地接近目

图 39 **秀盛 烟寺晚钟** 细见美术馆

的地。

司徒怡已指出，日本有不少的《烟寺晚钟》【图 39】都描绘了在山径中往上或往下前行的二旅人，以及矗立远方的佛寺。背景经常以天空、高耸山丘的山景为主。

根据上述理由，我们也可认为，现存故宫博物院的一面扇面【图 40】应该是南宋晚期所作之《烟寺晚钟》。此画无款，也不纯粹反映夏圭风格，但应该是结合了马、夏风格。司徒怡已提出现藏日本的另一幅传为马远的作品【图 41】应也属于《烟寺晚钟》。

从《潇湘八景》的八种图式中，我们可以看到夏圭在八景传统之传承、创新以及再诠释上所做出的决定性的贡献。从小景扇面、册页，到巨幅挂轴、屏风，他以多元的样式完成了这样的使命。他应也以手卷形式作了《潇湘八景》，而且我认为手卷式的《潇湘八景》应该是连景、统一的构图，就像纳尔逊美术馆所藏夏圭名画《十二山水景》卷一样。[9] 可想而知，马远的《潇湘八景》卷也正是如此，而日本现存的夏圭《渔村夕照》残本（见图 19）似乎也是手卷的一部分。

图 40　**无款　烟寺晚钟**　故宫博物院

要研究宋代流传到日本的《潇湘八景》图，夏圭也是一个特别具有启发性的重点。夏圭的风格分明并具有画院正统性的特质，让他的画特别容易模仿，也容易产生多种版本、推广传统。这点我们可从南宋仿夏圭的作品以及日本室町时代的相关仿作看出。但是我们也可看出，这种可认为是夏圭的特征，也存在于早于他活动的 1200 年代以及稍晚的画作中，而且不仅出现在以他领衔的宫廷画传统，也可见于宫廷外的画作。与宫廷无关的禅僧画家牧溪、玉涧的构图，就与夏圭不无关系。当然，同为宫廷画家的王洪和马远之作，其特色与夏圭作品有许多相近之处，但也反映了重要的差异。这种基本特点上的相似性极为有趣，也是为何我们可以那么肯定地辨识出那些无款或以前被标错标题的画作为

图 41　无款　烟寺晚钟　日本 MOA 美术馆

《潇湘八景》构图的原因。

上述的许多作品蕴含着许多引人深思的课题，其中有一些我们已触及了，有些则还没有。比如，根据传统的潇湘母题，到底可创造出多少不同的版本？画家创作《潇湘八景》时到底距离那些能令人辨识的必要图像多远？除了我们辨认出的主要画素，还有其他图像能帮助我们辨识出潇湘主题的吗？一般来说，如我们已提过的，一个主要传统之延续，逐渐地会从主轴线分散出子线。在一开始，还看得出起源，也就是宋迪的创作；但是那些原始的创作也是基于更早的山水画传统，如渔钓的景色、四季山水或关于潇湘地带的景色描绘等。[10] 自宋迪以后，形成了更复杂多样的传统，因为连宋迪本身都画了不同的版本，而紧随宋迪之后的继承者和模仿者，也继续拓展并诠释潇湘图。最后，潇湘这个主题成为了画院的题材，僧侣画家也尝试发扬这个画题，连宫廷外的职业画家也画了。在这个复杂的脉络中也有李成、范宽的追随者（如王洪）、董源/巨然传统的追随者（如东京博物馆藏《潇湘卧游图》）加入。[11]

风格、表意上的尺度明显地很广，几乎无法界定。这从王洪与玉涧作品的比较可以看出，但也许我应在下一个章节再谈谈他们个人的创新处。

2．“烟寺晚钟”

《潇湘八景》中最棘手的主题之一就是“烟寺晚钟”。到底画家应如何描绘远处寺庙的钟声？要回答这个问题，我们可从检验画史上一系列的不同处理手法，而得出结论：艺术创新乃顺势传统及大众期待。

首先，必须指出的是，联系的脉络（context）总是存在的。那些联系乃由主题的上下文所提供。《潇湘八景》的各景很可能通常都成组出现：它们可能是八个扇面、八开册页、八幅挂轴，或是由八段构成的一幅手卷。宋代作画的方法，是将可分离的单元组成一个更大的结构，但这些小单元也可自相分离地被使用。[12]一旦被制作，这些分离的单元很可能建立各自的独立性及功能；但是它们在最初被创作时却是一个大图组中的小局部。《潇湘八景》在概念上是一个不可分开的大组合；实际上创作此主题的画家或许总是意识到要突破或控制这整组画题的特质。也就是说，整个《潇湘八景》的主题带动了各个小单元主题的特质。

因此，在这样的情况下，很可能某些构图就在被删除的过程中变得让人无法辨识了，观者或可因它与其他不可分开的八景主题一起出现而进一步猜测这乃《潇湘八景》的一部分。比如马远的《潇湘八景》中，《潇湘夜雨》与《渔村夕照》极为类似。两者几乎可以互换，但是这不要紧，因为其他六景的特色很明显。《潇湘夜雨》与《渔村夕照》表现了非常相似的想法及视觉现象——或者说它们可能表现了非常相似的想法及视觉现象。

前文我们注意到，至少有一幅夏圭的画可能是《潇湘夜雨》（见图35）。从图像证据上来看，我觉得它应该是，但我们并没有完整的脉络来判断它是否就能符合或具有《潇湘夜雨》的特质。

相反地，一般认为，我们能很清楚地判断某幅画不属于潇湘的主

图 42
叶肖严
南屏晚钟
台北故宫博物院

题。如台北故宫博物院藏夏圭的《溪山清远》就被认为不是《潇湘八景》或任何其中的景色。另外纳尔逊美术馆藏的夏圭《十二景山水》卷也被认为不是在表现潇湘的主题。我们之所以得出这样的结论，是因为这两幅画并没有与跨越中日两百年的潇湘图传统有明显或直接的关系。大部分南宋画并不属于《潇湘八景》的传统，而基本上我们可以很快地用不同办法做此判断。

另一与 13 世纪脉络有关的有趣现象，是在当时杭州出现的与马麟有关的新的风景套画《西湖十景》，如今最好的代表作乃为马的追随者叶肖严所作。〔13〕虽然新的《西湖十景》重点在西湖特别的景致，最早从事这类绘画的画家，很明显地在构图、制作成套等方面受到《潇湘八景》之传统的影响。换言之，新的制作有很多来自《潇湘八景》的旧模式。反之，我们也可以从研究《西湖十景》来归纳《潇湘八景》的形式特色和传统，特别是几种新的构图极似早期的《潇湘八景》。如叶肖严《西湖十景》册页中的《南屏晚钟》【图 42】、《平湖秋月》《断桥残雪》，就极类似《潇湘八景》中的《烟寺晚钟》《洞庭秋月》《江天暮雪》。叶肖严画册中的某些图例可能正是后来日本画家吸纳《潇湘八景》的典范。他的《南屏晚钟》与观者所熟悉的潇湘系列中之相似晚钟画题非常类似，难以分辨。

《西湖十景》所展现的可能是南宋杭州山水及宋画院的基本风格。未来的研究将从现存南宋绘画中发现更多保留了这个画题的画作。有些现存绘画失去了与此画题的关系，让人无法辨认，这就好像一些不完整的《潇湘八景》一样，因脱离了它们原有的脉络而不再被后世的观者识别出来。配合本文的目的，我在这里只提出几点：第一，当公元1200年之后，画家们新创了《西湖十景》图来描绘西湖的特殊景物，他们所拥有关于制作套画的先例即为《潇湘八景》图。他们使用了季节演变、一天内时间变化等相同的手法，也很可能使用了相同的主题和构图法。但在另一方面，《西湖十景》图与《潇湘八景》图也存在着重要的差异。一些存在于较早的《潇湘八景》中的主题，如《山市晴岚》，就不存在于《西湖十景》图中。"渔钓"这个在《潇湘八景》的构图及情调营造上如此重要的主题，亦罕见于《西湖十景》图。虽然如此，要分辨《潇湘八景》和《西湖十景》有时并不容易。以波士顿藏的扇面为例【图43】，它有可能是《潇湘八景》中的《烟寺晚钟》，或《西湖十景》中的《南屏晚钟》，但一定是两者中的一个。两个点景人物在傍晚时分走向雾中远处的寺院，这里所描绘的实在很难是别的画题。台北故宫博物院贾师古《岩关古寺》也属于这样的例子【图44】，它若不是在描绘《烟寺晚钟》，就是在描绘《南屏晚钟》。

在我们注意到《潇湘八景》与《西湖十景》相似之处后，再回过头来看王洪的《烟寺晚钟》（见图38）。它仍是此画题的最早图例，也为后来的八景和十景中"晚钟"主题提供了图像的先例。王洪描绘声音的方法是在画面的右边安排两个行旅人物，一人策杖，另一人是他的仆从，远望着水域另一边那隐现在山丘上的寺庙。关于声音的暗示，则借由表现聆听者（旅人）和他们所关注的远方声源（隐现的寺庙，但只要仔细找就看得到）之关系上达到。再则，此画的背景是傍晚。因此，我们像猜谜一样，透过一连串的线索终于找到答案：傍晚、雾中山丘上的寺庙（所有的寺庙都有钟）、在体验中的人物（老者和男童仆，他们正在望着水域后面的什么）。本质上，我们所体验到的乃是一个现象的起源以及它的观众：烟寺晚钟。

禅僧画家牧溪突破性地删去了此传统构图中的聆听者，只留下迷雾

图 43　无款　烟寺晚钟　波士顿美术馆

图 44　贾师古　岩关古寺　台北故宫博物院

远处淡淡的古寺（见图 36）。这个主题流传到牧溪的时代也有一段时间了。那看不见的晚钟聆听者，只存在于记忆中，也无法避免地变成了我们。这真是牧溪绝妙大胆的做法，也符合了禅宗的思想：如果没有人聆听，那寺庙的钟声又是如何的呢？

早于牧溪五十年的马远也尝试过同等绝妙的画，而我们也必须记住牧溪当时无论如何都一定知道马远的先例。在马远的画中，渔夫们的形象渐隐于远处雾中（就好像所有的潇湘都暗示性地表现这样的手法），但他们轻盈地荡漾在马远的构图中，如梦幻一般。那么要如何传达钟声呢？那低沉而喑哑的钟声在雾气弥漫的夜里产生了令人意想不到的回响，惊吓到在树上筑巢的鸟群，以致它们在寺庙上的空中盘旋。在马远的这幅画中，只有被吵醒的鸟儿才听到了晚钟声。这种手法就好像牧溪在他的画面上故意去掉了任何聆听者——除了观画者。

在日本似乎找不到像马远或牧溪这样对《烟寺晚钟》如此富有创意的诠释了。室町时期的日本画家还是沿袭着陈规，在画中布置了聆听者和寺庙，仿佛他们生怕观画者的程度不那么高，以致有必要沿用陈规。如果日本画家能真的像上述例子一样愿意重复使用中国传去的《潇湘八景》中最明显的、无误的格套及构图，而不任意发挥新的想法，将不同主题里的母题结合在单一的构图中，该有多好啊！事实上，在日本画中真有这样的例子，如 15 世纪日本画家【图 45】经常结合《潇湘八景》中的二、四或八景于一图，然而却没有例子证明这在较早的中国曾经发生过。

其实我认为像这样将《潇湘八景》的多景并在同一图中的做法，也许在中国也曾经存在，只是没有被认出来罢了。我们曾经认为，像在日本室町时期很流行的描绘山水全景的四季山水，并不存在于较早的中国，但现在我们已承认，这其实在宋代是存在的——也许可以进一步地说，此乃极为平常的事。

让我们以台北故宫博物院的《溪山暮雪》为例【图 46】。首先，我们要记住，这样的画题很少是画家自己给的，大部分是后世收藏者所加的。但这幅画的题目仍十分有趣，因为他让人想起《潇湘八景》中的《江天暮雪》。现在将《溪山暮雪》与较流行的《潇湘八景》（见图 9、10、11）比较看看，确实有很多相似处。《溪山暮雪》中有一撑伞的旅人急忙走回展现在他面前的家，这也是《潇湘八景》的冬景中最常出现的母题。但是《溪山暮雪》不像《潇湘八景》在雪丘上布置了水磨，而是在松林

图 45
贤江祥启
潇湘八景

图 46
无款
溪山暮雪
台北故宫博物院

里出现了一组大寺庙群。这个差别很有意义，因为我们看到前景有鸟群环绕着旅人的家。此时应该是傍晚了，夜幕即将降临，而且正下着大雪。照理说鸟儿们应该已经栖息，但为何还在空中盘旋？因为它们被惊吓到了，就像在马远的画里看到的一样，它们被从雪丘之外传来的寺庙晚钟声给惊吓到了。

以上的观察向我们提示，画家在这件既精致又完美地表现宋代美学对山水之回应的作品中，集《江天暮雪》及《烟寺晚钟》于一件充满诗意的画作中。这可能只是四件一套的画作中的一幅，虽然其他的作品现已不存。如果真有一套四件组成的画作，那么现存的冬景山水很可能反映了当时的《潇湘八景》与四季山水画的关联。

3. 追索宋迪

我们或许可以将表现某些主题的宋代山水画与目前已散佚的文字作一番联结。这些文字内容可能很含糊笼统，也可能很具体。如果文字是有关四季山水，也就是宋代最流行的题目之一，那么我们可以期待发现画中具有代表每个季节的特征因素，如冬天的枯枝、蓊郁的夏荫、五彩缤纷的秋叶或春天盛开的繁花。如果文字是有关溪山景色，那么我们可以肯定在画中会见到旅人、溪流、山石，以及暗示性的指示，旅人在大自然中所见的宏大、富有戏剧性之视野。这么说也许是很基本，甚至很明显、简单的原则，但我的意思是，文字本身为画提供了一些可期待的元素及根据。《潇湘八景》正是这样的文字资料，因为实际的文字（诗及题目）和与此主题相关的画作同存，或实际上这些文字就题在画上，而绘画的传统本身则遵循上述可识别出来的根据、迹象、关联。

文本需要清晰、有逻辑。也就是说，文中的个别元素（如人物、行动、时间、顺序等）都在文本的框架中被解释了，连缀起来也必须合情达理。在这样的叙事框架下，一个文人就不会只是漫无目的地游荡在秋季山水中，并将他的手指指向远方。相反地，如果这个文人伫立景中并将手指指向远方的山丘，那么我们必须继续追问他到底在指些什么？他为什么这么做？他在那儿告诉我们一些讯息，在延续或昭示着他所属于的文本中的叙事情节。郭熙告诉我们，如果看到画中有一老者倚山崖而立，我们可以猜想他或许在描绘《论语》中所阐述的仁者乐山的内容。依据同样的文本，郭熙本人可能会画出不同的画，但是其功能是相同的；画的文本是相同的。具有逻辑、前后一致、言之成理是需要的，因为这是对文本的基本要求。宋代山水画也因此成为一种叙事模式，虽然很丰富多元，画家也可以用多种个性的语言来诠释，并透过许多个性的视角来改造，但是它们终究难免是一种叙事。我们必须一直试着去检验绘画背后所要表达的叙事内容到底是什么。它可能是四个字的题目，也可能是一篇散文或一个历史事件，也可能只是一种心情、时间、季节、心态，如孤寂、平静或迷醉；但是，无论如何，它都像文本一样。虽然绘画的特质可能会超越文本的特质，但是无论如何，绘画都像文本一样，告诉我们许多画作所要表达的意义和主题。

目前我们所知最早的《潇湘八景》图，是活跃在南宋高宗时期约1160年左右的王洪之作。从文字资料看来，史上最早制作《潇湘八景》图的画家，乃是早于王洪一百年的宋迪，但目前我们相信他的作品已散佚无迹可寻了。

然而我坚信，至少还有两件现存画作，即使不是宋迪的原作，也是根据他的两幅《潇湘八景》所作、极接近原作的摹本。而我们之所以要对这些作品进一步辨识，主要目的在于超越我们对王洪的认识，更深入地认清、重寻现存的宋迪艺术遗产。

举凡认识宋迪的北宋知名文人——如苏轼、沈括、米芾——都认为他是宋代最了不起的山水画家之一。对他们来说，宋迪体现了士大夫艺术家的理想，可与百世宗师李成并驾齐驱。宋迪吸收了他同代画家朋友的经验，创造了对后世极具影响力的《潇湘八景》画题，透过一系列的图画来呈现一种特殊的心境。《潇湘八景》因此成为宋画中最有名也最流行的画题之一。

《潇湘八景》以湖南潇水、湘江（水）一带的景致为基本。在那里，不同的河流汇成洞庭湖，流至湖南低洼地带，形成了云烟弥漫、微光隐现、渔夫扁舟和村落农夫来去其中的水域。这里对在那些碌碌于仕途的宫廷官员而言，真可说是人间天堂，心之所向的梦土。〔14〕

然而这样的梦土，经常是在文人们因真实的或被诬告的政治罪行而从京城被流放时，才倍加令人向往。宋迪在1074年被贬出汴京前，曾在他出任潇湘地区官员时，陪同当时的儒学大师周敦颐同游潇湘。他的被贬似乎难以避免，因为他是宫中保守党成员如司马光、周敦颐、苏轼等的密友，而这些人之中，有很多人也都因不同原因被贬官了。

具有讽刺意味的是，湖南常是文人被贬的流放处，在当时被认为是偏远、危险、未开化之地，但却意想不到地成为这些失意文人的人间天堂。屈原的鬼魂还在江上漂荡，而他所代表的忠诚、清高，也被赋予了追随他的被贬者。

此地的美景吸引了那些被流放的人。其中一个流放者——画家王诜，就告诉我们，他在被流放的时候，发现了潇湘山水，他的艺术也受到改造。[15]因此，他画出了人间天堂般的景象，其中有光影金黄的孤远的岛，漂荡在闪耀之河湖之间。

据苏轼的记载，宋迪的画风也深受亲临潇湘的影响。[16]潇湘令人无法言喻的美，长存于他的记忆之中。那被流水洗净、被微光照明的宁静的秋夜，只有渔船在雾中静静漂荡，唯一能听到的，是远处寺庙传来的钟声，唯一的动静，只有空中成群飞舞的野雁。

学者曾争论过宋迪到底是否给自己的画定过标题；已成定论的似乎是，他所作的八景代表了一组抒情的表现，体现了黄昏、雾霭、远近、夏雨、秋月、初雪，以及稍纵即逝的远景，如寺庙钟声、落雁、远帆、远处被风吹过的山崖。

我们有理由相信，宋迪第一套关于这个主题的作品是他为长安一个叫作八景台的佛寺或亭台所作的图画。不过，很明显，他在之后也多次画过同样的主题，所以我们可以假定他及早期模仿他的画家们作了不同版本的八景图。其中一套被认为是宋迪之作在明代中期还存在，根据都穆所载，这套画当时在苏州的雍熙寺。[17]此后，宋迪的画作散佚了；到了17世纪，宋迪的画皆已不存。[18]

这说起来有点离奇，因为宋迪的画其实很受欢迎，而《潇湘八景》也受到很高的评价。最有可能的解释是，宋迪《潇湘八景》的主题在明代三百年中渐渐被人遗忘了，而后再出现时已被人们冠上另外的标题。这点我将在下面说明。

藤井有邻馆的《秋山萧寺》【图47】是北宋山水画中最特别也难解的画之一。[19]虽然它传为许道宁所作，我们却找不到任何早于17世纪关于这幅画是许道宁或其他人所作的任何讯息。虽然此画有着神秘不可知的历史，它却无疑是一幅标准的北宋画。此画现在的标题是梁清标在1674年重裱时所题，但是它却没有出现在任何有名的17或18世纪的著录中。再早一点的15世纪，此画曾在云南沐王府收藏，但是很不幸，我们不知道当时被标为哪个作者。就画家风格、技巧、情境、表现手法及细腻感而言，它都戏剧性地与纳尔逊美术馆标为许道宁的重要作品大

图 47 （传）许道宁　秋山萧寺　藤井有邻馆

图 48　许道宁　渔父图　纳尔逊美术馆

相径庭【图 48】。

也就是说，我们有一幅画得很好的、佚名的、流传不明的北宋山水画，在 1674 年被认定为出于约没于 1050 年的北宋名家许道宁之手，但是它的风格与我们现在所了解的许道宁没有关系。

让我们尝试着没有偏见地重新检查这幅画。我曾在之前发表过的文章中建议过将有邻馆藏的这幅画作者定为李成或宋迪的追随者。[20] 在我写过那篇文章之后又有了一些新研究发表，我认为现在值得利用新的研究再重新讨论这个问题。我们可能有希望进一步找到答案了。

武丽生（Marc Wilson）很有说服力地主张纳尔逊美术馆藏的手卷是许道宁之作，我也坚定地支持他的说法。[21] 曾布川宽在提出有邻馆卷为许道宁之作的同时，也强调它表现了李成传统的特色。曾布川宽也分析了有邻馆卷极为诗意、抒情的特色。武丽生又建议，如果我们要接受有邻馆卷与纳尔逊卷皆为许道宁之作的话，那有邻馆卷一定早于纳尔逊卷。但是我认为，有邻馆卷既不可能早于纳尔逊卷，也并非许道宁之作。

这两卷的差别其实很细微。我们也许还说不清楚1030年的李成追随者画风与1070年的李成追随者画风有何不同，但我们可以尝试这么做做看。

有宋以来，画家对画作内容以及人物、山水在一幅画中的相关性之自觉度，有着一定的演变模式可循。纳尔逊卷中的人物自由地处于他们所在的空间，在包容他们活动的山水范围之内，他们对周遭环境除了人间现实以外并没有什么感觉。如果我们考虑这样的画中人物与山水环境的互动关系，便可将纳尔逊卷归于北宋早期（范宽、纳尔逊美术馆藏李成、燕文贵的几幅画、董源、巨然、屈鼎）。

相反地，有邻馆卷的处理就不同了。其中出现在画作最左边的三个点景人物（二男一童）朝着我们目光刚掠过的山水空间望去，并指着画卷右方藏在远处山丘中的寺庙。像这样敏感地处理人物，为他们在山水中的出现赋予一种积极的意义，让我们想起郭熙（他作于1072年的《早春图》其实还属于早期的态度）对其同时代山水画家的批评：

> 何谓所养欲扩充？近者画手有《仁者乐山图》，作一叟支颐于峰畔，《智者乐水图》作一叟侧耳于岩前，此不扩充之病也。盖仁者乐山宜如白乐天《草堂图》，山居之意裕足也。智者乐水宜如王摩诘《辋川图》，水中之乐饶给也。仁智所乐岂只一夫之形状可见之哉！〔22〕

我们在纳尔逊许道宁卷和有邻馆卷所见的人物表现差异，就是上述的情况。纳尔逊许道宁卷的作者，毫不做作地表达了山居的乐趣或落寞；而有邻馆卷的作者，很刻意地表现其山水画中人物的意义。书写于11世纪末的郭熙告诉我们这种刻意的表现是“晚近”才发生的现象。

大体来说，郭熙所指的差异，以及我们从两卷所谓许道宁山水画中所见的不同，即是存在于北宋与即将出现在南宋的对诗意的重视之不同。虽然说不出有哪个特定年代可以作为两者差异的分水岭，但我们可以大致认为纳尔逊许道宁卷早于有邻馆卷。有邻馆卷与李公年及王诜的年代比较接近，而纳尔逊卷则与范宽、李成、郭熙时代较接近。

有邻馆卷与纳尔逊卷年代的差异，还可从另一点来检讨。从构图上看来，有邻馆卷呈现了从左下角贯穿一气到右上角的单一景象，这样一眼看去很统一、完整的结构，就像北宋末绘画的特质（其他与此相似的，有王诜现存的两幅画，以及胡舜臣作于1122年的《送郝玄明使秦图卷》）。而纳尔逊许道宁卷则还维持北宋早期极有秩序的形式，以正面性、系统性的手法来强调远近结构的距离。

至于这两幅画在艺术特性上的差异，对我来说似乎就更明显了。纳尔逊卷是大师级画家气势磅礴的力作，展现了开阔、干净利落的空间，以及起伏如帐的群山；这是一个谈笑风生的画家以他的幽默和自信在我们面前夸耀他无懈可击的才能。

而《秋山萧寺》的作者是一个沉默、几乎黯然自处的人，他缓慢沉思的动作，犹疑的探索，在认知与表现之间斟酌游移着，最后以他不确定的笔触及渴墨皴擦，创造出一幅静止的、哀怨的图像。这与他豪情万丈的前辈大异其趣。

支持有邻馆卷应比纳尔逊卷早的论者必须把有邻馆卷定于1020至1030年，但是我们实在找不到这时期与它接近的山水画，《秋山萧寺》所见的细腻的形式及空间性不可能那么早期就能做到。从画家的个人特色来看（两者共通的李成风格除外），这两幅画也不可能出于同一人之手。所以，以上这两个论点，其实都无法成立。基于这两幅画不为人知的流传史以及纳尔逊卷与许道宁风格的吻合，我们可以认为纳尔逊卷确实是许道宁的真迹，而有邻馆卷的作者为谁还有待商榷。不管从形式、风格或其他任何方面看来，有邻馆卷都与1674年才被冠上的许道宁标签一点关系都没有，甚至还有天壤之别。

《秋山萧寺》的风格倒和宋迪的同代人对他的风格的描述吻合。为了进一步说明这一点，我将回到对《潇湘八景图》在宋代所使用的叙事符号传统的检验。只有透过这样的检验，我们才能证明《秋山萧寺》与许道宁无关，而宋迪才是这种风格和构图的创造者。

之前提到《烟寺晚钟》挑战画家尝试以视觉图像表现声音。马远和牧溪以富有创意的手法做到了，但是较传统的表现方法却传到王洪和其他南宋画家笔下，甚至传给了我们已讨论过的日本室町时代的画家们。既然王洪的《潇湘八景》是这个传统中最早的，而这可能就是以后的《潇湘八景图》制作的基础，让我在此复述它的特征。画首有两个站立的男子，远望水域另一边隐藏在山丘中的佛寺。只有了解这些点景人物正在聆听寺庙传来的钟声，才能合理地解释他们为何被如此描绘。此外，画中所表现的时间已是傍晚夜色已近之时。寺庙在暮霭笼罩及距离遥远的情况下看来越显暗淡。

而这正是我们在《秋山萧寺》构图中所看到的景象，只不过它的构图被反过来了，注视着画面右方的寺庙的人物，出现在画面的最左边，而寺庙的屋顶从山丘中还约略可见。其中一个还手指着远寺。为什么要用手指呢？因为画家要观画者知道，此人物定在跟他的游伴说，“看，那里有一座寺庙”。我认为在初创《潇湘八景图》之时，宋迪唯有将点景人物画作以手指指向寺庙，才能表现出“烟霭中寺庙的钟声”乃此画的主题及意义；一个世纪之后，王洪画中的人物只要隔水远望远处的寺庙就可以了；而再晚一点的画，只要其中有两个人物在傍晚时分向寺庙前进就可以了；到了 13 世纪中，牧溪只要画出傍晚弥漫的暮霭中有一座寺庙，就足够表示钟声了。

正因为《潇湘八景图》在中、日绘画史上都有很强的传统，我们不能忽略有邻馆卷与它们的关系。要解决并了解此画构图的意义，我们只能透过检查它的图像符号才能做到。排除纷异是《潇湘八景图》传统既复杂又一致的典型要求，从 12 世纪中期的中国到 16 世纪的日本皆然。当我们发现一幅比这个传统早一百年、承袭李成画风的北宋画，其中的特色又都与我们所认知的宋迪是一致的，我们唯一的选择，就是接受它并扩充我们原来所知道的《潇湘八景图》传统。

我认为，就我们所能掌握的材料看来，《秋山萧寺》就是《潇湘八景》中的《烟寺晚钟》，而且其风格与（我们所能理解的）李迪的活动时代及画风相符。此画与李迪同时代的其他少数画作风格相类，如传王诜的几件作品、纽约大都会美术馆藏的郭熙《树色平远》（也许是郭熙的晚期作品）、普林斯顿大学藏的李公年《山水》轴，以及其他几件可定为北宋晚期的作品。值得注意的是，宋迪、王诜、李公年都是北宋晚期李成风格的实践者，而这些画家都与苏轼的文人交游圈所发展的文艺哲学思想相关。

相反，纳尔逊许道宁卷代表了北宋早期自李成开始延续到燕文贵、屈鼎、许道宁等大家名作的重要里程碑。

这些北宋山水大师们对李成的敬仰，使他们的画作都难以避免地呈现一些共通性。但是最近我们才知道宋迪尤其景仰许道宁，他甚至写了一首诗赞叹许道宁的画风。[23] 对那些还觉得纳尔逊许道宁卷与有邻馆卷相关的人来说，这应该是他们所乐于见到的关联。

有邻馆卷还另有一特点值得一提。就如曾布川宽已注意到的，此画也许是现存宋画中唯一必须从左到右观赏的例子，与一般宋画从右到左的方向性相反。曾布川宽还指出，这样构图的原因很可能是因为此画是为一个特定位置的建筑空间所设计，而这个空间里摆的画必须从左到右观看，所以构图才例外地由左向右进行。这个建筑空间最可能的就是一所寺庙的空间。我们也提过，宋迪的《潇湘八景图》最早是为长安一所叫作八景台的寺庙所作的。直到明代，最有名的一套《潇湘八景图》也是藏于苏州的雍熙寺。

曾布川宽以绘画的实用观点为有邻馆卷的特殊构图所提出的解释，并非唯一可能的说法。其实，我们还可假设，画家乃故意在挑战一成不变的构图格套，以便更有效地提示观画者即将获得的意想不到的发现：烟寺传来的晚钟声。当宋迪初画这个主题时，他一定觉得要在一幅画中表现“声音”，或甚至是“那几乎看不见的远方寺庙传来微弱的钟声”这个想法近乎不可能吧。也许他认为借由引导观者漫游于迷雾中的山丘与蜿蜒的溪流，让观者不经意地从右到左读画，最后在画的最左方才发现有人往回指着山丘那边的远寺，然后顿然了悟那原本渐行渐深的迷惑——如此一来我们会慢慢地发现声音其实载于山水图像中。

无论如何，《秋山萧寺》以渴笔营造出的感伤和沉静的音乐性令人回味无穷，它可说是现存北宋绘画的孤例。只有另一幅北宋山水画也具有类似的哀愁感，它也是现存在风格上最接近《秋山萧寺》的一幅画。

长久以来，台北故宫博物院藏《宋人小寒林图》【图 49】的作者和年代一直让人迷惑，但是我想大部分的专家都会同意这张画应该属于李郭传统，且年代应在 11 世纪上半叶的 1025 年至 1050 年之间。[24] 直到几年前我才知道此画右边曾被裁过，并不完整：它原来应还有向右延续的构图，能有空间容下画的右上端仍依稀可见的一群落雁。要复原这幅画的原貌，我们可以参考王洪的《平沙落雁》（见图 30），此图的左边有一小丛寒林，右边则有鸿雁降临。王洪画中的舟中人物泊于树旁；而《宋人小寒林图》的三个人物（二男一童）则一起散步于寒林的左方。《秋山萧寺》也有二男子一童子在聆听晚钟。难道这是偶然吗？《宋人小寒林图》更可能是《平沙落雁》残留下的版本；它的风格接近宋迪且仿宋迪之风。《秋山萧寺》的高度为 38.3 厘米，而《宋人小寒林图》高度为 42.2 厘米，两者的差别只有 3.9 厘米。我们可以想象《宋人小寒林图》原来的构图还要向右边伸展一些，因为鸿雁将降临的沙岸在现存画的右角只出现一小部分。

《宋人小寒林图》状况残破，曾被切过、补过，而构图中被修补的

图 49 **无款 宋人小寒林图**
台北故宫博物院

片块使得此画失去了原貌。虽然如此，此画仍保留了与《秋山萧寺》相类的三个人物，其画法亦与之相类。二画构图中皆展现了平远的空间，且墨染、皴擦都极细腻。二画皆描绘暮色及归旅，也都给人一种宁静幽思之感。这两件作品的状况相似，很可能曾被制作成相似的尺寸和形式。与其他画作相比，它们彼此的关系尤显密切。此外，《宋人小寒林图》与王洪《潇湘八景》的《平沙落雁》极为接近，就好像《秋山萧寺》与王洪《潇湘八景》的《烟寺晚钟》相似一样。

这些说法有待其他人来决定它们是否有说服力，不过对我来说，《宋人小寒林图》与《秋山萧寺》正保留了极富诗意、抒情的伤感，以及深切的宋迪影响。

黄士珊　译
译者单位：美国 Rice 大学

译自 “Shining Rivers – *Eight Views of the Hsiao and Hsiang* in Sung Painting,” *Proceedings of the International Colloquium on Chinese Art History* (Taipei: Palace Museum, two volumes, 1991 [actually published 1992]), vol. 1, pp. 45-95.

注 释

〔1〕本文的第一部分曾在1985年台北故宫博物院举办的六十周年院庆大会上宣读。在此特别感谢台北故宫博物院邀请我参加大会，也感谢相关人员耐心协助我完成初步的研究。

〔2〕Richard Stanley-Baker, “Gakuo’s Eight Views of Hsiao and Hsiang,” *Oriental Art* 20.3 (Autumn, 1974) , pp. 1-20; “New Initiatives in Late Fifteenth century Japanese Ink Painting,” *Interregional Influences in East Asian Art History* (Tokyo, 1982) , pp. 199-211; “Some Proposals Concerning the Transmission of Muromachi Japan and Styles Associated with Painters from Chekiang of the Late Yuan and Early Ming,” 收入铃木敬先生还历纪念会编，《中国绘画史论集：铃木敬先生还历纪念》(东京，1981)，页71—76。读者若想了解日本《潇湘八景图》的流传过程之全貌，以及它的中国渊源，应该参考司徒恪的原作。我在此只能极简要地摘录他的研究成果。

〔3〕铃木敬，《中国绘画史》(东京：吉川弘文馆，1984)，页158；图版88。

〔4〕其他几套藏于纽约大都会博物馆、波士顿美术馆和台北故宫博物院。

〔5〕Richard Barnhart, “Streams and Hills under Fresh Snow by Kao K’o-ming,” in Alfreda Murck and Wen Fong eds., *Words and Images: Chinese Poetry, Calligraphy, and Painting* (New York: The Metropolitan Museum of Art, 1991) , pp. 223-246.

〔6〕傅申，《元代皇室书画收藏史略》(台北：台北故宫博物院，1981)，页55，图102。

〔7〕铃木敬，《李唐 · 马远 · 夏珪》，《水墨美术大系》，第二卷 (东京：讲谈社，1974)，图版114。

〔8〕邓椿，《画继》(北京：人民美术出版社，1963)，卷六，页80。

〔9〕*Eight Dynasties of Chinese Painting* (Cleveland, 1980) , n. 58.

〔10〕现存几幅与董源有关的画保留了画家对潇湘地区之景色、母题、季节及气氛的想象，包括《潇湘图》、《寒林重汀》，两者可说为后来几种不同形式的《潇湘八景图》提供了典范。关于这些作品的研究，见 Richard Barnhart, *Marriage of the Lord of the River: a Lost Landscape by Tung Yuan* (Ascona, 1970)；有关《潇湘八景图》与早期四季山水画的关系，见注释5。

〔11〕有关这个主题的研究，见 Valerie Malenfer, “‘Dream Journey Over the Xiao and Xiang’: Scholar-Amateur Painting in Southern Sung China (1127-1279) ” (Ph.D. diss., Harvard University, 1990) .

〔12〕见注释5。

〔13〕叶肖严的册页刊印于台北故宫博物院编，《故宫书画录》(台北：台北故宫博物院，1965)，卷6。

〔14〕关于王洪完整的一套《潇湘八景图》的研究，见 Alfreda Murck, “Eight Views of the Hsiao and Hsiang River,” in Wen Fong et al., *Images of the Mind* (Princeton, 1984) , pp. 213-235；有关宋迪的著录，见陈高华，《宋辽金画家史料》(北京：文物出版社，1984)，页320-329。关于宋迪及其《潇湘八景图》最重要的研究，见岛田修二郎，《宋迪与潇湘八景》，《南画鉴赏》，1941年，四月号，页6-13。

〔15〕我曾为此题目写过一篇文章，见 Richard M. Barnhart, “Landscape Painting around 1085,” *The Power of Culture: Studies in Chinese Cultural History* (Hong Kong: The Chinese University Press, 1994) , pp. 195-205.

〔16〕见苏轼为宋迪的《潇湘晚景图》所作的三首诗，收入陈高华，《宋辽金画家史料》，页322。

〔17〕都穆，《寓意篇》，《佩文斋书画谱》，卷98，页1b。

〔18〕岛田修二郎教授曾指出在清代被认为与宋迪有关的画其实很可能是明代的画。见岛田修二郎，《宋迪与潇湘八景》，《南画鉴赏》，1941年，四月号，页11。

〔19〕曾布川宽，《许道宁生平及其山水画风格小考》，《东洋学报》，1980年，第512号，页451-500。

〔20〕Richard Barnhart, "The 'Snowscape' Attributed to Chü-jan," *Archives of Asian Art* 24（1970-1971）, p. 9.

〔21〕*Eight Dynasties of Chinese Painting*, no. 12, pp. 21-24.

〔22〕郭熙，《林泉高致》，收入于安澜编，《画论丛刊》（北京：人民美术出版社，1962），页21。

〔23〕这是引自北宋诗人冯山（1057年进士）《冯安居集》的说法；见陈高华，《宋辽金画家史料》，页324。

〔24〕《宋人小寒林图》载于《故宫书画录》，卷5；亦见于James Cahill, *An Index of Early Chinese Painting: T'ang Sung Yuan*（Berkeley and Los Angeles, 1980）, p. 201；关于此画我亦曾有所研究并出版过相关著作，见Richard Barnhart, *Wintry Forests, Old Trees: Some Landscape Themes in Chinese Painting*（New York: China Institute in America, 1972）, p. 16（fig. a）.

公元1085年前后的中国山水画

公元1085年前后，中国山水画，我认为还有人们对山水画本身的认知，都发生了深刻的变革。我选择1085年这一特定日期，只不过用它来代表从宋神宗朝至哲宗朝，即1068年至1100年在宋徽宗登基之前这一历史时期的艺术创作活动。这是王安石变法实行新政的时代，是新政的支持者和反对者不断争论的时代。在哲学上，新儒学的基础已经奠定。在文学上，宋代最具有时代特征的审美观在苏轼和黄庭坚的诗歌里已经得到确认。

在绘画领域里，我们对这一时代的理解来自苏轼、李公麟和米芾的艺术创作及其理论。我们已经确定他们的兴趣所在及关心的问题，包括历史感、复古主义和一种关于个人创造力的理论——这种理论成为后来文人画理论及实践的基石。学者们已经注意到诗歌与绘画的互动关系。在山水画的研究方面，学者们把主要的注意力放在李公麟的复古式再造（archaistic recreations）和米芾的墨戏云山。[1] 然而，这一时期的经典宋代山水画却鲜有人问津。

李成开创的山水画传统，根源于荆浩和关仝，又受到江南山水巨匠董源和巨然的影响，再经过范宽、燕文贵、许道宁、郭熙几代大家的发扬光大，乃是北宋山水画发展的主流。[2] 至11世纪末叶，李成山水画传统的两个主要代表人物为郭熙和王诜。

郭熙被认为是这个传统发展的一代大师，地位仅在李成之后；他们两个名字排列一起，史称“李郭”，确立了经典宋代山水画的风格样式。王诜（字晋卿）的显赫祖先出自山西太原，自己是在汴梁皇宫里出生长大的。郭熙为神宗皇帝的御用画家，而王诜却是神宗的内弟。郭熙在

图1 **郭熙**
早春图
1072年
台北故宫博物院

中国山水画中的地位颇为牢固，众所周知，而王诜至今仍不那么为人熟悉，他的传世作品在美术史中的地位亦远远没有牢固地建立起来。我自己对王诜产生兴趣，首先来自于对徽宗书画收藏的文献和藏品研究，其中王诜的传世山水画作引起我极大的关注。〔3〕从那时候起，我逐步认识到，在郭熙和王诜之间的艺术交叠之中（难怪长期以来两者艺术之异同一直令人难以辨别），我们可以找到山水画发生深刻变化的那一具体时刻。探讨这一深刻变化的种种意义，就是本文的目的。

对王诜之前的北宋初中期山水画中的形式与结构相互联系，我们已经有较为充分的理解，这主要是凭借荆浩和郭熙的山水画论以及当时的诗歌和文学评论。我们可以用郭熙1072年的杰作《早春图》【图1】对这些画论文字进行解读。〔4〕此类山水画是道德和政治的象征。长松亭亭代表王子或君子，大山堂堂为君主皇帝。在大山和长松强有力而充满德行荫庇下的是冈阜林壑、藤萝草木。这些具有建筑性形式的大山水构图可以解读为一个帝国之结构：主客或君臣等级关系作为构图的组织原则，充满整个画面；道路、阡陌、桥梁、水道的描绘无不清晰可见，有系统性，符合逻辑；从出发点到目的地，具有如同地图一般的可读性。所有的一切都是井井有条，尊卑有序，安详宁静，尽善尽美。

以上所列举的是北宋初中期卓越的山水画艺术体现出来的部分属性，其始于荆浩、关仝，延至李成、范宽、郭熙，一脉相承。郭熙是神宗皇帝的御用画院待诏，他的绘画艺术和著述，向我们传达的信息尤多，充分揭示其山水画中的多元结构和象征意义：道德、品德、力量、清晰度、肯定性、等级制度、明确的目的地、清楚的标记以及一个既定、明了和永恒的秩序。郭熙的这类山水画是宋代的王朝艺术，充满民族主义精神，充满骄傲，充满气势，是神圣国度的颂歌。

王诜的《幽谷图》【图2】近来曾被学者误认为是一幅郭熙的作品，这里我要将其划归原主王诜——他给我们留下的

图2　王诜　幽谷图　上海博物馆藏

图3 （传）李成 茂林远山 辽宁省博物馆

是一个与郭熙《早春图》截然不同的宋朝形象。[5] 这里看不到象征品德和道德的亭亭长松，看不到森严的等级制度，看不到肯定性、清晰性，看不到安全感。取而代之的景象是一个无人居住、难以逾越的荒野深处，瘦干的断树岌岌可危地悬挂在山崖上。这里没有道路，没有村落，没有房屋，没有寺庙；这里没有次序，没有前后左右，没有目的地。

在王诜之前的宋代山水画里，稳定性、可预测性和安全感是解读画面结构和山水意义的要旨：画中人物所有的家居行旅都是有计划设置的。山脚下一条小径越过小桥通往一家茅舍、一个村落或寺庙；背后是隆起的山峦，和谐而有次序，又具有庇护和保护的象征意义。郭熙的《早春图》用挂轴的形式表达此类山水画的特征，而这些特征在当时的山水手卷中也是同样明显可见的。例如，辽宁博物馆藏传李成的《茂林远山》【图3】就是这样一个北宋早期的手卷，使我们看到上述的山水画特征在手卷中的类似表现。同样的情况在当今流传下来的为数不多的其他几个北宋早期的手卷中也可以看到。[6]

面对王诜《烟江叠嶂图》【图4】空旷而长的开卷部分，我们感到失落于迷雾和江天之间，唯有几叶扁舟漂浮于虚无之中。我们的目的地，在江的另一边，如此遥远而显得几乎不可抵达——这里没有道路，没有事先制订的计划，没有任何办法到达彼岸，除非，我们能碰巧登上漂浮于迷雾中的扁舟。

王诜《烟江叠嶂图》的图画结构及其明显立意，代表了对以往观

图4 王诜 烟江叠嶂图 上海博物馆

画期待的剧烈变革。这种全新的构图结构和立意提供的既不是安全感，也不是庇护所；既没有计划，也没有目的。山水画中的人物在漫游或漂浮，其前途不可预测。通过象征和常用的直接手法，画中的中心人物，或暗示的中心人物，是一个失落的漫游文士，身陷困境，却洞察一切——这样的人物是首次出现在中国绘画里的。他是画眼，画心，时刻察觉到环境的无约束、无计划、无结构、无次序、无路径、无界限。他漂游而过的山水不过是一片虚无缥缈、瞬息即逝的过眼烟云。

王诜与他之前画家之间不可改变的距离，不仅在他们不同的山水画里清晰可见，在其他方面也清晰可见。郭熙曾用著名的高、深、平“三远”理论对山水画空间进行分析。[7]这种构图、结构、次序和空间模式所表达的优美和力量，堪比古希腊的神庙，同样具有神话般的清晰性。高、深、平三远确定了一个完美次序，并象征神话般视角下正在兴起的大宋王朝。

王诜的门生韩拙提出三个极为不同的空间观念：阔远、迷远、幽远。[8]韩氏的新“三远”揭示了一个截然不同的新世界原型(archetypes)，而对这个新世界最生动的阐释则是王诜的阔、迷、幽远山水画。

我们如何才能理解这一新山水画与以往山水画的不同？不同的意义何在？从人类繁衍、人类思想史以及文化史背景的角度看，不同的基础又在何处？我发现，探讨所有这一切问题意义的渊源，最有力的答案就是理解北宋当时官宦的流放现实。流放意味贬谪——远离宫廷以及相关的典礼、等级、制度；流放意味隔绝——远离礼仪、象征、次序。流放同时也意味获得某种个人和精神上的自由。然而，具有讽刺意味的是，如果不走到流放这一步，就常常难于体会到这种个人和精神上的自由。

苏轼就是这样的一个典范。流放或流放的威胁贯穿于他生命的最后二十年，他在流放中曾写道：

> 散人出入无町畦，朝游湖北暮淮西。……
> 我今漂泊等鸿雁，江南江北无常栖。[9]

苏轼常常把自己比作风滚草，比喻他在流放中没有计划，没有期待，没有礼仪，没有次序。他把自己变成鸿雁，并由此发现鸿雁的世界。苏轼在流放黄州五年回到京城后，为友人王诜的《烟江叠嶂图》（见图 4）题写了一首著名的诗跋：

> 江上愁心千叠山，浮空积翠如云烟。
> 山耶云耶远莫知，烟空云散山依然。
> 但见两崖苍苍暗绝谷，中有百道飞来泉。
> 萦林络石隐复见，下赴谷口为奔川。
> 川平山开林麓断，小桥野店依山前。
> 行人稍度乔木外，渔舟一叶江吞天。
> 使君何从得此本，点缀毫末分清妍。
> 不知人间何处有此境，径欲往买二顷田。
> 君不见武昌樊口幽绝处，东坡先生留五年。
> 春风摇江天漠漠，暮云卷雨山娟娟。
> 丹枫翻鸦伴水宿，长松落雪惊醉眠。
> 桃花流水在人世，武陵岂必皆神仙。
> 江山清空我尘土，虽有去路寻无缘。
> 还君此画三叹息，山中故人应有招我归来篇。[10]

对苏轼来说，流放意味着发现意想不到的美，而美在他的记忆中则变成消逝了的田园牧歌和人间天堂瞬间，变成传说中的桃花源。对王诜亦是如此，流放不仅是他发现真实山水世界的手段，也是他发现山水画世界的手段。王诜在他其中一首和苏轼上述的题《烟江叠嶂图》诗韵里，向我们叙述他的流放经历：

帝子相从玉斗边，洞箫忽断散非烟。
平生未省山水窟，一朝身到心茫然。
……[11]

这个流放的时刻，还有这个把皇家山水画变革成个人经历和记忆山水画的时刻，恰好发生在郭熙和王诜两人生涯的交叠时期。我们可以做如下颇有意思的设想：两个画家都住在京城里，在神宗朝同时活跃于皇宫；郭熙是神宗的御用画家，王诜是神宗的内弟；几乎可以肯定地说，两人相互知道彼此，而且两人很可能见过面。王诜毫无疑问是受到郭熙的影响，而郭熙的论著也清楚地显示，他似乎已发现王诜的山水艺术与他推崇的理想山水艺术有着令人担忧的不同。出人意料的是，郭熙，出身寒门，却在他的山水画和论述中，辉煌地实现了宋朝皇帝的江山观；而王诜，我称其为流放山水的始作俑者，却是皇室的一名贵族成员。

苏轼与王诜在 1080 年同被流放。两人都在流放中成为伟大的艺术家，苏轼为书法家和诗人，王诜为山水画家。我认为，他们是最早用他们艺术里面的人物形象来表达后世将成为遗民的那些特定主题。王诜画笔下的瘦树岌岌可危地悬挂在荒野山崖之形象，使我想到弘仁和八大山人；他所处的时代和个人生活环境，使我想到倪瓒和吴镇。

就是这样，公元 1085 年前后的中国山水画艺术从皇权结构的枷锁中解放出来，成为人类精神和个体经历的具体表现。

刘和平　译

译者单位：美国卫斯理学院

译自 “Landscape Painting around 1085, ” in Willard J. Peterson, Andrew H. Plaks, Ying-shih Yü, eds. *The Power of Culture: Studies in Chinese Cultural History*, (Hong Kong: The Chinese University Press, 1994) , pp. 195-205.

注　释

〔1〕关于宋代文人画理论综述，参阅 Susan Bush, *The Chinese Literati on Painting* (Cambridge, Mass:

Harvard University Press, 1971) , pp. 1-74,

〔2〕关于李成山水传统发展的新近阐述，参阅 Wen C. Fong, *Images of the Mind*(Princeton: Princeton University Art Museum, 1984) , pp. 20-73.

〔3〕我对王诜及其绘画艺术的初步研究曾发表在以下一篇论文里："Wang Shen and Late Northern Song Landscape Painting," *Proceedings of the Second International Symposium on Art Historical Studies*("The Taniguchi Seminars," Kyoto National Museum, 1983) , pp. 61-70.

〔4〕关于荆浩山水画论的英译文，参阅 Kiyohiko Munakara, *Ching Hao's "Pi-fa-chi": A Note on the Art of Brush*(Ascona, 1974); 关于郭熙《林泉高致》的英译文，参阅 S. Sakanishi, *An Essay on Landscape Painting*(London, 1959); 又参阅 Susan Bush and Hsio-yen Shih, *Early Chinese Texts on Painting*(Harvard University Press, 1985) , pp. 141-190，其中包括宋人山水画论选译。

〔5〕此幅《幽谷图》上有徽宗"宣和殿宝"印一方，而徽宗的收藏目录《宣和画谱》记载有两幅同名的《幽谷图》，一幅在郭熙名下，另一幅在王诜名下。我曾撰文讨论上海博物馆所藏《幽谷图》应为王诜所作，见注释 3。

〔6〕我所指的其他手卷例子还有日本大阪美术馆藏燕文贵《溪山图》、纽约大都会博物馆藏屈鼎《夏山图》(见 Fong, *op. cit*., figs. 44 and 47)、美国纳尔逊美术馆藏许道宁《渔夫图》(*Eight Dynasties of Chinese Painting*, Cleveland, 1980, cat. no. 12)，以及传董源的三轴手卷——我曾在我的《河伯娶亲》一书中对这三轴手卷进行过讨论(Ascona, 1970)。

〔7〕关于郭熙"三远"论述的英译文，参阅 Bush and Shih(见注释 4) , pp. 168-169。

〔8〕关于韩拙"新三远"论述的英译文，参阅 Robert J. Maeda, *Two Twelfth Century Texts on Chinese Painting*(Ann Arbor: University of Michigan Center for Chinese Studies，1970) , 16，阔、迷、幽被分别译为 broad, shrouded, dark.

〔9〕此诗英译文，除少量改动外，全引自 Michael A. Fuller, *The Poetry of Su Shih*, 2 volumes (Ph.D. thesis, Yale University, 1983) , pp. 452-455.

译者注：班氏此处引用的四句出自苏轼《与子由同游寒溪西山》：

散人出入无町畦，朝游湖北暮淮西。高安酒官虽未上，两脚垂欲穿尘泥。

与君聚散若云雨，共惜此日相提携。千摇万兀到樊口，一箭放溜先凫鹥。

层层草木暗西岭，浏浏霜雪鸣寒溪。空山古寺亦何有，归路万顷青玻璃。

我今漂泊等鸿雁，江南江北无常栖。幅巾不拟过城市，欲踏径路开新蹊。

(路有直入寒溪不过武昌者。)

却忧别后不忍到，见子行迹空余悽。吾侪流落岂天意，自坐迂阔非人挤。

行逢山水辄羞叹，此去未免勤盐齑。何当一遇李八百，相哀白发分刀圭。

(李八百宅在筠州，[相传能拄拐日八百里。])

此诗作于元丰三年 (1080 年) 六月，见王文诰辑注，孔凡礼点校，《苏轼诗集》(中华书局，1982 年)，卷 20，页 1054-1056；又见孔凡礼《苏轼年谱》(中华书局，1998)，卷 19，页 483。

〔10〕此诗英译文引自 Burton Watson, *Su Tung-p'o, Selections from a Sung Dynasty Poet*(New York and London: Columbia University Press, 1965), pp. 110-111.

译者注：苏轼此诗的题目为《书王定国所藏〈烟江叠嶂图〉》，作于元祐三年 (1088 年) 十二月十五日，见孔凡礼《苏轼年谱》，卷 27，页 844；全诗引文可参见《苏轼诗集》，卷 30，页

1607—1609。

〔11〕此四句和苏轼、王诜唱和的其他诗篇，以及受到这些诗和《烟江叠嶂图》影响而产生的许多后世题画诗，均载于卞永誉《式古堂书画汇考》，卷12，页473，(台北，1958年重印1921年影印康熙版)。

译者注：此四句为王诜《奉和子瞻内翰见赠长韵》开篇之句，全诗如下：

帝子相从玉斗边，洞箫忽断散非烟。平生未省山水窟，一朝身到心茫然。

长安日远那复见，掘地宁知能及泉。几年漂泊汉江上，东流不舍悲长川。

山重水远景无尽，翠幕金屏开目前。晴云幕幕晓笼岫，碧嶂溶溶春接天。

四时为我供画本，巧自增损媸与妍。心匠构尽远江意，笔锋耕偏西山田。

苍颜华发何所遣，聊将戏墨忘余年。将军色山自金碧，萧郎翠竹夸婵娟。

风流千载无虎头，于今妙绝推龙眠。岂图俗笔挂高咏，从此得名因谪仙。

爱诗好画本天性，辋口先生疑宿缘。会当别写一匹烟霞境，更应消得玉堂醉笔挥长篇。

参见北京大学古文献研究所编，《全宋诗》，卷874(北京大学出版社，1995第2版)，页10169-10170。

弗利尔美术馆藏《秋江渔钓图》
——李唐问题再探

众所周知，加深对宋代山水画理解的最大困难之一，在很大程度上是如何面对那些众多的、被错误地标贴上宋画大师名字的后世作品。迄今为止，仍然有数以百计的元、明甚至清代绘画，在美术馆的目录里被当作宋画收藏，而我们对这些画的重新整理，只不过刚刚开始罢了。[1]

可是，相反的一种混乱也存在，当然是不常见，却足以令鉴赏家丢脸和表明鉴赏力的基本失败，这就是把真的宋画当作后世作品。弗利尔美术馆长期以来把馆藏的一卷宋画定为明代作品，就是这样的一个误判例子。

这是一幅 32.4 厘米×85.9 厘米的手卷【图 1】，画法主要是用浓墨以擦笔着力于绢面而成。山石的墨色，在远山所用的湛蓝和松树的墨绿衬托下，更显得层次分明。细小而明亮的橙、红、白色点，散落于树叶之间和点缀在人物身上。山水的构图以右边前景的一座密实的岩石结构为主，居中的是一组高耸的石崖，俯视位于左边一片烟雾弥漫、充满夕照的江景。深黑的阴影，厚重的迷雾，白里泛蓝的远山，加上绢面的金黄光泽，给人一种体验晨光的感觉。江面上一渔夫从水中收网，而其船夫用力使渔舟稳定；另有一个渔夫独坐于江岸边的松树之下【图 2】。右边的石崖深处有一座边界关口，通往关口的山径依稀可见【图 3】。近看画面，山径在前景岩石背后越过，然后沿着一条弯弯曲曲的小溪，向左方穿行至画的中央，又继续向左蜿蜒伸入低山，最后消失在一座村落的烟雾之中。远处地平线上是淡色的山峦，叠峰起伏，为隐逸和独寂的画面提供了具有深度和保护性的背景。

图 1 **佚名 秋江渔钓图** 卷 绢本 设色 纵 32.4 厘米 横 85.9 厘米 华盛顿弗利尔美术馆

图 2 秋江渔钓图（局部）

图 3　秋江渔钓图（局部）

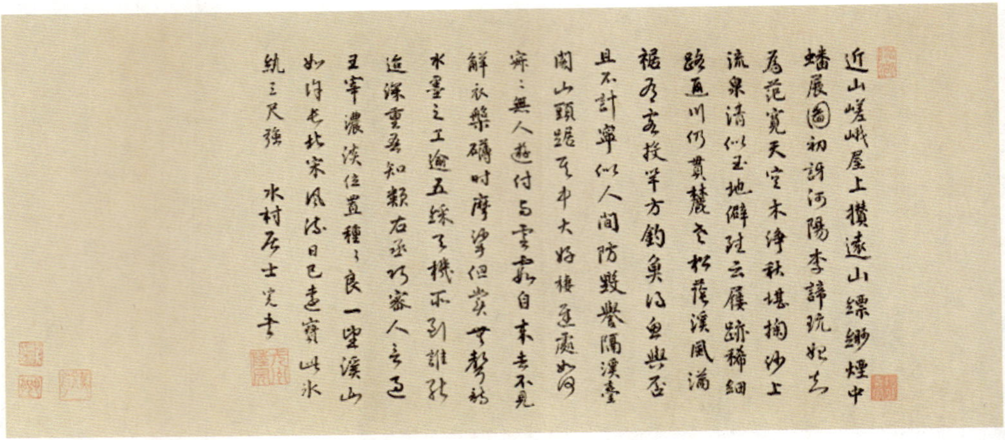

图4 陆完跋秋江渔钓图

《秋江渔钓图》（很可能这就是原来的画题）没有落款，画上的现存印章没有早于明代的（除了一方现已不可辨认的老印章残迹）。[2] 手卷后面带有三则题跋，写作日期均为16世纪，在当时被认为是作者不详、年代和风格不清的一幅老画。写题跋的三位作者，尽典型的明代文人风尚之能事，对画中的抒情图像，相互作诗和韵。第一首诗【图4】的作者是曾在正德皇帝朝（1506—1521）任兵部尚书的陆完（1458—1526）。他的收藏印盖在画的左下角，位于一方（尚未辨识出的）杨姓的印章之上。陆诗其中的两行写道：

> 展图初讶河阳李（即李唐——作者原注）
> 谛玩始知为范宽

陆完不是什么有名的鉴赏家，但他对此画的归属和年代所做的判断却颇为中肯和不无道理。在按近乎礼仪客套方式所写的题跋里，陆完提出画卷的风格和年代非常近于李唐，这完全说中了基本的画风特征。而对范宽的礼貌性提及，则把该画的风格直接与其最重要的渊源连接起来，即范宽的密实岩石体和带有深厚阴影的山岳。

今天，寻找两者之间更多的确切联系，我们会注意到弗利尔《秋江渔钓图》与两幅和李唐有关画家的落款作品，有着尤为紧密的相似之处。第一幅为《关山萧寺图》【图5】，此册页的左下角有一个鲜为人知的“贾师古”名款。[3] 画右侧边沿上的三方收藏印章本身就是了不得的

图 5　贾师古　关山萧寺图　台北故宫博物院

史料文献。最上面的是元代朝廷的“都省书画之印”，接下来的是明代宫廷用于1374—1382年间的收藏半印“司印”，右下角是另一方明代官印“礼部评验书画关防”。[4] 艾瑞慈已经对这幅画进行了详尽的叙述和分析。[5]

在《秋江渔钓图》和《关山萧寺图》两幅画中，最引人注目的共同点是两者都对岩石和山崖密实的质感、厚重的明暗感和丰富的雕塑感，进行了细致入微的描绘。准确的结构和紧密的相互关系，使两幅画看起来几乎是用科学方法制作的，宛如出自一个严谨的地质学家之手。就此特征而言，两幅画属于同一个特别的形式传统，始于关仝、范宽，传经燕文贵、高克明至李唐及其追随者，终于马远、夏圭。

以上两幅画还有很多其他的共同点，如松树的密集组合极为相似；两者都有一条白色山径蜿蜒穿过被阴影笼罩的山崖；两者构图角落都锁夹着一座山关（弗利尔手卷在右上角，台北故宫册页为左上角）；两者都以锐角轮廓和开阔空间形式，有效地把建立在中景的淡蓝色远山阴影，延伸到构图的深处和下部并充满各个角落。弗利尔手卷为秋景，而台北故宫册页是夏景；尽管季节不同，用于描绘秋景落叶枯枝的定式与

图6 萧照 山腰楼观图 轴 绢本 设色 179.3 厘米×112.7 厘米 台北故宫博物院

用于描绘夏景密草茂林的定式却相同。在我看来，甚至两幅画中的山寺结构形式和经营位置也都彼此类似。

虽然贾师古生平的史料著录不多，他在中国美术史上的相对地位却是颇为清晰的，这是因为他所具有的师承关系。贾师古为汴梁（北宋京城，今河南开封）人，人物画师承李公麟，供职于南宋画院，又是梁楷的老师。贾师古遵循南宋画院传统，是一个善画的多面手，尤精山水和释道人物。估计他比李唐略为年轻，于绍兴年间（1131—1162）在画院供职。

另一幅与弗利尔《秋江渔钓图》关系密切的是萧照的《山腰楼观图》，这也许是李唐最有意思和最有成就的学生唯一有落款的画作【图6】。与李唐一道，萧照在画史上是个传奇式的人物，对塑造李唐神话和延续宋朝皇室，有着某种象征意义的影响。萧照是山西获泽（今山西晋城市阳城县）人，在金兵入侵中原后，参加了义兵。义兵常驻的太行山，是当时中原抵抗鞑靼人的据点。据民间说法，萧照在得知义兵捕获了李唐后，即随之南渡至南宋都城，供职朝廷。在南宋画院，他又拜李唐为师，与宋高宗来往甚密，堪比李唐昔日。《中兴瑞应图》当属萧照最有名的作品，是他根据金军北去后，宋高宗重振王朝的故事所绘制的长卷。[6]

与弗利尔《秋江渔钓图》和贾师古册页相同，《山腰楼观图》中，山石密实的质感与这种物质性向空间、雾气、光影的微妙转换近乎完美并存。根据我们目前对萧照的所有认识，他当是李唐在南宋时期的第一个也是最重要的一个弟子。萧照与贾师古绘画创作的相似性暗示此二人生活在同一时代，贾师古也应是活跃在金军南侵结束、南宋朝廷重建之后。中国与日本最近的研究更表明这种情况不可能早于1140年发生。[7]

对李唐绘画的阐明

李唐的作品在过去多年一直是学术关注的焦点，尤其对于美国和日本学者，不过许多基础性问题却仍然存在。可以肯定的是，如果对李唐问题的讨论从今天而非四十年前开始，那我们研究的推进将会有大不相同的顺序，即不再是从1950年岛田修二郎教授在高桐院的一幅画上发现李唐名款开始了。[8]这个重大的发现将大量未曾探讨的南宋绘画带入我们的视野，提出“什么是宋画”的要害问题，并就此掀起了关于李唐全部作品的思考，直至今日。继岛田修二郎的发现后，喜龙仁于20世纪50年代中期建立了李唐的年表，[9]艾瑞慈在1958年完成了对李唐的综合性探究。[10]就1961年展出的台北故宫博物院《万壑松风图》（1124年作）的争论，以及诸多后来对李唐生平、年表、画风和其他关于宋画、画院和李唐本人的研究，都是从岛田修二郎的发现开始的。[11]

如今，所有古代研究都是在古文物的角度感知的，因为知识的缺乏与理解的粗浅使得研究从最初就难以展开。岛田修二郎在1950年左右研究高桐院绘画时，除了那些书刊中老旧残缺的图片，他无法接触到日本以外的任何材料。就是在日本，针对大部分收藏的学术研究，不论大小，也几乎无人问津。世界其他地方的艺术史家对中国大陆与台湾地区的收藏也毫无认识。这种情形持续到了五十年代。直到1959年前后，台北故宫博物院的收藏才开始广为人知。而大陆在六十到七十年代更是与外界切断了联系。到了七十年代末，在中国台湾、中国大陆、日本和西方研究中国绘画的学者才开始接触到世界各地关于李唐绘画的主要收藏。

我相信从这个角度，我们可以将李唐作品的研究简明地集中在两件有似乎可信名款和记载的作品上：台北故宫博物院藏1124年的《万壑松风图》【图7】和故宫博物院藏《采薇图》（伯夷和叔齐采摘野菜）。然后我们可以再加入第三件原作进行讨论，即有着精彩题跋与宋高宗题记的故宫博物院藏手卷《长夏江寺图》。基于此，我们可以再试探性延伸到毗邻的作品，譬如纽约大都会博物馆藏《晋文公复国图》和其他作品。[12]

这一组紧密的作品按年代顺序反映了李唐的整个画风，因为它包含了唯一一件有确切日期的北宋作品和近乎可断定日期在宋金交战后重建时期的手卷。[13]在我看来，现今能被鉴定出具有李唐绘画特征的山水画只有寥寥几件作品。尤为重要的包括《万壑松风图》《长夏江寺图》，萧照的《山腰楼观图》和贾师古的《关山萧寺图》。

除了山石密实暗沉的质感，这四幅画中都存在一种惊人的幻象，好像山崖间蕴藏着光束与空间。这种幻象在萧照的山石中最为醒目，山峰急转向右，一小块明亮渐渐消逝在远方的晨光中。同样在贾师古的画中，在两个旅人前方，山石的底部也沿着水平方向，没入一片明

图 7
李唐
万壑松风图
1124 年
轴 绢本 设色
纵 188.7 厘米 横 139.8 厘米
台北故宫博物院

亮的空间里。艾瑞慈曾对这种奇妙的印象做过绝佳的描述：

> 这一处精准的表达描绘了蓬乱的杂草、崎岖的山石和厚实的枝叶，并能让我们直击它的核心。隆起的山峦的中心是一处昏暗而半掩的山洞，神秘而引人注目。一条幽暗的小径斜向山洞之下，将它变作了一座天然的桥。而后小径消失了，但我们确信，它会在前方汇入一条光明的路。它将再次穿入某一种东西——至少在我们的脑海中，是远远的一道路闸，它会最终把我们带去遥远的顶峰，那犹如屋顶、峭壁和树林共同搭建石窟。〔14〕

这种神秘莫测的幻象在《万壑松风图》中好几处地方都有体现，而最美之处则在极左的半空，一小松树丛伫立在发光的薄雾前，薄雾照进了一处暗藏的溪谷，溪水在那里落下和流逝。类似的隐隐约约的光和雾在《长夏江寺图》中也有强调，尽管这件损毁严重的作品已颜色暗淡，细节尽失了。

被我用以联系李唐、萧照和贾师古的弗利尔美术馆藏《秋江渔钓图》，在这个现象上提供了最为广阔的探索空间。在画中我们看见整个地表结构逐渐消逝，渗入到深远而苍茫的光雾中，再漫向远方，直至它们变成了夜空。画家谱好了变幻的组曲，把石化作水，水化作空气。

如艾瑞慈所指，这组十分相近的山水画的这一共同特点也许能为我们理解李澄叟在《画山水诀》（1221 年序）对李唐和萧照的绘画本质的精炼描述提供最佳的线索。[15] 这段描述如写李唐斧劈皴一般简明扼要；也许因为现存的作品已无法再现它的要义了，我们中的许多人已为之困惑多年。其文如下：

> 李先生画落墨苍硬，辟绰简径，谓之实里有虚；萧大夫画在烟云气雾得景，谓之虚中有实。[16]

尽管我曾对此有过不同理解，现在我认为，这段话是尝试运用由李、萧二人生发的对偶修辞来描述一个单一的现象。段落的第一部分指的是我们之前讨论的密实的山崖组合中隐藏的光与雾的空间，第二部分则指明那些空间汇集成广阔空茫的幻象，使得最初的母题得以深入。萧照的作品最为生动地体现了这个现象，他的 S 形主峰向光与雾所在之处敞开了它的内部，继而无缝般延伸到近乎绝对的空白。这个现象在弗利尔手卷(《秋江渔钓图》）中也得到了完美验证，它的横向山水丝毫不差地塑造了与萧照立轴和贾师古册页一样的效果。

登记标记

弗利尔《秋江渔钓图》有一个不寻常的题记特点，一处五个字的批注写在右上边缘靠近一方印的左半边。现在只有最后四字能被释读：囗字拾伍号（见图 3）。这行字的右半边应该留在了保有收藏记录的著录中。这是合同的一种形式，各方持有其中一半合同，只有双方凑在一起合同才完整存在。批注所用的编号系统在《千字文》中可见，千字文中每一个字（受教育者背诵它如字母表）都按照数字顺序用以识别包含了

图 8　王维　伏生授经图（局部）　卷　绢本　设色　纵 25.4 厘米 横 44.7 厘米　大阪市立美术馆（阿部收藏）

大数量物件的东西，如柜子、架子，或其他储存单位。周密曾检查过这样一些贮藏柜并留下了关于它们内容的记述，从他的记述可以知道，这种计数系统为南宋的审计司所采用。[17]

现存具有这样登记形式的作品都是绝佳的画作。我知道的那些都是手卷（以下数字是每幅手卷上字迹模糊的登记数字）：

1. 顾恺之，《女史箴图》，大英博物馆："七十号"
2. 王维，《伏生授经图》，大阪市立美术馆："一号"【图 8】
3. 阮浩，《阆苑女仙图》，故宫博物院："十九号"
4. 赵昌，《写生蛱蝶图》，故宫博物院："十号"
5. 宋徽宗，《雪江归棹图》，故宫博物院："六号"
6. 谢元，《桃花》，收藏地不详："六十七号"
7. 范宽，（本文讨论的对象），弗利尔美术馆："十五号"[18]

在之后的著录中，这类题跋的第一个字通常为"卷"，但这个字不在《千字文》中，可能并非正确的读法。实际上每件已知的作品中的第一个字都难以阅读。清皇室著录的汇编者有时读作"卷"，有时留空，有时读作"发"，这字也不在《千字文》中。[19] 只有学者卞永誉将它读作"养"，[20] 而这个字确在《千字文》中，并且将以上列出的每件作品中第一个字读作"养"，语义上是通顺的。碍于第一个字从没有完整明确的答案，现在的解读不可否认也是存疑的。

虽然如此，这七件定为宋代甚至更早的手卷都有这样的登记标记仍然令人震惊。大概后来再也没有作品有相同的登记形式了。显而易见，不论是谁在何时完成了这种登记，这确实是一组独特的重要的绘画。时间会加深我们的认识，但此刻我想理论性地推断：这种著录系统可能与南宋皇家收藏有关。假如谢元曾是南宋宫廷画家，而同时我们讨论的弗利尔山水是萧照或者贾师古所作，那正如我推测的，这两幅画都应当是出自南宋宫廷画师之手。顾恺之、王维和赵昌的画卷也都盖有南宋官印。虽然阮浩和徽宗的画在南宋时期的收藏史仍不清楚，这两幅画都曾经是北宋晚期官府的收藏。换言之，所有这些作品都曾经是或者本应是南宋官府的收藏。相反地，就我所知，并非所有这些作品都带有其他人收藏的题记，譬如本该有极大可能收藏过这些作品的项元汴。

这七件作品登记的题字具有统一的书法风格，即多使用元代至明代早期的隶书。由此我们可以猜想这些字可能题于南宋前朝皇室珍宝被重新接管和录入的13世纪晚期，抑或在明人接管元代遗珍的14世纪末。〔21〕那些数字本身似乎没有逻辑顺序，因为最早的顾恺之的作品编号为七十，在年代上最接近它的王维的作品编号却为一。这表明这个系统并非旨在逻辑性或系统性地给收藏编排目录，倒更像是反映了如库存清点一样旨在随机的计数。

一个有趣的差别存在于这七处题跋中：其中六个题跋在隔水上，只有弗利尔手卷直接题在画作的绢面上。在这一点上，我们注意到谢元的手卷具有了两处貌似基于《千字文》不一样的编目记法。第一处在卷首，即如上文所说的题在隔水。第二处是号数完整地（不同于其他几件的一半文字的合同样式）题在画作绢面的左下角，读作“文字七号”。“文”是《千字文》里的另一个字。这第二处直接题在明代早期官印“礼部评验书画关防”的上边。这方印的左半边亦见于以上讨论的台北故宫博物院藏的贾师古画（见图5，右下角）。其他部分，或是其全部，在一些（传）马麟、李迪、萧照和崔悫所作的宋画中也出现过。〔22〕

此次研究当然并非要弄清这些官府库存或编目是何时完成的，而只在于讨论这一组有特别编目方式的作品，这一小部分珍宝得以存世并保存着编目痕迹留传到今日，是多么罕见不易的事。

因此，弗利尔《秋江渔钓图》属于这组宋画的事实，让我们得以论证它与宋代画家李唐、萧照和贾师古具有某种联系。但能推出此论的最有力的证据却存在于这幅画本身，存在于它的幽光与暗影中，撼人的山水地质中，以及这种坚硬密实朝着雾、气、天、光的消散中。13 世纪后几乎没有画家再问津于此了。

刘和平、陈霄　译
译者单位：卫斯理学院，加州大学洛杉矶分校

译自 “Landscape Painting around 1085,” in Willard J. Peterson, Andrew H. Plaks, Ying-shih Yü, eds. *The Power of Culture: Studies in Chinese Culture History*（Hong Kong: The Chinese University Press, 1994）, pp. 195-205.

注　释

〔1〕高居翰（James Cahill）《中国古画索引》（*An Index of Early Chinese Painters and Paintings*）（Berkeley: University of California Press, 1980）是目前已发表的、对此问题整理最为全面的著作。又参阅班宗华，Mary Ann Rogers and Richard Stanley-Baker, *Painters of the Great Ming: The Imperial Court and the Zhe School*（Dallas: Dallas Museum of Art, 1993），可重点关注页 5-20 论文：“The Archaeology of Early Ming Painting.”

〔2〕靠近此图卷首与一则老旧题跋毗邻处有一方印的残迹。弗利尔美术馆资料记载：“一方圆印褪色的残迹……有徽宗的双龙。”这方印至今仍未得到辨认。弗利尔美术馆资料档案（编号 11.199）记录此画的基本文献，包括画上全部题跋的英译。我在研究弗利尔这一手卷和其他绘画的过程中，得到该馆研究员 Jan Stuart 和 Jim Smith 的帮助，特此表示感谢。

〔3〕贾师古的画是在 1961 年台北故宫博物院在美国举办的大展上，引起我们注意的，参阅展览图录《中国艺术遗珍》（*Chinese Art Treasures*）（Washington, DC: Skira, 1961-1962），第 31 号。有关贾师古的史料很少，参阅夏文彦《图绘宝鉴》（1365 年序，《画史丛书》版），卷 4，页 103。

〔4〕参阅傅申，《元代皇室书画收藏史略》（台北：台北故宫博物院，1980），页 93-95.

〔5〕Richard Edwards（艾瑞慈）, “The Yen Family and the Influence of Li Tang,” *Ars Orientalis* 10（1975）, pp. 79-92, esp. 82-85.

〔6〕有关萧照生平与艺术更详细的材料，参阅陈高华《宋辽金画家史料》（北京：文物出版社，1984），页 696-701。又参阅 Julia K. Murray（孟久丽）, “Ts’ao Hsün and Two Southern Sung History Scrolls,” *Ars Orientalis* 15（1985）, pp. 1-29.

〔7〕铃木敬，《试论李唐南渡，复院及其风格的变迁》，第 1、2 部分，载《国华》第 1047，1056 期（1981 年 12 月，1982 年 12 月）：页 5—20，页 13—23。又参阅弃病（陈传席），《李唐生卒年考》，载《美术研究》第 4 期（1985）：页 75—78。我还受益于 John Finlay 一篇未发表的文章 “The

Documentary Evidence for Li Tang"，此文是 John Finlay 于 1993 年春为耶鲁大学艺术史系研究生讨论课而写。

〔8〕岛田修二郎,《关于高桐院所藏的山水画》，载《美术研究》第 165 期（1951）：页 136—149。在李唐名款发现之前，高桐院的画作笼统传为吴道子所作，并没有发现与李唐的任何联系。

〔9〕Osvald Sirén, *Chinese Painting: Leading Masters and Principles*（New York: The Ronald Press Company, 1956）, 3:92-98.

〔10〕Richard Edwards, "The Landscape Art of Li Tang," *Archives of the Chinese Art Society of America* 12（1958）, pp. 48-60.

〔11〕当我还是研究生时，高居翰曾寄给我一份台北故宫博物院 1961 年展览期间顶尖学者就李唐（和其他人物）问题在纽约聚会上争论的手抄记录。这份记录我许久没看到过了，它很可能还在年轻一辈当中流传。有关最近对于李唐的讨论和参考书目，参阅方闻（Wen C. Fong）, *Images of the Mind*（Princeton: The Art Museum, Princeton University, 1984）, 50-55. 又参阅方闻（Wen C. Fong）, *Beyond Representation*（New York: The Metropolitan Museum; New Heaven and London: Yale University Press, 1992）, pp. 187-209.

〔12〕此处列出的三件核心作品均已收入《中国美术全集》，绘画编，第四卷（北京：人民美术出版社，1988），图 1—3。《晋文公复国图》的精美图版，参阅 Fong, *Beyond Representation*, pl. 26a-h.

〔13〕我深知，站在这个立场，我便远离了自己关于推断几件作品作者的研究，包括高桐院的画和台北故宫博物院《江山小景》["Li T'ang and the Koto-in Landscapes," *The Burlington Magazine* 114（May 1972）, pp. 305-314］后者都是与李唐有着密切关系的十分精彩的宋画，但得益于过去二十五年的学术研究，不能再强行把这些作品归入现已明确的李唐的年代、作品、画风了。李唐的作品值得全新的探讨，而非此文所能详尽叙述。

〔14〕Richard Edwards, "The Yen Family and the Influence of Li Tang," 85.

〔15〕Richard Edwards, "The Yen Family and the Influence of Li Tang," pp. 84-85.

〔16〕参阅李澄叟,《画山水诀》，俞剑华编,《中国画论类编》（香港：中华书局，1973），1，页 622。

〔17〕R. H. van Gulik（高罗佩）, *Chinese Pictorial Art as Viewed by the Connoisseur*（Rome: Is. M. E. O., 1958）, pp. 200-215.

〔18〕因为这些题字经常写在装裱的边缘，在出版的图片中被切掉了，所以要在作品的出版物中找到这些题记十分困难。一个例外（除这件手卷外）是谢元，所有题字被重印在 *Fine Chinese Paintings from the Dingyuanzhai Collection*（Taipei: Sotheby's, 10 April 1994）, no. 86. 顾恺之《女史箴图》上的题跋在大英博物馆由便利堂印制（京都，1966）的手卷上可见。另外，古原宏伸在《国华》页 908—909 对此手卷的研究中也有附图与讨论。大阪市立美术馆藏传王维的《伏生校经图》的题字，见本文附图 8，落在宋高宗题记的对面。阮浩作品的图片在《中国历代绘画：故宫博物院藏画集》第一册（北京：人民美术出版社，1978），页 80—83，题字参阅页 80。赵昌作品的图片在《中国历代绘画》第二册（1981），页 12—15。题字虽未重印，但相关讨论见页 3。宋徽宗作品［参阅《中国历代名画》第二册（1981），页 84—91］的题字未重印，但相关讨论见页 12—14。

〔19〕参阅注 18 提及的在《中国历代绘画》第一、二册中的作品。

〔20〕卞永誉，《式古堂书画汇考》(1682年康熙年间第一版，1921年再版，此为1958年台北再版)，3，页405，阮浩篇。

〔21〕第一阶段被部分地记述在王恽1276年作《书画目录》中，傅申在其《元代皇室书画收藏史略》(台北：台北故宫博物院，1980)，页3—10亦有讨论。明初的收藏登记由明代半印勘合中所记录，详细讨论参阅姜一涵，《元内府之书画收藏》(下)，载《故宫季刊》第14卷第3期(1980年春)，页1—36。

〔22〕参阅傅申，《元代皇室书画收藏史略》，图81—83，86。

三幅宋代山水画

近年来，对宋代山水画的研究显然不如艺术史上其他领域——如明清绘画和版画、艺术赞助、叙事画、汉代艺术、早期中国艺术以及佛教艺术——那样受到关注。这可能是因为年轻学者怕断代问题复杂的宋代画研究会影响自己的学术声誉，资深艺术史家对名作年份的看法可以相差一千年。同时，鉴定方面的问题完全未受重视，年轻艺术史学者忽略艺术史的基础，转趋批评理论、叙事理论和其他更能吸引现代读者的旁门小道。这种忽视造成的一个后果，就是无论主要或次

要的宋代画家几乎全未被现代学者研究过，而且几乎每一幅宋画都可谓一个新发现。因此，在古根海姆博物馆举办的《中国五千年》中国艺术大展中，上海博物馆收藏的三幅宋代山水画对我们来说就像是不再能辨识的古代遗物。

王诜的《烟江叠嶂图》卷是所有北宋绘画中记录最可信的作品之一【图1】。此画虽然无款，但有徽宗手书画家的姓名和画名。徽宗十余岁为端王时，曾是其姑丈王诜的少年密友，并可能受其庇护。此画左右两端仍保有最初徽宗宫廷装裱所用的黄绢，以及宣和时期（1119—1125）系统性地用来记录皇室收藏的七玺中钤于画面四角的一套四印。其中三方是年号：右下角的“宣和”连珠印（图1a）、左下角的“宣和”印（图1b）和左上角的“政和”（1111—1118）印（图1c），都仔细盖在黄色裱绢和画心的接缝处，只稍微触及画面。不幸的是，这样尊重艺术品完整性的雅致，后来的乾隆帝从未学到。这种非常细致而优雅的钤印方式不幸也导致它们在以后一再重裱的过程中大多被裁剪而丧失，乾隆的印反而不会遭受这种命运。此外，画心左右皆有黄绢裱的作品极少完整保存至今。第四方画角印钤于画面右上方徽宗书于黄绢裱上的题签的顶部，也只稍微触及画心，这个双龙方印（图1d）很容易解读为“天水”，赵氏皇族是当地郡望。这套钤印系统

图1　王诜　烟江叠嶂图　卷　绢本设色　45.2厘米×166厘米　上海博物馆

图 1a “宣和”连珠印

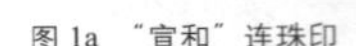

图 1b “宣和”印

图 1c “政和”印

图 1d 双龙方印和题签

图 1e 第二方“政和”印

执行之彻底而精准，可见于一方双龙圆印（非方印）一向钤于徽宗为书法藏品所写的题签的底部（非顶部），而且一向书于银纸条上，然后直接贴在黄绢上。

令人惊喜的是，《烟江叠嶂图》仍保存徽宗七玺中的其他三方：画心右方黄绢裱上的“御书”葫芦印、画心左方衔接黄绢裱和其后为书跋准备的高丽纸的“政和”骑缝印（图 1e），和更左钤于高丽纸上的“内府图书之印”。载于徽宗《宣和画谱》和《宣和书谱》中数千件所谓的“宣和藏”书画作品里，只有极小部分保存了这些历史记录的重要特色。（这个钤印系统的各部分和详细图示可参见《文物》1978 年第七期，页 86。）

《烟江叠嶂图》记录系统独特而令人困惑的一点，是出现了第八方徽宗印，即钤于画面左端中央、衔接其后黄绢裱的“宣和中秘”长方印（见图 1）。此印不寻常，好像是徽宗建立其七玺系统之前使用的钤印或装裱方式存留下来的，现存仍有徽宗印的作品几乎都符合七玺的规格。“宣和中秘”印也见于徽宗收藏的其他几件重要绘画，例如故宫博物院所藏李公麟（1049—1106）《临韦偃牧放图》（见 Barnhart, *Li Kung-lin's Classic of Filial Piety*，含朱惠良和 Robert Harrist 的两篇论文，纽约，1993）、大阪市立美术馆藏传王维所绘秦儒伏生的典雅的肖像（见高居翰：*Chinese Painting*，日内瓦，1960）、台北故宫博物院藏传易元吉（活动于 1064—1067）《猴猫图》（见 *Chinese Art Treasures*，日内瓦，1961），以及大都会博物馆来自顾洛阜收藏的郭熙《树色平远图》（见 Laurence Sickman 等编著，*Chinese Calligraphy and Painting in the Collection of John M. Crawford, Jr.*，纽约，1962）。这些其他的例子都没有徽宗全套七玺，虽然传易元吉画作的徽宗题签之上或之下钤有七玺之一的“内府图书之印”大方印。这幅画合用此印和“宣和中秘”印，表示在七玺系统施用于所有藏品之前，可能有其他比较不规范的做法。我相信王诜《烟江叠嶂图》末的“宣和中秘”印应该是另一个案例。

这个看法最早是江兆申先生在担任台北故宫博物院副院长和书画处处长时，向我提出的，因为该院的徽宗旧藏名作传王羲之《远宦帖》也同样有异常现象。（傅申：《元代皇室书画收藏史略》，台北，1981，图版65；王羲之的《奉橘帖》是一个更异常的例子，见图版95。）在现存有可靠的徽宗藏印记录的法书中，唯独这件有一方双龙方印（非他处习见的圆印）盖在徽宗题签的顶部而非底部（如前所述，法书题签的御印一向盖在底部），而且题签直接书于裱绢上。我有一回参观该院时，首次注意到这些异常现象。当时刚巧有江先生陪同，对早期中国书画的记录方式，江先生的知识非常渊博，认为既然所有的印鉴和御题都是真迹，而且此印之外，其他成分都符合规格，这个令人困惑的异常现象可能是因为在记录此作时，徽宗最后的钤印和书签系统尚未定案。

王诜的画卷可能最初后面还附带苏轼、其弟苏辙和王诜所写的诗，这一系列名诗许多著录都曾记载（例如卞永誉：《式古堂书画汇考》，1682，1921年影印本，台北，1958，“王诜”条）。若果真如此，这些诗在画卷进宫时，可能就被徽宗的手下裁掉。苏氏兄弟属于当时遭诬蔑的元祐党，反对徽宗仍在实施的前任宰相王安石的新政。[1068年王安石在宋神宗（1068—1085在位）支持下推行大规模改革，包括税法、农业、商务、国防，以及教育和科举制度。他的政策遭到大多数保守派士大夫强烈反对。] 他们和友人黄庭坚的作品因此都不准纳入御藏。苏、王三人精彩诗作的摹本附于另一卷《烟江叠嶂图》，也在上海博物馆（见《中国古代书画图目》，页22），但可以推测原作也曾一度附于王诜画卷。这些诗很重要，因为呈现了王诜放逐在野的生活状况。北宋晚期政治冲突造成一批贬谪下野的文人，这是此画和其他同性质画作的创作背景，这些诗也反映了苏氏兄弟对此现状的感受。王诜在诗中诉说他直到1085年被妻子的兄弟神宗放逐远方，才真正发现山水。根据公布的罪状，王诜在其妻将逝之际，在她面前和她的女仆淫乐。由于其妻是神宗的至亲胞妹，的确罪不可赦。但事实上，王诜真正的罪行是与苏轼和其他元祐党人为伍。苏轼和王诜都是在放逐期间发现自己是艺术家。王诜的山水画因此可视为“放逐山水”，或者如我在他处所称（Barnhart，1994），是一种对解体经验的观想，时空隔绝，飘摇于过去和未来之间。画中没有方向、步道或具有象征性、宗教意味的结构，只有在烟水间解体飘摇到烁动的远山的不定感，而远山自身就像浮动于天地之间的海市蜃楼。

王诜的山水画很奇怪地尚未被认作一个协调的整体，这可能是因为近年来对鉴定的普遍忽略。例如高居翰在其《中国古画索引》（*An Index of Early Chinese Painters and Paintings*，伯克利，1980，页184）中在《烟江叠嶂图》旁标注道：“宋代晚期？有燕文贵—范宽传统的习气，仿本？”除了这些模糊的词句，并未指出此画有任何特别的趣味或重要性，让大家以为它不值一顾。不能怪他，在20世纪70年代晚期，美国学者接触上博藏品的机会相当有限，而且徽宗精心设计的记录系统的意义尚鲜为人知。在他为《中国五千年》展览图录新写的论文里，他已接受此画为王诜的重要作品。《烟江叠嶂图》因此可以和故宫博物院所藏《渔村小雪图》共同成为界定王诜艺术的指标。令人意外的是，《渔村小雪图》也仍有全套的徽宗收藏和鉴定记录。

另外有些应该和王诜相关的画几乎同样重要，其中一幅有另一方徽宗记录书画的重要御玺，即带框的“宣和殿宝”大方印。此印见于近年来传为郭熙所绘《幽谷图》轴的左上角【图2】。如我在他处指出（Barnhart，1994），此画的题跋显示明末时已不知画家为何人，当作元代的佚名画。清初鉴赏家认出徽宗御玺，参考《宣和画谱》，定为郭熙作品。虽然此画的确和郭熙有些关联，但应该和王诜联系起来，而非郭熙。在《宣和画谱》中，郭熙和王诜名下都有这个主题的单幅作品。和郭熙比起来，王诜的笔法细、松，而且尖锐。如谢稚柳多年前指出，弗利尔美术馆所藏传郭熙所绘《溪山秋霁图》【图3】就是这种风格，应该和王诜联系起来，而非郭熙（谢稚柳：《唐五代宋元名迹》，上海，1957，图版16）。

《幽谷图》左上角的徽宗“宣和殿宝”大印值得进一步研究，因为它也出现在另一幅非常重要的北宋山水画的左上角，即台北故宫博物院的巨然《层岩丛树图》（《故宫书画图录》，1989，第一集，页99）。由于记录单幅作品有一套很不同的系统，即用于王诜画卷的系统，《幽谷图》和《层岩丛树图》这类作品可能存放于宫内不同的地方，或使

图 2
王诜
（传）郭熙
幽谷图
轴　绢本设色
167.7 厘米×53.6 厘米
上海博物馆

图 3　王诜　(传) 郭熙　溪山秋霁图　卷　部分　绢本设色　26 厘米×206 厘米　华盛顿弗利尔美术馆

用方式不一样，例如裱在屏风或木板上，或嵌入壁面，种种可能的形式在顾闳中（活动于 10 世纪中期）《韩熙载夜宴图》中有最鲜明的描绘（翁万戈和杨伯达，*The Palace Museum: Peking, Treasures of the Forbidden City*，纽约，1982，页 160—163）。上海博物馆的卫贤《高士图》(《中国历代绘画：故宫博物院藏画集》，1978，第一集，页 94—95）和台北故宫博物院的黄居宷（933—993 后）《山鹧棘雀图》（前文所引 *Chinese Art Treasures*，第 16 号；并参见《故宫学术季刊》第 11 卷第 4 期，1997 年夏，图版 17）的"宣和殿宝"大印盖在角落，画幅横向展开时才看得见。《幽谷图》和《层岩丛树图》的"宣和殿宝"印则可从前方正看，显示这类作品非常可能纵向装框并固定，而不是当作艺术品储存宫内。

王诜生于将门，在宫苑内接受武官训练长大。南京大学所藏传王齐翰（约活动于 960—975）《挑耳图》卷后的苏轼跋称王诜乃"将种"（马鸿增，《王齐翰》，上海，1982，图版 4）。王诜自己在评论范宽（约 960—1030）和李成（919—967）时，以"武"概括范宽山水画的本质，相对于李成的"文"（韩拙，《山水纯全集》，1121；英文翻译见 Robert J. Maeda, "Two Twelfth Century Texts in Chinese Painting, " *Michigan Papers in Chinese Studies*, 8, Ann Arbor, 1970）。对宋代美学的评论鲜少提及社会和宋人言行的“武”的一面，而我们泛称苏轼、王诜一类为“文人”，完全忽略了“武”的成分。其实王诜之外，宋代有几位重要画家也都有武人背景，燕文贵即一例。虽然连我也怀疑是否创造一个“武人画”之类的新词来描述他们的艺术，但我们应该多思考我们对历史文化的偏见以及随之而起的特殊词汇，它们使我们对许多唐宋艺术的武人特质浑然无觉。

最有趣的“武人”画家之一是赵葵（1186—1266），他唯一的存世作品《杜甫诗意图》也在《中国五千年》艺术展中展出【图 4】。赵葵乃宋宗室，后成为杰出的边防将领，长年对抗女真和蒙古军。他还是诗人和画梅高手，因此和王诜一样，可以称为军士、诗人、王孙和画家，一个思考中国艺术史时不常想到的复合体。他可能有一两首诗流传（诗集已佚），但此外《杜甫诗意图》似乎是他常年从军、作画和写作唯一存留的艺术创作（戎马一生，他八十岁时在返乡舟中安详去世）。他描绘的诗是杜甫的《陪诸贵公子丈八沟携妓纳凉，晚际遇雨二首》之一：

> 落日放船好，轻风生浪迟。
> 竹深留客处，荷净纳凉时。
> 公子调冰水，佳人雪藕丝。
> 片云头上黑，应是雨催诗。

画家描绘的重点是第三、四句，但全诗的气氛也弥漫物象。一个文士，

图 4 **赵葵 杜甫诗意图** 卷 绢本墨笔 24.7 厘米×212.2 厘米 上海博物馆

图 4a

图 4b

好似诗人自己，坐在荷池旁的敞亭里，眺望小溪对岸的烟竹（图 4a），在他背后我们看不见的地方，应有侍女准备食物，以及做主人的年轻贵公子倒冷饮。背景是缓缓蜿蜒的丈八沟岸边浓密的夏日竹林。在诗人对岸，两个人牵驴走在穿越竹林的小径（图 4b），一个凉亭的顶部被竹叶遮掩。许多典型的南宋院画有一个紧实、强烈而富抒情意味的焦点，开阔的《杜甫诗意图》却大不同，好像仍反映着北宋自在、自信的视野。这幅军士、诗人兼王孙的作品，是仅存几件宋代"文人"传统山水画之一。但大致来说，王诜和赵葵的画告诉我们，这个崇高的传统事实上是宋代皇室的遗产，界定一个专属皇族的传统，远过于我们可以妥当定义的文人传统，而王诜和赵葵都是武官，这使得宋代文人画的概念更加模糊不清。

《杜甫诗意图》没有画家的款或印，但根据画后第一位书跋的元代学者张翥（1287—1368）的记述，当他在画僧雪窗（？—约1352）处展阅这幅画时，卷末仍有"信庵"二字款，即赵葵的号。张翥之后是杨维祯（1296—1370）在"兵火之余"所书优美的题跋，悲怆回忆当时汉人与元军血战时，摧毁了扬州以及城中如赵葵画中一般美丽的竹林，惋惜无数战死沙场的军士。赵葵的画可能也绘于兵火之余，清静的竹林在画成多年后，继续在战争的暴力摧残中给心灵暂时的解脱。或许我们应该尝试感受赵葵作画时的混乱血腥背景，静谧的山水至今依然感人。

《中国五千年》中第三幅宋代山水画《雪景山水图》【图 5】的作者可能历经宋末的暴乱和随后 13 世纪 70 年代的灭亡。这幅表现严冬萧瑟的画作纸本墨笔，唯寺庙有几抹红色，是两位行旅冒雪前往的目标。这个题材在宋代很流行，画幅有种种不同的形制，从大挂轴（Barnhart, 1993, cat. no. 3）、团扇册页（Wu Tung, *Tales from the Land of Dragons*, Boston, 1997, cat. no.70）到这幅短卷。这个题材的流行和形制之多，是认为它与著名的《潇湘八景》组画直接相关的另两个理由。和上述的大轴和团扇一样，此卷看似结合其中的两景，即"江天暮雪"和"烟寺晚钟"，因此应该是描绘八景的一套四段卷之一（见 Barnhart, 1991）。

这幅上博短卷展现的是不太知名的南宋末院画家楼观（活动于1265—1274）的风格。就我所知，有楼观款的真迹只有两件：日本中村收藏的《笔耕园》册中的团扇【图 6】和亚洲协会（Asia Society）所藏描绘谢安游东山的大轴（Barnhart, 1993, cat. no.7）。两幅看似绘于不同时期，我曾提出看法认为后者可能是他在宋亡后成为职业画

图5 （传）楼观 雪景山水图 卷 纸本设色 24厘米×48.2厘米 上海博物馆

家居于钱塘时的典型作品。《笔耕园》册的风格比较知名，当时他任职咸淳时期（1265—1274）的画院，从流行的马远和夏圭风格发展出来，但比较粗放，甚至有些刺眼。《笔耕园》册的各种特色几乎都见于上博短卷，我相信出于同一人，而且这些特色界定一种南宋晚期独特的院画风格，可见于其他许多作品。上博这类画特别多，例如一套四段雪景小画（《中国古代书画图目》，页62）和描绘山下雪江泊舟的团扇（同上书，页54）。另一件这种风格的团扇现藏东京国立博物馆【图7】，还有分散世界各地的其他作品最后或许都可以归于几乎为人遗忘的楼观。

现存最早有关楼观生平的记录大概是庄肃的《画继补遗》，成书于1298年（复印本，北京，1963）。庄肃不重视晚宋院画，说楼观的艺术“尤甚粗俗”。但又提及“时人以其师承祖父遗稿，布置得趣，亦有爱之者”，显然出乎庄肃的意料［他对牧溪（活动于13世纪中期）或夏圭等人也没有兴趣］。可惜我们不知道楼观的祖父是谁。庄肃说他“学马远”，陈善在《杭州志》中称其“得夏圭笔法”，“与马远齐名”（引自王原祁等编：《佩文斋书画谱》，1708，影印本，台北，1972，卷51），反映很多人对这批画家认识不清。除了与马远和夏圭的关系外，他和梁楷（活动于13世纪上半）的山水画也有类似处，梁楷大约和他的祖父同辈。梁楷和楼观都作粗放、大胆不羁的禅画风格的冬景山水，为宋末的山水画注入生动力道。我们若能超越清廷对宋元画的看法，则甚至可能

图 6
楼观
雪山行旅图团扇
绢本设色
中村收藏

图 7
楼观
江岸泊舟图团扇
绢本设色
22.7 厘米×24 厘米
东京国立博物馆

在他们率直粗糙的笔法和拖过粗纸的干墨中，见到其后黄公望和倪瓒山水艺术的影子。

这三幅宋代山水画幸运存留下来，每一幅都有独特异常之处，可用不同方式解读，点出宋画的通性。但我们在沉浸于抽象而不定形的历史大环境之前，或许可以先视其为幸存的独立作品。这样的作品数以千计，件件引人入胜，件件独一无二。

刘晞仪　译

译者单位：纽约大都会博物馆

译自 “Three Song Landscape Paintings,” *Orientations*, Feb., 1998, pp. 54-61.

参考书目

Richard Barnhart, “Shining Rivers: Eight Views of the Hsiao and Hsiang in Sung Painting” , in *Proceedings of the International Colloquium on Chinese Art History*, 1991, pp. 45-95.

——, with essays by Mary Ann Rogers and Richard Stanley-Baker, *Painters of the Great Ming*, Dallas, 1993.

——, “Chinese Landscape Around 1085”, in Willard Peterson et al., eds, *The Power of Culture*, Hong Kong, 1994, pp. 195-205.

《中国古代书画图目》，北京，1987，第 2 册。

Sherman E. Lee, Howard Rogers et al., *China: 5,000 Years, Innovation and Transformation in the Arts*, New York, 1998.

《李源与圆泽》
——一幅传为牧溪所绘的13世纪画作

这幅珍贵的画作【图1】是宋代伟大的画家牧溪（约活跃于1265—1269年，1269到1293年间去世）为数极少的传世作品之一，上有牧溪的款识、印章，以及题写的日期，牧溪的艺术比任何其他画家都更能体现佛教禅宗的理想，而且他的影响不仅局限在中国，还远达日本，给日本带来数百年的创造力和探索源泉。我们认为该画创作于13世纪晚期，并且相信当今这是该画家的重要代表作之一。

这幅画的主题是8世纪一位名叫圆泽的僧人和才子李源之间的传奇友谊。圆泽能够重回母腹而再生，在他有记载的一生中，他曾经两次再生，故经历了其传说中所记录的“三生”。他的好友李源因为在其三生中都曾与之相见，故能够确认圆泽非同一般的故事。在圆泽的第二生中，他以一个骑在水牛背上的童子的模样出现在李源面前，此处描绘的就是这个场面：满月清辉，藤垂古松，松影下，他们重逢了。月色里，风扫过李源的袍服，吹动了垂藤〔1〕。

画面右上角的款识，跟京都大德寺所藏两幅牧溪画作中的一幅上的款识几乎完全一样，有一处同样写着：“咸淳己巳（1269）牧溪”，字迹之上或之下用印，印章为“牧溪”【图2】。大德寺藏画的题跋字体略微大些，但两者风格十分相似，或出自一人之手，或一个摹自另一个〔2〕。

眼前这幅画作，在款识之上或之下，是一枚“牧溪”章，高3.9厘米，形似正方，不过右边因重新装裱而有部分缺损（见图2）。这枚印章与同样收藏于大德寺的画家的杰作《白衣观音》上的画家印章十分相似。画的左上角还有第二枚印章，已经模糊不可识〔3〕。

图1 （传）牧溪 李源与圆泽 绢本设色 挂轴

大德寺藏《龙虎图》上的款识

引自东京五岛美术馆《牧谿　憧憬の水墨画》，1996，编号41

大德寺藏《白衣观音》上的款识和印章

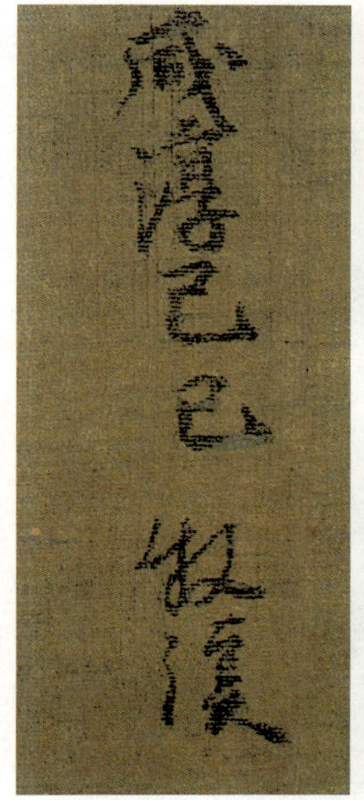

《李源与圆泽》右上角款识

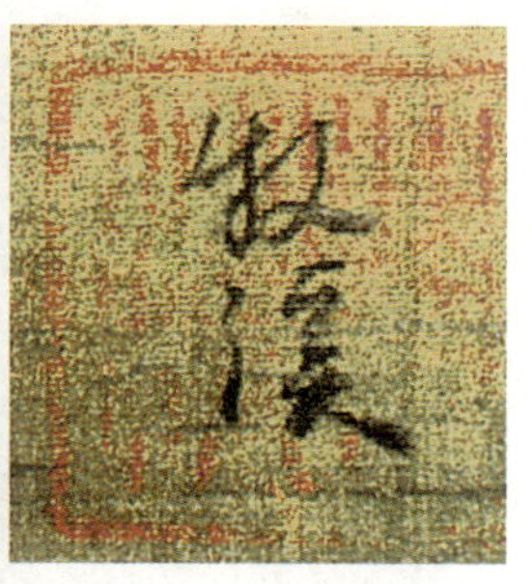

《李源与圆泽》右上角经图像处理后的款识及印章

《李源与圆泽》左上角钤印

图2 《李源与圆泽》与大德寺藏牧溪作品上款识与印章的对比

该主题的其他版本

同样的主题好像至少还有另外两种版本，都画在丝绢上。第一幅现为京都本法寺拥有，是《白衣观音》三幅联轴图中最左面的画卷【图 3】，在构图和风格上与眼前这幅画都十分相似，不过形制却是立轴长卷。西上实（Minoru Nishigami）曾经对其有过说明和讨论。本法寺这幅立轴据说是一位名叫张芳汝的画家所画，他在中国默默无闻，但在日本的记载中却是牧溪的模仿者。本法寺的画卷与眼前这幅画如此相似，好像若不是严格以该画为本所画，就是同一位大师绘制。

图 3
白衣观音
三联幅之一

图 4　刘松年　圆泽三生图　大英博物馆藏品

本主题另外一个不同的版本现存于大英博物馆【图 4】，在风格上更接近南宋画院，形制为手卷，上面还有跟主题有关的重要早期文献；据认为是南宋宫廷画家刘松年的作品，西上实在研究本法寺藏画的时候对此画有所介绍。大英博物馆这幅文献丰富的手卷好像跟眼前这幅画和本法寺那幅立轴大致都是同一时代的作品，年代的巧合本身很醒目，这显示出在 13 世纪的佛教信徒群体中，李源和圆泽的奇特故事流传甚广，很有魅力。大英博物馆那幅手卷上附带着僧人圆泽的传记，以及佛教群体的成员们以题跋的形式所加的不计其数的评论。这些也可以被解释为对眼前这幅画和本法寺立轴的注释说明。

形制与现状

这幅画作以墨和水墨画于丝绢表面，因年代久远，丝绢已经有些灰暗、磨损和破败。现在的装裱是日本制作，传统上这幅画像被认为与牧溪所作的其他作品一样，都是与茶道联系在一起，其装裱也遵循茶道风俗，但是此前这幅画的装裱很可能是不同的。其尺寸为 44.1 厘米×83.5 厘米，这是流行于日本的“横披”，或横幅卷形制。在被认为牧溪所作的作品中，与此最为近似的就是根津博物馆所藏的《龙》图，那是一幅大小为 46 厘米×92 厘米的绢本横披[4]。画卷正中附近有一道竖折痕，还有一部分裂痕，很可能由早期折叠造成。尽管绢本上还有其他一些细小的撕裂和脱碎，但其表面状况和其他晚宋画作相近。绢本上有几处地方很早以前有过修复，尤其是画面中上部分月亮之下那些低垂的蔓叶树枝间那个地方。或许这幅画作曾经是一个大型画册中的一部分，晚些时候才变成现在的挂轴形制。

牧溪及其艺术

牧溪可能是晚宋时期最伟大的画家，其作品长期以来被认为是禅宗画派的代表。跟他的名字连在一起的艺术品为数庞大，在整个东亚艺术中是最为多样的一类。其创作者不仅有牧溪本人及其在13世纪的中国的弟子和模仿者，还有在其死后数百年间中国和日本的很多艺术家。在中国，牧溪死后渐渐被人遗忘，但他的艺术和风格却成为日本茶道中的一个不可或缺的重要组成部分，明显带有其风格的画作一直为这样稳定的市场不断地制作出来，并提供给遍布日本的众多佛教寺院，这些寺院从未停止寻求被看作是寺庙庵堂理想境界的清远、淡泊、简单和诡怪。

而与此同时，在中国，在蒙古1279年统一中国之后，一群文人才子开始贬低牧溪的艺术。就对这位画家的态度发生如此剧变而提出的种种原因，始终勉强而不能令人满意。将其艺术描述为“粗恶无古法”“诚非雅玩”（《图绘宝鉴》，见于《五岛美术馆图录》页153），这样做与其说是解释了如此封杀的原因，还不如说是掩藏了封杀的原因。不幸的是，我们对于牧溪的生平知之甚少，甚至连他大致的生死日期都无从得知，而这些本可以说明其声名为何发生如此巨变。人们只知道，他是四川人，曾在杭州城里随著名禅师无准师范学习，法号法常，号牧溪。他是诗人，也是多才多艺的知名画家，画佛教题材和山水、花鸟画，在漫长的至元年间（1264—1294）离世[5]。这就意味着，情况很可能是：他经历了南宋的灭亡，一直活到蒙古人占领时期，从而将个人的艺术和声名都卷入险境，卷入到这个由外族首次征服中国而导致的分裂期的种种改弦易帜和严酷争论中。牧溪的模仿者吴太素在1350年前后曾言，画家因辱及当时中国的权相贾似道（卒于1275年），避捕而逃离躲藏，至少可以认为，这些话表明牧溪在其危险岁月中曾深涉政治，其涉入政治的种种方式如今已经埋没于历史，却也存在于对其艺术的残酷封杀背后。不过，也可能是1300年后，中国画脱离空寂的画风，转而追求一种扎根于古典模式和经典书法理想的更精雕细琢、更理想化的艺术，这一转变很快就使得人们不再关注所有晚宋时期的画家，不仅不再关注牧溪和玉涧这些画僧，也不再关注像马麟和夏圭这样的宫廷画师。

尽管如此，五岛美术馆1999年的目录后还是添加了三百多幅与牧溪有关的藏画（页110—129）。从艺术史的角度来分析和理解这些数量巨大的作品，首先开始于京都大德寺藏品中著名的三联幅，那是一套三件的绢本立轴，中间是一幅《白衣观音》，两边分别画的是松树中的猿和竹林中的鹤。有些人认为，位于中间、仅以水墨画成的观音像最初或许是与两边的轴卷分开的。两边轴卷或许是后来成套画出，然后又加在观音图上，组成现在这套三联幅。固然，没有人能确定，但无论最初是分开的，还是成套的，在所有被认为是牧溪的作品中，大德寺的这套三联幅如今都是顶尖之作，而且是世人公认的唯一带有其款识的作品。观音画卷上的款识是“蜀僧法常谨制”，字迹之上或之下是枚方印“牧溪”。（见图2）虽然猿图和鹤图上没有款识，但却各用一枚“牧溪”之印。正如画面上的收藏印和收藏者的藏品目录所表明的，大德寺三联幅大约自1400年起就存于日本了，而与画家联系在一起的描绘佛道神仙人物、历史人物和传说人物的存世作品为数众多，这只不过是其中一幅而已。

静嘉堂文库美术馆所收藏的神秘的《罗汉图》【图5】同样带有画家印章，也是一幅引人入胜毫不逊色的牧溪作品。它与观音图在风格和构图上的相似显而易见，但是其意境却更显阴沉，甚至有些令人害怕，和当时不久即溃败于蒙古人的中国现实有些一致。

大德寺藏品中还有一对立轴画卷，分别画着龙和虎，上面也有画家的款识及用印，日期标志为1269年，跟本幅作品是同一年（见图2）。

还有一套表现“潇湘八景”主题的画卷与牧溪的名字紧密相连，这一组套画当属艺术史上尽善尽美的作品（参看《五岛美术馆图录》，第16—22件）。如何将永恒和无限的理念转化到艺术之中，10世纪的中国就有一些伟大的山水画家开始对此进行探索，宋代三百年间又有了发展。宋朝末年，像牧溪这样的几个画家将宋代绘画的空间和距离拓展成为对纯净空间、流动和永恒运动的表达，从而结束了宋朝绘画对于空幻的尝试。这些成就在任何其他地方都不及在《潇湘八景》中体现得生动。

跟这些艺术追求相一致的，是燕子、八哥、猿、果、蔬、花等各种各样的意象，这又形成了与牧溪密切相关的一类主题内容（《五岛美术馆图录》，第23—39件）。其中很多画作在中国艺术所有表现此类主题的作品中都仍然是最具有感染力、画面最为精美的。这些意象是牧溪常常画的，确定这一点，不仅仅是因为日本有很多这样的画作都带有他的印章，而且还因为他所绘制的两幅现存于世的手卷中也汇集了很多这一类各种各样的主题，其中一件我们已经谈过，现存于台北故宫博物院，而另一件则藏于故宫博物院（《五岛美术馆图录》中有复制，页128）[6]。

图 5
牧溪
罗汉图
重要文化财产
东京静嘉堂文库美术馆

《李源与圆泽》和牧溪的艺术

将《李源与圆泽》放在跟牧溪有关的大量作品当中，在与这位大师连在一起的、我们尝试地称之为他画在丝绢上的“禅境”构图语境中检验其技巧，才能最好地理解这幅画。我们指的是那些相对来说寥寥无几的绢本画作，它们创造出丰富的山水之境，境中描绘的或是圣像，或是走兽，或是飞禽。这些画作为数很少，其中最好的包括大德寺三联幅、静嘉堂文库美术馆的《罗汉图》、东京出光美术馆的巨幅绢本立轴《丰干、寒山与拾得》(《五岛美术馆图录》，第10件)，以及眼前这幅画作，它们相当合理地成为一体，组成了独特而连贯的作品群体〔7〕。我们所认为的牧溪的特色，正是它们所共有的鲜明技巧。

可能眼前这幅画中的月亮使用了不透明的白色或黄色颜料，但即便有迹可循，也几乎不剩什么了。【图6】即使曾经添加过不透明白色颜料，月亮圆边的创作方法也很清楚，就是除了现在画着月亮的那一小块圆形区域之外，整幅丝绢的表面都用上了淡淡的水墨。而这便是牧溪在丝绢上绘制“禅境”时一开始使用的技巧。首先，他将淡淡的墨色染上大部分丝绢，只留出一些区域不画：这幅画中的月亮，观音的衣袍和下面的水，鹤的身躯，以及静嘉堂文库美术馆那幅罗汉的身体。在这个阶段，水或天的其他区域或许也留着不画，这要看光亮和阴暗部分预期的样子而定。接下来，在这第一层淡墨之上，他像涂抹细致层次的釉彩一样，用淡淡的水墨以皴法画出树和岩石的形状，用略微深沉相互覆盖的泼墨从阴影中做出形状，最后加上更大、更暗的苔点、泼墨，来着重表现枝叶。他的人物和动物以一种精细、现实、富于描绘性的手法画出，也传达出主题的本质特点。【图7】他的猿、鹤、水牛，以及所有的人物，都有逼真的现实主义特质。

这样对比地去观察，能够慢慢把牧溪所有的作品都联结到一起，而要这样做，首先要了解这种十分丰富的大块涂色的绘画过程，这其实就是牧溪独具一格之处。其视觉效果是，天、水、地，以及身在其中的万物，都混为一种单一的、统一的、充满光亮的氛围和呼之欲出的境界。他的潇湘山水组画在纸上完成，使用的是同样的技巧，也一定要归属到这一类作品当中。只有在晚宋时期，像牧溪这样的中国画家才格外仔细地注意将天、地、水画为一个整体，而且格外仔细地留意借助天空来表现光亮和阴暗的境界和氛围，一如《李源与圆泽》中

图6　图1局部

图7　图1局部

的明月和暗影。

译自 “Li Yuan and Yuanze, a Thirteenth-century Painting Attributed to Muqi (active 1265-1269)," in *Two Song Treasures from a Japanese Collection*, Hong Kong: Sotheby's, 11 April, 2008, pp. 43-58, 译文发表在同书的英文版之后，页码同上。译者不详。

注 释

〔1〕有关识别，参看西上实的《禅的美术》，第 235—240 页，以及在 *Artibus Asiae*（亚洲艺术），vol. 52, no. 1/2.（1992）页 54—93 的 Jang, Scarlett Ju-yu 的文章。也可参看五岛美术馆目录，第七件。

〔2〕唯一还带有题写日期的另一幅牧溪画作，是藏于台北故宫博物院的花果植物禽鸟长手卷，不过那题跋和所题之画都被认为是摹本。那上面的款识为“咸淳改元（1265）牧谿”，其上或其下用方印“牧谿”。参看五岛美术馆目录第 97 页的图片。

〔3〕五岛美术馆鉴别了画上第二枚字体比较模糊的钤印极有可能为“牧谿”。画上的落款为“溪”，而钤印则为“谿”。根据康熙字典的记载，“谿”为“溪”之古字，两字可相通。极可能牧溪于落款时题上水部的“溪”，而印章则多用谷字部的“谿”。

〔4〕五岛美术馆目录，第 40 件。

〔5〕五岛美术馆目录几乎收录了所有关于牧溪的存世文献，同样也收入了论及其生平和艺术的宝贵文章。

〔6〕关于认定为牧溪画作的全部内容的深入探讨，参看高居翰《中国古画索引》（伯克利，1980），页 166—172。

〔7〕另外还有一幅禅画在状态和风格上都跟这一类绘画相关，这就是原属于景元斋藏品，现藏于京都国立博物馆的一幅名为《黄檗裴休问答图》的绢本立轴，偶尔有人认为是李尧夫的作品（但跟他其他带有款识的作品却很少有明显的关系），参看《宋元画》，第 13 件。

宋代绘画中的“拟真”实验

当我在1963年抵达普林斯顿大学开始研究生生涯时，我正从一位受过学院训练的油画家转向艺术史研究，此中原因正是因为我不久之前首次看到范宽、郭熙的画作，深深地为我与宋代山水画的邂逅所感动。在此之前，我从未见过在空间上具有如此撼动人心幻象效果的绘画，我立即被“吸引”其中，字面上或象征而言皆如此。此前不久，方闻先生在数篇关于元代画家钱选、倪瓒及其他画家的精彩论著中，关注再现与拟真的议题，这些论著让我觉得我必须去普林斯顿大学学习。在未入普大之前，作为画家，我的兴趣多年来聚焦于再现与拟真，跟从方闻教授学习时发现，正是我们截然不同的背景引领我们走向同一个努力点。在这篇文章中，我所回到的正是这个共同的努力点。

在中国艺术史中，写实性强且带有幻觉效果的山水画唯一兴盛的时期落于唐末到南宋末，亦即约公元900年到1250年之间。在这一时期，许多中国画家探索绘画的视觉特色、图绘目标以及绘画技法，这在宋之前几无前例，之后也甚为罕见（见图1—7）。虽然宋代某些绘画理念在明清两代复见，宋代艺术中具有自然主义式（naturalistically）描绘性与幻觉性的空间特质却从未回复。在我心中，唐末到宋末的山水画不仅是艺术的黄金时期，也尤如一个谜。

近几年来，每当思考这个时期，我使用“拟真”（mimesis）这一概念作为我个人探索这一时期中国绘画在本质上有何不同的取径。“拟真”一词源于古希腊的观念，用于描述自然景观的幻觉效果。我试验性地使用它，把它作为引领我进入我所感兴趣的材料的门径，一旦意义明了，也可以弃而不用。

与其花时间尝试提出我将希腊观念用于中国脉络的根据，不如让我引用两个关于艺术家的有名故事：一则来自希腊，另一则发生在宋代中国，它们之间的相似可能显示为何“拟真”观念对两个文明都可视为适宜。根据老普林尼的记载，帕拉修斯与宙克西斯进行一场戏剧化的比试来决定谁是最好的画家。前者描绘葡萄如此成功，以至于鸟雀都飞来觅食。在他离开舞台后，后者画了具有逼真效果的悬垂亚麻窗帘。当帕拉修斯赶回舞台，而心中仍对其戏弄鸟雀的绘画满怀着骄傲感时，他不耐烦地要求眼前的窗帘往后拉，露出让他值得获奖的绘画。马上他就察觉到自己的错误，并将奖项让给宙克西斯。毕竟他只愚弄了鸟雀，宙克西斯却愚弄了他，一位艺术家。[1]

同样地，在10世纪中期的蜀国，画家黄筌（约903—965）与其子黄居宷（933—993之后）花费了三个月为一座新的宫殿绘制四季花鸟壁画。完成后，一只刚作为贡品入宫的老鹰不断地攻击壁画中的雉鸡，令在场者无不惊讶。著名文人欧阳炯将他在现场所看到的情景记录于诗词中，此诗留存至今。[2]

对我来说，这两个有关艺术实践中“拟真”的描述，是就相当初阶的一般理解而言。假若做出适当修正（*mutatis mutandis*），我们可说古希腊及中国宋代的画家皆对以真实世界的幻象愚弄灵魂之窗做出努力。我们可能会将希腊的拟真看作为“希腊奇迹”，并将其联结上民主的诞生及个体生命的尊严。[3]不过在中国，拟真的哲学关联与根源全然不清楚，即使是关于拟真理念在多大程度上驱动了宋代艺术的奠基者们，仍具争议，并未有足够的认知。从当时的文献判断，毫无疑问，宋代山水画之所以受到观者的推崇在于其作为自然世界之可信幻觉的功能。我们想起作为评论家与画家的米芾（1051—1107）如何谈论范宽（约活动于990—1030）的艺术：“范宽山水，显显如恒、岱，远山多正面，折落有势。……溪出深虚，水若有声。”[4]另一位画家王诜（约1048—1104之后），描述他观看范宽画作时，被这些作品临在（presence）的纯然幻觉感所震慑。[5]沈括（1031—1095）对董源（活动于10世纪30—60年代）、巨然（约活动于960—995）画作的描述，定义了拟真的过程：

> 大体源及巨然画笔，皆宜远观。其用笔甚草草，近视之，几不类物象，远观则景物粲然，幽情远思，如睹异境。如源画《落照图》，近视无功，远观村落杳然深远，悉是晚景，远峰之顶，宛有反照之色。此妙处也。[6]

刘道醇（11 世纪中叶）有关李成（919—967）艺术中幻觉特质的经典描述，清楚且有力地证实在艺术家、评论家间，宋代空间感中拟真幻觉的效果为长期优先考虑的重点：

> 扫千里于咫尺，写万趣于指下，峰峦重迭，间露祠墅，此为最佳。至于林木稠薄，泉流深浅，如就真景。[7]

此番描述，在 11 世纪关于艺术的书写中不断出现，揭示着拟真幻觉是这类画作的主要功能，且对当时的观者有着视觉冲击。

山水画拟真幻觉若要达到此种效果，画家主要仰赖他们的双眼，以及自身对自然世界直接、个人的体验。我们往往忘却或忽略这个事实。举例而言，北宋幻觉山水画最著名的支持者之一、画家及科学家燕肃（961—1040），敏锐且具体地描述到自己只能画出自身眼睛能看到的东西。[8] 早期的艺术家及范式并非其兴趣，他感兴趣的只有自身所能见、所能知道的事物，也即，直接来自于自然。类似记载中的范宽，也曾表示借着个人的双眼及内心直接学习自然远胜于承袭其他画家。[9] 且据 11 世纪艺术史家郭若虚之言，宋代山水画中三位最卓越的大师，同样仅学习他们自身对外在世界的个人经验，很少、甚至完全不曾仰赖于早先的艺术，从而创造了一个山水画的新时代。[10]

在许多晚唐至宋代的文献中，将此结果全然归之于非由中介得来的观察力与经验；这点在中国历史及艺术的脉络中，具有哲学及历史意义的挑战性。如果说对于个人能动性，以及自然或天道权威的仰赖，被视为在中国历史上一再重演的异常、偶然现象，抗衡于更为强大的对祖先孝顺、对过去崇敬的延续性（我猜测可以如此争论），那么一个偶然的异常状况，如何成为数世纪以来如此多艺术家的普遍动机，为何它受到赞助者、批评家如此广大的欢迎，以及它为什么无法持续下去？[11] 还有这样历史起伏的哲学和／或宗教的根源是什么？这些是我想问却不能回答的问题。

宋代自然主义（naturalism）与理学间的关联，如同常被假设的那般，看起来似乎是充满含义且合乎逻辑，不过更容易争论的是，理学的终极主导地位决定了逼真幻象的时代终将短暂，正如实际那般。犹如希腊的哲学家，理学家并不相信逼真的幻觉；而且理学建制化的展开，与中国拟真绘画的终结，几乎同时。全然正统与建制化的理学对于拟真的态度，生动地表现在17世纪，当时正是欧洲艺术开始广为中国所知的时期；在这个时间点上，身为艺术家与评论家的吴历（1632—1718）和方以智（1611—1671），率先谈论到一些关于绘画幻觉主义中的拟真效果，并且几乎一致地表明这些效果，以及拟真本身，仅仅是伎俩与消遣，无法与在早期中国艺术中所发现的更深层、更重要的表现、价值、意义等特质相比，例如气韵和笔法所创造出来的特质。[12] 他们显然已经忘记或是从未承认，宋代对拟真的长期实验。

不过，为避免被太多有趣的旁径所吸引，我对于这广泛议题的省思，将集中于单一的艺术实践，这一实践可能最常被认为在起源或实践层面，基本上属于欧洲，但比起中国，这一实践相当晚之后才在欧洲发生。这一实践毋庸置疑对宋代艺术成就、对拟真本身的追求都是必要的部分。再者，作为一种实践，它似乎仅限于本文所检视的时期（译者：指唐末到宋末），它的盛行时期与此时间框架的接近一如我上言的拟真绘画特质，这就是直接由大自然而来的图绘、速写、成画之实践。我并非一定指“写生”这个词，尽管与此词汇必然有关，但所指向的具体做法就是走向自然，系统化地学习、模仿、素描与记录，并理解在自然处看到了些什么。

晚唐以前，北宋以后，在中国很难找到长时间在自然中写生的证据。直接习仿自然在欧洲风景画的发展里当然是一项必要的元素，而且大体从15世纪的欧洲绘画开始便是如此。然而，在此之前世界各地所出现的最重要例证，便是在公元900左右的中国。

在荆浩（约870—约930）《笔法记》的画论之前，有关写生自然的文本中，最有趣之一当是张彦远（815—907）关于让人惊奇的吴道子（活动于8世纪中）的描述，根据当时人的反应，吴道子的壁画可能是中国在宋代山水画发明以前，最撼人的幻觉性、拟真式绘画的例子。张彦远的著作撰于9世纪中期，距离唐代的崩亡不久，那时“再现”（representation）正受到广泛的讨论。从以下的引文，可清楚见到张彦远认为吴道子的绘事非凡出众且有意识地异于寻常：“吴道玄者，天付劲毫，幼抱神奥，往往于佛寺画壁，纵以怪石崩滩，若可扪酌；又于蜀道，写貌山水，由是山水之变。”[13] 在此，张彦远完美地陈述了拟真山水与写生自然的初始阶段。

“写貌”，即状写外貌，如同张彦远描述吴道子写生山水，是个由肖像画而来的词语，早在宋代数世纪以前，对皇权国家及宗教机构来说已是不可缺少的技术，且是与“再现”相关事物的想当然焦点。不用说，肖像一般需要一个原型和某种程度的相像或近似。然而，具有幻觉一般写实性与拟真式的肖像，基本上在中国并未有此做法，而且假使我们要深入探究为何如此的话，很可能也会得出一些为何中国写实山水画的表现相对短暂的理由。无论如何，吴道子有时写生自然，捕捉蜀山的确切形貌，艺术史家张彦远惊奇于此，除了肖像术语“写貌”外，没有别的词语来称这写生的过程。

然而，为了创造山水真正且撼人的自然幻觉而持续、深思及系统地记载如何研究、学习与写生自然，并非始于张彦远，而始于荆浩撰写的文献。其《笔法记》约作于公元900年，正值或稍晚于唐代灭亡之时。[14] 我并相信，拟真画作本身亦始于荆浩。

《笔法记》为第一代山水大师中的荆浩所作。我们印象所及，该文暗示其作者为一位具有雄心的年轻画家，这位画家深入山中，写生自然。当他正小心地对着一棵在山林中所发现、引人注目的老松树写生时，遇见一位年长的画家，并与之讨论绘画艺术，最后受教于他，习得更精妙的艺术观点。年轻的画家起初自信地宣称：成功的山水画首先必须兼具正确的描绘与精准的再现，而这点对艺术来说是如此基本，每位艺术家都知道它是事实。“凡数万本”，他觉知到，“方如其真”。

年长的画家说道，这并不如此容易。准确的再现当然是必需的，但仅在艺术初始之时，其本身并不足以创造真实的山水。他接着说，画非仅是表面装饰（华），而是关于测度与界定（画），以揭示自然真实的全貌为目的，一种直接学习自然既详尽且系统的实践，不只是装饰的表象。他告诉我们，真正的再现本身必须由通盘熟谙许多笔法与墨染为起始（当然，这些技法正发展于此时），最终，将再现的幻觉效果里所用的那些技法踪迹全然舍弃；唯有在制造幻觉的踪迹不可视见时，再现才可能真实于自然。此外，山水的真实再现必然包含其他的要素，这些要素拓展了再现观念，超越个别细节，而成为“景”——精心的景色拥抱季节、光线及时间所具有的幻觉特质；还有运用细心的构思考虑，对“景”

来说，什么是本质的？什么是无关紧要的？老画家继续说道，努力而来的理想结果取决于如何在完备、精妙的描写与自然的气韵之间达到适当的平衡。换言之，成功的山水画必须体现对自然本身真实感受的审慎择取及呈现：不仅是肤浅的表象，而且是风、能量、空间、时间、生命及气氛。

《笔法记》在细节中所传达的全然不是山水的理学观点，而是对拟真、幻觉与自然主义式山水画创作的最早式则，根植于直接对自然系统化、习惯性的写生实践。两百年后，在一篇论幻觉山水画百科全书式的文章中（《林泉高致》），另一位山水画大师郭熙精准且充分地描述到这类画的目的：世之笃论，谓山水有可行者，有可望者，有可游者，有可居者。画凡至此，皆入妙品。[15] 荆浩与郭熙皆未在前代的画家中找到恰当的典范，这表示直接、未经中介经验的师法自然是这整个时期山水画家的首要关注，也表示艺术家被期待仰赖他们自身个人的经验与知识，而不是传统或前人的作品。下面是郭熙所写有关写生自然的实践：

> 学画花者，以一株花置深坑中，临其上而瞰之，则花之四面得矣。学画竹者，取一枝竹，因月夜照其影于素壁之上，则竹之真形出矣。学画山水者何以异此？盖身即山川而取之，则山水之意度见矣。真山水之川谷，远望之以取其势，近看之以取其质。[16]

于此，我们并未读到学习画花卉者以10世纪黄筌或徐熙作品为师，也无只字关于模仿李成山水画，反而有明白的警示：专仿任何大师将走向失败。

如前所述，事实上范宽因为相当雷同的目的而为徽宗《宣和画谱》里的画家传记所引述，此记载确切地揭示自荆浩经过李成与范宽直到郭熙这些山水画家后，学习自然所占据的角色：

> 始学李成，既悟，乃叹曰："前人之法未尝不近取诸物，吾与其师于人者，未若师诸物也。吾与其师于物者，未若师诸心。"于是舍其旧习，卜居于终南、太华岩隈林麓之间，而览其云烟惨淡，风月阴霁，难状之景，默与神遇。[17]

在五代及北宋画家的传记中，充满着他们同范宽一样仰赖直接学习、仿于自然的迹象。符道隐的例子特别有趣，他是一位来自长安的山水画家，据郭若虚所言："学无师法，多从己见。"〔18〕如前所言，广受尊崇及著名的山水画家燕肃，据说除了眼目所见、以双眼记录者外，从不画任何其他的事物，也不增减唯有其视觉所能经验的描绘物象。根据董逌（活动于12世纪初）的记载，燕肃引述庄子为自己直接学习及复制的做法辩护："自号能移景物随画，皆因所见为之。"〔19〕

历史文献仔细地描述著名花鸟画家赵昌（约960—1016后）直接学习自然的绘画实践。我们经由司马光的密友、苏轼年轻时的忘年之交范镇（1007—1088）得知：每晨朝露下时，绕栏槛谛玩，手中调采色写之，自号写生赵昌。〔20〕较赵昌稍微年轻的同辈易元吉，受赵昌的启发更彰显其做法：

> 始以花果专门，及见赵昌之迹，乃叹服焉。后志欲以古人所未到者驰其名，遂写獐猿。尝游荆湖间，入万守山百余里，以觇猿狖獐鹿之属，逮诸林石景物，一一心传足记。得天性野逸之姿，寓宿山家，动经累月，其欣爱勤笃如此。又尝于长沙所居舍后疏凿池沼，间以乱石丛花、疏篁折苇，其间多蓄诸水禽，每穴窗伺其动静游息之态，以资画笔之妙。〔21〕

我们不该未注意到在此陈述中，宋代艺术背后高度竞争的动机，使我们想起古希腊宙克西斯与帕拉修斯的竞赛。在追求创新的个人成就下，艺术上的老师与大师被翻新、超越，甚至忘却。画家寻求超越彼此，直接走入自然而精进幻觉式再现是一种做法。

四十五年多以前，我个人与宋画的关涉就是开始于观察艺术本身，寻找宋代图绘和直接学习自然的实践如何改变绘画的证据。宋代并未遗留速写，不过每张现存宋画的各个细节皆透露出它汲取于自然，即使连接艺术与生活的关联点多次地从今日我们所见的完成之作中被抹除。当我第一次看到范宽、郭熙的作品时，我对宋画一无所知。然而我本能地感受到，它们再现的是与我自己所知道的相同世界，在此之前，我多年来一直试着学习如何画出这样的世界。毫无疑问，宋代绘画直接扎根于对自然世界的研习、写生与复制。有人可能会问到，为什么宋代对自然的模制是如此不同于诸如法国的例子。或者问到：宋代画家如何调整自身对自然世界的直接经验去适应现有、持续的原型和范式？又或者，中国画家在他们的写生旅行中运用怎样的绘画材料与技法？不过这些不同于我所关心的问题。

宋画美好的空间、气氛与距离的幻觉效果，或许是不断演进的宋代拟真过程中最具普世吸引力与历久弥新的要素，这幻觉显然是宋代艺术家们的核心目标。在宋代画家创造空间幻觉的成果中，必要的条件是画在事先准备好的绢材上的透明墨染和浅设色，取代了绘于坚实墙面的不透明颜料与黑墨，并在墨染及笔法的技巧上取得迅速的进展。荆浩和郭熙二人都关心由此变化所产生的议题。宋代绘画是在绢本上施以愈渐透明、具层次感的墨染及淡彩所完成，绢材吸收透明墨染一如油画画布吸收层层透明油性颜料（oil glazes）一般。威廉·德·库宁（Willem de Kooning）曾说过，油性颜料被发明的原因是为了描绘人体，不过半透明及透明的油性涂料也是欧洲风景画发展中的主要特征，而风景画在油性涂料和透明颜料未普及前并不存在。[22] 在欧洲，从湿石灰上的蛋彩画到帆布上的油料，整体过渡时期不到一个世纪，而在中国，从石灰上的不透明涂料到细心准备之绢本上的墨染，似乎同样地全然发生于晚唐到宋初这短短的期间内。然而，在宋代以后，少见墨染的潜力能如此丰富且细致地创作出空间与距离感上高度准确的自然幻觉。

同样，也未曾再出现如郭熙意气高昂的著作中，关于他所能运用的丰富物质与技术的记载：

> 运墨有时而用淡墨，有时而用浓墨，有时而用焦墨，有时而用宿墨，有时而用退墨，有时而用厨中埃墨，有时而取青黛杂墨水而用之。用淡墨六七加而成深，即墨色滋润而不枯燥。用浓墨焦墨，欲特然取其限界，非浓与焦则松棱石角不了然故尔。了然然后，用青墨水重迭过之，即墨色分明，常如雾露中出也。淡墨重迭旋旋而取之谓之斡淡，以锐笔横卧惹惹而取之谓之皴擦，以水墨再三而淋之谓之渲。[23]

他不停地陈说，巨细靡遗般描述制作真山实水幻觉的技术与步骤。郭熙在技术上所提供的处方是中国绘画史中最详尽的，而他的绘画为我们所拥有最丰富且最复杂的山水拟真图像。

宋代拟真实验的高峰应在12世纪初期达成，正值徽宗朝。皇帝本身透过二种做法推动形似，除了要求宫廷画家们准确地观察及再现自然，并制作有其款署具高度写实主义（magic realism）倾向的花鸟题材范例。在徽宗的权威下，宫廷画家如李唐，找到新方法暗示树、石具有触摸感触的表面及实体，直到它们近乎立体雕塑。以我看来，在所有的中国绘画中，包括南宋绘画在内，没有比同时期的李公年（约活动于1100—1125）《夕阳山水》（普林斯顿大学美术馆藏）更细腻、更慑人的空间幻觉感。这也是我在研究生时期第一件能近距离检视的北宋山水画作，每当回忆起我最早的中国画经验时，在我脑海中经常浮现的就是李公年。

我们都熟悉那些记载着宋代拟真实验终结的文本与论点。苏轼著名的论点即拒绝以“形似”作为评判艺术的基本标准，悲哀得令人感到嘲讽的是：苏轼知名的个性化行为，似乎在某种程度上正体现了他视为过去式的画家们的类似态度。[24] 同样具有讽刺意味的是：沈括反对李成使用无中介（unmediated）的个人视觉，以及绘画中以拟真为目标的早期线性透视形式，因为沈括的一生是如此完美地体现了科学态度，也基于该态度似乎多少仍构成整个宋代拟真实验的基础。[25] 换言之，我意识到：在其他更强大和更撼人的力量面前，驱使宋代拟真发展的力量正开始将其带往终结。诗词、书法、笔墨及崇古观念脱颖而出，逐渐取代了宋代的幻觉为尚主义（illusionism），但此时间点落在画家李唐、赵伯驹（约 1120—1182）几乎使我们确信我们不光是在观看真实的山水画，还事实上观看真实且“古代”的山水画之后。所谓的“古代”是因为此种拟真山水画的想象形式，短暂存于公元 1100 至 1150 年间的中国，预期了数个世纪以后，受欢迎的欧洲想象式古典风景画的做法，如克劳德（Claude）和普桑（Poussin）的绘画。

元代画家倪瓒的回忆可作为上述拟真终结之年代序列的一个批注：当年轻时，他喜好写生自然（如同较他年长、亦师亦友的黄公望，在 14 世纪早期仍推荐写生），但在成长后对此失去兴趣，转往追求拟真在其中毫无位置的艺术目标，在此目标中，即使是合理的再现也被当作可受挑战的目标。[26] 连医者画家王履（1332—1383 后），也无法复兴拟真，虽然对后来非拟真的实践而言，他的努力代表了值得注意且深具思考性的例外。[27]

对拟真作为中国绘画根本基础的排拒，可能确实是无可避免且合理的，与 19 世纪晚期欧洲拒绝甜腻的沙龙文化中的精雕细琢并无不同。拟真可能会被塑造成似乎多少与持续进展的中国文明传统不相一致，而晚明与欧洲幻觉为尚主义的交会似乎就是如此。

不过我有所怀疑。以较为长远的观点来看，我们可能对此历史有不同的看法。或许21世纪中国的照相写实主义（photorealism）是后世对于拟真倾向的回声，此一倾向强大且神秘地开始于秦始皇时期，如此完美地具现于他的地下军队；与佛教一起演进，贯穿整个唐代；持续于宋代幻觉式山水画作中，在清代耶稣会与满族的存在中得以复兴，并于20世纪，与社会写实主义（social realism）、高度写实主义及装置艺术一起存活、完好与拥有蓬勃的中国特性。唐代佛教艺术中剧烈的拟真趋向，鲜活地再现于敦煌佛窟中，而这些佛窟以绘画及雕塑的形式再现佛教各种神祇，达到一种拟真程度，类似于舞台上真人实物（tableaux vivants）的造景表现；唐代佛教艺术的拟真趋向或许相当直接预示了拟真幻觉的普遍性，为宋代拟真山水画设置了发展的舞台。中国艺术中的拟真企图，在此被视为自秦至民国时期不断重现的现象，即为一种常态，其所映衬出来的是其他的倾向与喜好，从拟古主义（archaism）到书法的抽象性，或是从自我表现到为艺术而艺术，全靠拟真来定义与度量。由此观点来看，我们可以这样作结：自初始，艺术家们已为写实幻象或拟真的潜在性所吸引，拟真事实上是整个中国艺术史的基石，不管浮出表面与否都是重要的特性。

《溪岸图》【图1】这件绘画作品的完成，以及其他所有完成于10至11世纪的此类作品，显示这位画家开始广泛、系统地直接研究自然，如荆浩《笔法记》及本文所讨论的其他文献材料所描述的画家一样。如此研究自然的作品本来可能作于纸上，而非绢上，或许也使用炭笔，以及墨及墨染，尺幅小帧。宋代未遗存任何确定的素描，《溪岸图》中具自然主义特性的乔木、灌木、石体与水域，肯定了此番假设，即是这位画家习惯性地观察并写生下这些画面元素，并将其改编入一个传统的高山构图模式，以此来加强其真实的印象。在这幅画中，因风动而兴起之水波是突出的要素，或许能与早期人物画中因人物动作而来的衣摆波动相比较。然而，《溪岸图》缺乏有效的空间与气氛幻觉感，暗示此作在中国拟真或幻觉山水画的演进中，处于相对早期。基本上《溪岸图》的构图是叠加的（additive），画幅由下至上，仅用小幅度的比例缩减暗示距离。《溪岸图》在20世纪的最后两位私人收藏家，对这件具有争议的作品进行了大量的恢复与修补，多少扭曲了原本构图相对简单且概念式的特质，不过它仍然接近中国幻象式山水画作法的初始。

图 1
董源
溪岸图

图2　燕文贵　江山楼观　卷　31.9l 厘米×161.2 厘米　日本大阪市立美术馆

作于纸上的宋画相当稀少，不过这类作品较之于绢上之作，确实更能彰显学于自然的宋画特点，原因在于绢质表面要求某一程度的控制与思忖，这是纸本所不必的。快速、粗略的笔墨是此类卷轴画的特性，通常也达成一种由风、雨及飘移雾气扫过所造成的自然形式印象。气氛和空间感已在如此早期的纸本上（纸面上的墨染远比绢上更加困难）如此高度发展，显示出对于空间和距离的幻觉表现，早在公元一千年之前便已高度发展，这项假设可经由此时期其他作品得到证实，如范宽《溪山行旅图》（见图 3）。

燕文贵的这件手卷【图 2】有可能是为了完成于绢上的最终构图所作的纸上草稿，此点也可能解释这件作品某些松散、速写的特质。关于这样的纸本草稿较好的例证是收藏于台北故宫博物院夏圭的《溪山清远图》（转载于 Fong、Watt 等编，1996 年，页 188—189），尽管在现存少数的纸本宋画作品上，皆可察觉到它们所保留的写生自然的证据。观察纸本与较为正式的绢本间的某些差异，大阪所藏的纸本手卷可与燕文贵唯一留存的绢本作品、现藏于台北故宫博物院的《溪山楼观图》相较。范宽《溪山行旅图》【图 3】符合后者，而且在它完成之前，应曾借助基于自然写生而来的纸本速写与草稿构图。

在范宽的传记中，直接学习自然是基本的元素，他终身的学习似乎完美体现在这张他唯一存世的画作中。其中写实的细节与强而有力的抚触感，在如此早期的世界中，并无可相比拟者。在中景和远山中逐渐减弱的色调明暗度，以及精心校正且将前中后三景集结成独立区域的构图结构，呈现有效的大气幻觉效果。我相信所有这类作品，是在对自然造化无数次的探究，并在纸上展开初始的构图习作后才得以完成。最终的版本可能开始于淡墨或炭笔所绘的繁复线描，紧接着经由表层墨染及

图3 范宽
溪山行旅图
台北故宫博物院

浅设色的反复施用和对线描细节的精进所完成。植物性颜料的易逝特质意味着，大多数早期中国山水画上近乎所有的原始透明色染，已彻底地褪去，此现象事实上颇类似于希腊、希腊化时期雕像上原有色彩的几近全然失去，以及许多早期欧洲油画上最终颜料上光表层的消失。范宽杰作的表层并未如达芬·奇（Leonardo da Vinci）《最后的晚餐》（*Last Supper*）般因补填与修复而损失，但只是因为中国绢质的耐久度及中国墨色难以拭去的特性。当我们再也无法知晓10至11世纪画作的原有面貌时，其留存者呈现出的是自然与绘画艺术间最紧密的联结，这在彼时世界处处皆然。

巨然存世所有的单幅画轴似乎都是原先成组立轴、一体构图作品中的一件。它们都接近五十五厘米宽，宽度为范宽《溪山行旅图》（见图3）及郭熙《早春图》（见图5）的一半，因此留存至今者非常可能是组成上述作品两件立轴中的一件。巨然原始的构图有时包含六轴、八轴或更多轴，就构图结构而言，或许大致上可与现存数件当时的手卷相比，如燕文贵的《江山楼观》（见图2）。由此可知，宋代山水画普遍地作为装饰墙面及立于宫殿内部屏风上一种全然模拟自然环境的形式。

巨然对大气透视格外感到兴趣，并且发展出一种轻盈、层叠的墨染技术及熠熠、点状的树叶样式，由此创造出微光闪烁、雾气迷茫的山丘与树丛形象。距离感有限，仅以两种尺寸的树干来表示，但整个画面似乎融合于笼罩的迷雾与水气氛围中。此番氛围的效果在何种程度上，又是如何地通过自然写生所实现并不清楚，不过浮现在这类作品中且让我们看到的是，空间及气氛的视觉幻象，在我们面前开启了一扇拓展至无穷想象世界的拟真之窗。【图4】

在中国，幻觉式山水画演进的一个基本发展在于墨染的技术，依荆浩所言，该技术始自晚唐，不过很明显地直到约10世纪中才高度发展起来，例证见燕文贵及范宽的作品（见图2、3）。在《渔父图》（见图7）手卷上，技艺超群的许道宁展现着不可思议的对墨染技巧的掌握，快速地挥动画笔，可见疾速的皴法及透明墨染所造成的湿润、放逸且流动的水墨。当每一皴笔与墨染上都清晰可见他的技巧时，技巧的效果却消融于他所创造的空间与气氛的幻觉之中。这是荆浩与郭熙在其山水画论中所描写的理想样貌，与书法艺术的每一种理念都成反例。从技术上来说，在中国，从晚唐到11世纪末，书画之间并无关联；绘画是以拟真为目标的独立艺术，书法却以书写表现和书写形式的一种个人模式演进。

图 4
巨然
层岩丛树
台北故宫博物院

图5　郭熙　早春图

郭熙的山水画论及其现存之作代表中国拟真山水画最前沿的发展。他告诉我们：画中每个细节须根植于对自然直接的观察与研究，细节必须为创造一个传达自然真正及完整真实的山水画服务。尽管郭熙个人的母题及其所掌握的系统性的大气透视法似乎紧随着上述做法，但《早春图》【图5】中的十字形构图却如三角形或圆形般人工化，而且此一构图之选用似乎使郭熙得以用上他本人画论所描写的三种透视类型——高远、深远及平远，并传递出他所赋予《早春图》山水再现的象征功能，该画视觉结构呼应着传统中国社会、政治结构的象征功能。

这件立轴【图6】是一位罕为人知的艺术家唯一留存的作品，保留了许多近似于许道宁【图7】与郭熙（见图5）作品中的元素，并且也无疑地保留了这三位画家的共同来源——李成风格；然而，除此之外，这件作品达到一种安静反省与冥思的独特气质，似乎预示着南宋院画的基本特质。作品中有着静止却又带着活力的空气，空寂之感由一种大气透视的微妙手法与结合平远、深远结构类似于《早春图》（见图5）左半边的透视形式所获致。此结构将我们的目光深深地吸引入画家所创造的空间之窗中，产生的效果透过两点设计强调出来：前景中停泊岸边的无人小舟，以及一位形单影只的男性人物，他坐于溪旁的平坦沙嘴之地上，已进入逐渐上升的谷地中。这幅画似乎是王维（701—761）著名对句的视觉化：行到水穷处，坐看云起时。

图6　李公年山水图

这种无尽空间、迷雾与气氛的幻觉基本上是一个空无的意象，为

图 7　许道宁　秋江渔艇　局部

宋代拟真实验与自然主义式幻觉的终极成就。不管采取任何形式，此幻觉效果的表现一直持续到公元 1279 年宋朝覆亡之时。宋代以后的中国画家们，并未试图以拟真的方式创造王维诗句及李公年画中所示不停流动与神秘存在的无穷世界中的幻觉效果。宋代拟真山水画的实验终结于宋朝，比以不同方式开始探究拟真山水概念的欧洲画家早了两个世纪之久。然而，除了有时对花鸟的复制外，较早时期直接复制自然的实验似乎在 12 世纪初期结束。李公年《山水图》中个别的母题，基本上是早期大师李成、许道宁和郭熙等熟悉母题的模仿。

王明玉　译　王正华　校

译者单位：台湾师范大学艺术史研究所

校阅者单位：普林斯顿大学艺术与考古系

译自 “The Song Experiment with Mimesis,” in Jerome Silbergeld, Dora C. Y. Ching, Judith G. Smith and Alfreda Murck, eds., *Bridges to Heaven: Essays in East Asian Art in Honor of Professor Wen C. Fong*, (Princeton, N. J. : Princeton University Press, 2011) , vol. 1, pp. 115-140 .

注　释

〔1〕J. J. Pollitt, *The Art of Ancient Greece: Sources and Documents*（Cambridge: Cambridge University Press, 1990）, p. 150.

〔2〕根据黄休复《益州名画录》、郭若虚《图画见闻志》中所述，参见我所撰写的黄筌传记，Herbert Franke, ed., *Sung Biographies: Painters*（Wiesbaden: Franz Steiner Verlag GMBH, 1976）, pp. 50-55.

〔3〕Diana Buitron-Oliver, *The Greek Miracle: Classical Sculpture from the Dawn of Democracy: The Fifth Century B. C.*（Washington, D. C.: National Gallery of Art, 1992）. 此项将希腊艺术与民主相提而论的研究，受到 Philip Morris Companies Inc. 的资助。

〔4〕米芾，《画史》，收录于《美术丛刊》，第一辑（台北：中华丛书委员会，1956），页 103。

〔5〕韩拙，《山水纯全集》，收录于《美术丛刊》，第一辑，页 143。亦见于 Robert Maeda, *Two Twelfth Century Texts on Chinese Painting*（Ann Arbor: University of Michigan, Center For Chinese Studies, 1970）, p. 39.

〔6〕沈括，《梦溪笔谈》，采用的译本见于 Richard Barnhart, "Marriage of the Lord of the River: A Lost Landscape by Tung Yuan," in *Artibus Asiae*, Supplementum 27（Ascona, Switzerland: Artibus Asiae, 1970）, p. 25.

〔7〕刘道醇，《圣朝名画评》，译本见于 Charles Lachman, *Evaluations of Sung Dynasty Painters of Renown*（Leiden: E. J. Brill, 1989）, p. 57.

〔8〕据董逌所言，见 Susan Bush, *The Chinese Literati on Painting: Su Shih (1037-1101) to Tung Ch'i-ch'ang (1555-1636)*（MA: Harvard University Press, 1985）, p. 216.

〔9〕Kathlyn Liscomb, *Learning from Mount Hua: A Chinese Physician's Illustrated Travel Record and Painting Theory*（Cambridge: Cambridge University Press, 1993）, pp. 67-69. 这段引文在下文中将再次讨论。

〔10〕Alexander C. Soper, trans. and annot., *Kuo Jo-Hsü's Experience in Painting*（《图画见闻志》）: *An Eleventh Century History of Chinese Painting, together with the Chinese Text in Facsimile*（Washington, D.C.: American Council of Learned Societies, 1951）, pp. 21-22.

〔11〕Kathlyn Liscomb 关于王履的研究，对于相关议题的某些部分有思虑甚详的审视。Kathlyn Liscomb, *Learning from Mount Hua: A Chinese Physician's Illustrated Travel Record and Painting Theory.*

〔12〕Michael Sullivan, *The Meeting of Eastern and Western Art*（Berkeley: University of California Press, 1989）, p. 41; James Cahill, *The Compelling Image: Nature and Style in Seventeenth-Century Chinese Painting*（Cambridge, MA: Harvard University Press, 1982）, p. 35.

〔13〕张彦远，《历代名画记》，译文引自 W. R. B. Acker, *Some T'ang and Pre-T'ang Texts on Chinese Painting*（Leiden: E. J. Brill, 1954）, p. 156.

〔14〕我对《笔法记》的讨论基于俞剑华所编的中文版本，见俞剑华编，《中国画论类编》，第一册（香港：中华书局，1973），页 605—609。另外也借鉴了宗像清彦的译注本，Kiyohiko Munakata, *Ching Hao's Pi-fa-chi: A Note on the Art of Brush*（Ascona, Switzerland: Artibus Asiae, 1974）.

〔15〕我此处征引的中文文本见俞剑华编，《中国画论类编》，页 631—650，亦参考了 Sakanishi 的英

译，见 S. Sakanishi, *An Essay on Landscape Painting: Kuo Hsi*（Frome and London: Butler and Tanner, 1935）. 中文段落引述自俞剑华，《中国画论类编》，页 632。译文改写自 S. Sakanishi, *An Essay on Landscape Painting: Kuo Hsi*, p. 34.

〔16〕郭熙，《林泉高致》（也称作《林泉高致集》），收录于俞剑华编，《中国画论类编》，页 634。译文改写自 S. Sakanishi, *An Essay on Landscape Painting: Kuo Hsi*, p. 38.

〔17〕见《宣和画谱》，译本出自 Kathlyn Liscomb, *Learning from Mount Hua: A Chinese Physician's Illustrated Travel Record and Painting Theory*, pp. 68-69.

〔18〕郭若虚，《图画见闻志》，译文改写自 Alexander C. Soper, trans. and annot., *Kuo Jo-Hsü's Experience in Painting*（《郭若虚的〈图画见闻志〉》）: *An Eleventh Century History of Chinese Painting, together with the Chinese Text in Facsimile*, p. 60.

〔19〕Susan Bush, *The Chinese Literati on Painting: Su Shih(1037-1101) to Tung Ch'i-ch'ang(1555-1636)*, p. 58. 关于燕肃艺术较为完整的讨论，见这段译文（稍加修改）及此书中其他段落。

〔20〕Authur Waley, *An Introduction to the Study of Chinese Painting*（Repr., New York: Grove Press, 1958）, pp. 179-180.

〔21〕郭若虚，《图画见闻志》，译文改写自 Alexander C. Soper, trans. and annot., *Kuo Jo-Hsü's Experience in Painting*: *An Eleventh Century History of Chinese Painting, together with the Chinese Text in Facsimile*, pp. 64-65.

〔22〕我是在 Arthur Danto 发表于 2006 年 1 月 23 日《国家》（National Journal）杂志上的回顾文章中，找到德 · 库宁的言论。

〔23〕郭熙，《林泉高致》（也称作《林泉高致集》），收录于俞剑华编，《中国画论类编》，页 643；S. Sakanishi, *An Essay on Landscape Painting: Kuo Hsi*, p. 62.

〔24〕文本与翻译见 Susan Bush and Hsio-yen Shih, eds., *Early Chinese Texts on Painting*（Cambridge, MA: Harvard University Press, 1985）, p. 224.

〔25〕Susan Bush and Hsio-yen Shih, eds., *Early Chinese Texts on Painting*（Cambridge, MA: Harvard University Press, 1985）, p. 112.

〔26〕Wen C. Fong, *Beyond Representation: Chinese Painting and Calligraphy, 8th-14th Century*（New York: The Metropolitan Museum of Art; New Haven: Yale University Press, 1992）, p. 481.

〔27〕Kathlyn Liscomb, *Learning from Mount Hua: A Chinese Physician's Illustrated Travel Record and Painting Theory.* 我想特别感谢高居翰对 10 世纪山水画重要特征发人省思的观点，见 James Cahill, "Some Aspects of Tenth-Century Painting as Seen in Three Recently Published Works," in *Proceedings of the International Conference on Sinology, Section of History of Art*（Taipei: Academia Sinica, 1981）, pp. 1-36. 高居翰对早期宋画的理解与我不同，但他对此时期艺术独特的系统性探究，本身就是一种杰出的努力，有助于我们理解此一颇具争议性且困难重重的时期。

20世纪对宋代绘画的再造
——来自美国博物馆的三个案例

虽说“纸寿千年，绢寿八百”，其实宋画之所以能够保存至今，完全是后世不断地修补、重装和小心珍藏的结果。17世纪的鉴藏家顾复在他的《平生壮观》（成书时间不详，抄本卷首有作于1672年的序一篇），吴其贞在他的《书画记》（成书于康熙十六年前后）中，各自记录了许多宋画残毁的状况，并常常为它们“画神”已失而深感惋惜。有时他们还会记录下自己对宋画的修补和描润。[1]到了20世纪初，大量中国古代书画流入美国博物馆的时候，它们的保存状况比17世纪时又进一步恶化了很多。许多破损严重的宋画上层层叠叠地布满了缺口、补丁、补缀之后的补画以及描润，这些添补和修描在很大程度上改变了画的原始面貌，让我们不能不去考虑这些破损和修复给我们对宋画的整体认识带来了多大的影响。了解古文书学（paleography）的学者马上就会发现，这种情况和古希腊以及中世纪重复利用莎草纸和羊皮纸的重写本（palimpsest）有不少相似处。近年来，学者开始关注传统和现代的收藏与修复的情况和影响，并出版了不少成果。然而，每一幅画都是一个独一无二的存在，要求具体而不是笼统的分析，在所有收藏宋画的博物馆都对自己藏品的详细破损和修复信息进行统计并公布出来之前，我们的研究只能在混沌中摸索着进行。有鉴于此，这篇论文只能算是一个最初步的成果，如果有人批评它粗浅，我将完全赞同，只期望它能够引起更多学者对古代绘画在几个世纪以来修复历程的关注，并和我一起把这项研究推进下去。

《辰星图》【图1】是一幅精美的立轴，由William Sturgis Bigelow于19世纪末购于日本，1911年入藏波士顿美术馆。这幅画具有相当的

图 1　**南宋无款　辰星图**　一猴陪侍，波士顿美术馆藏品第 11.6121 号，William Sturgis Bigelow 旧藏　图片取自 *Portfolio of Chinese Paintings, Han to Sung*（Boston: Museum of Fine Arts, 1933），图版第 126

图 2　同图 1，图片取自吴同，*Masterpieces of Chinese Painting from the Museum of Fine Arts, Boston*（Boston and Tokyo, 1996），图版第 74

代表性，有助于我们了解一个世纪前宋画普遍的破损状况：在波士顿美术馆 1933 年出版的图录《中国绘画选：汉到宋》（*Portfolio of Chinese Paintings, Han to Sung*）中，我们可以看到在 Bigelow 获得这幅画的时候，它已经破损得相当严重了。而在喜龙仁于 1928 年在巴黎出版的《美藏中国绘画》（*Chinese Paintings in American Collections*）中，我们可以看到许多古代中国的绘画在 1900 年前后都处于程度相似的敝旧和危脆之中。经过彻底的重装和修复，现在的《辰星图》【图 2】看起来已比一个世纪前大为美观。

修复这样一幅古画所需的技艺和传统的工序现在已广为人知，最近，台北故宫博物院的几位专业人员又合作编写了一部信息量丰富、图释细致的关于修复和装裱古书画的专著。[2] 然而，这些专著对修复和重装工作有时给古代绘画带来的巨大改变却往往语焉不详。近年来，徐小虎（Joan Stanley-Baker）发表了许多卓有价值的关于古代绘画在传世的过程中被层层修复和反复装裱的论文，比如对郭熙的《早春图》这样的传世名作进行的个案研究，多少填补了这一领域的空白。但是，她的研究仅仅依靠相当主观的视觉分析，因而很难用作可靠的标准件。[3] 和她一样，我也不了解 X 射线、红外线、显微摄影、化学分析以及其他的实验室分析手段在将来能为我们揭示出多少新的信息，不过在这里，我希望能引起大家对旧照片和早期复制品的注意：在我看来，虽然拍摄和印刷的过程中都存在着很多产生差异的因素，导致同一幅画看起来有所不同，但它们依然能够提供客观可信的证据，反映古代绘画在最近的几次修复和重装之前的原始样貌。和原作相比，这些早期的复制品和照片都是容易找到的寻常资料，却未得到广泛的重视，也没有被充分利用。我将通过下面的三个案例，对此做具体的探讨。

《渔庄雨霁》

收藏于波士顿美术馆的《渔庄雨霁》是一幅无款绢本水墨淡彩山水，现在被装裱成纵 144.3 厘米、横 101.2 厘米的巨大立轴【图 3】。这里我援用的“淡彩”一词，指涉其实相当模糊：最初许多宋代山水画的敷彩比我们现在看到的要深浓得多，只是随着时间的涤荡，它们的大部分颜色已经褪去。这幅画的主体十分简单，是典型的夏圭风格：渔父扛着一根钓竿，穿过一小丛树林走向画面右侧的小屋，身后的渔船和渔网靠在河岸边。天色已晚，或是一场小雨初霁，中景清浅的小河曲折向左向右，直到隐入高耸云天的后景群山。山在后景不做皴擦，只晕染出山顶的剪影。这样一种略带萧瑟，通过天晚、人归、暝色四合、烟水弥漫、暮气氤氲传达出的意境，在夏圭的画里屡见不鲜，仿佛是他对自己身处的历史和环境的写照。画旨所归，以及寓于清简的构图都和有夏圭款的团扇、册页无甚差别，表明画家和他作坊里的助手们是依据一些变化灵活、广泛适用的模板，系统地分工完成的。印第安纳波利斯美术馆（Indianapolis Art Museum）收藏的一件夏圭款的册页表现的正是同样的主题，并保存着靛蓝晕染出的落日余晖【图 4】,《渔庄雨霁》很可能原

图 3 （传）**夏圭　渔庄雨霁**　波士顿美术馆中国与日本特藏第 14.54 号

来也有同样的余晖。

虽然此画现在是一立轴，之前却很可能是我们在宋画中常能见到的屏风。屏风长期暴露在家居环境中，容易沾染油烟、灰尘、茶渍、

图4　**夏圭　渔归图**　印第安纳波利斯美术馆　Eli Lilly 旧藏

图5　图3局部

酒渍、蚊蝇、霉菌等污染物，而之后的改装又带来新的、更加明显的损伤，所以画面上多处修补的痕迹在印制精细的复制品上都清晰可辨。从图片下方的细节图【图5】，我们注意到旧绢的破洞用较新的绢填补了，上面又用深于原画的墨进行了补笔，最为明显的是画面最前方的那棵树的树根部分，以及最右边的那棵树的树枝。除此之外，这棵树的树干部分被人重重地补了几笔，左侧密匝匝彼此交叠的树梢也有补绢和修描的痕迹。整体而言，所有的这些修补对于保存一幅画而言或许必要。对原本的画风和意境最严重的破坏来自于对原有墨色的改变，亦即用淡墨来连接断裂的边缘，和将填补破洞的新绢染成与画面统一的旧色。这样就破坏了和夏圭相关的画作中最为突出的、精妙的淡墨和虚实相生的空间布置。

在检查了凡此种种的细节之后，原作笔墨的妙处就显现出来了：粗壮的树干和树枝、渔人以及小舍，寥寥数笔，妙趣天成。未被修描的那部分树叶层次分明，繁而不乱。它们与夏圭最好的几件有款的、尺寸较小的存世作品（如同样收藏于波士顿美术馆，最近将在上海博物馆展出的扇面[4]）如出一辙。然而远山就没有它们这么幸运了，吴同曾这样描述修复造成的问题：

> 大约是出于修复者的误解，中景中央的巨大山峰和远景两个山头的空间关系显得模糊不清。中景山的墨色本应深于远景，可是修复者却不加区分地加了一层平均的淡墨，导致前后山的浓淡对比大大削弱。不仅如此，中景山的左下方也是被画蛇添足地描宽，才成了今天这般别扭的形状。[5]

吴同的观察可以得到1914年、也就是这幅画刚刚入藏波士顿美术馆时所拍摄的照片的有力支持【图6】。玻璃底片现在虽然已经有了比较严重的狐斑，可是我们仍然可以看到远山是浅浅的淡墨一抹，而包括近景在内的其他部位的墨色，也没有像现在这样厚重。由于直到1933年波士顿美术馆出版《中国绘画选：汉到宋》（*Portfolio of Chinese Paintings, Han to Sung*）时，这幅画尚不失旧观（见该书图版第87，【图7】即从该图复制），可知现在看到的种种改动发生在1933年以后。

如此古老又如此精美的绘画，居然没有一方收藏印来为我们提供更多的信息，显然是四边都经过了裁切的结果。而且由于裁掉的幅面十分

图 6　拍摄于 1914 年的**渔庄雨霁**（承蒙波士顿美术馆的盛昊先生惠示，谨此致谢）

可观，恐怕曾经的破损程度要大大超过我们之前的想象。可以支持这一推测的是，画面左边有很大一块是补缀上去的新绢，上面的内容也是后来添加的，或者至少是补画的，包括渔网、船、河岸的轮廓，还有右下角沿河岸的几丛竹子或者芦苇。和右侧夏圭清晰有力的笔触相比，它们显得如此犹豫不决和缺乏自信。

图 7　**渔庄雨霁**　取自 *Portfolio of Chinese Paintings in the Museum, Han to Sung*（1933），图版第 87

那么未经改装、保留着原始形式的屏风画应该是怎样的面貌呢？我们可以看一下同样收藏在波士顿美术馆的室町时代的画家藏三在涂金唐纸上绘制的十二扇“潇湘八景”屏风【图 8、9】。其中的第七和第八扇的构图与《渔庄雨霁》是如此相似，让我们不由怀疑夏圭画的是否正是“潇湘八景”中的“渔村夕照”。《渔庄雨霁》是否也是表现“潇湘八景”的一套屏风画中的一扇呢？虽然不能确知，可是根据上述对它的原始形制以及改装、修复过程的探讨，我愿意相信有这样的可能性。

图 8　藏三（室町时代，16 世纪早期）**潇湘八景**　立式屏风中的一扇　Fenolossa-Weld 旧藏　编号 11.4149.50　图片取自 *Exhibition of Japanese Paintings from the Collection of the Museum of Fine Arts, Boston*（Tokyo national Museum, 1983），图版第 37

图 9　图 8 局部

《深谷惊涛》

我的第二个例子是收藏在弗利尔美术馆的一幅巨大的立轴，描绘的是深谷间流出的一段激流【图 10】。这幅画的原名已经失传，不过上海博物馆有一幅归于郭熙名下的《幽谷春归》，它的题目要是用在这里，倒也十分贴切。现在的名字“深谷惊涛（Rapids in a Mountain Ravine）”，是根据内容起的。当这幅画 1911 年入藏弗利尔的时候，曾经摄有照片，可是显然底片已经丢失了。现存最早的图片见于喜龙仁出版于 1928 年的《美藏中国绘画》【图 11】。照片上我们可以看到画幅左侧齐边有两个上下排列的名款，在上是夏圭的字“禹玉”，在下的是“马远制”三字，此外，还有一方难以辨识的印章。从现代的眼光看来，这两个名款显然都不真。上面的夏圭款现在已经无迹可寻，不过，我们其实没有证据证明马远和夏圭从来没有过合作。凑巧的是，这幅画的上半幅确实是夏圭的画风，下半幅则是马远的风格，其画面构成相当不寻常。

画面上布满了裂口和破洞，可以看出从另一个形制（之前也很可能是一扇屏风或者是一套屏风中的局部）改装过来时造成的损伤。同时，它是由三段大小不等的绢从上至下拼合而成的，最下面的一段尺幅最窄。我从未见过这种奇怪的三段纵向结构，只能把它归于原初形制为满足建筑框架和功能的需要。无论如何，经过补洞、补画，以及遮掩补丁和原绢的搭缝而进行的润饰之后，焕然一新的画面同时也不复旧观了。在 1928 年，它虽然残破，可是宋人绘制和使用的痕迹犹存，经过大动手脚的修复，就不可追寻了。渐行渐远渐浅的远山在 1928 年时和波士顿藏的《渔庄雨霁》在“重装”前一样，尚未经过缺乏古意的现代手笔的过度描绘：旧绢虽然残破，上面纯然还是宋人未被篡改的笔墨。修复人员在破损画面的许多区域平添了一层淡墨，不仅弱化了原作峭利的浓淡和明暗对比，还将原本若即若离的天、水、山、岸、树牵强地攒聚在了一起。

将现代的修复结果与早期的破损情况进行仔细地比较之后，就会发现许多被改动的地方，而它们其实都应归咎于同一个问题：夏圭的名款之所以消失，和上面提到的疏淡变成拥挤的原因一样，是因为修复人员添加的这一层大而化之的淡墨将它覆盖掉了。修复后旧貌焕然一新，却失落了太多原作的清新和生动，以及宋画之所以是宋画的典型特征，这

图 10 **马远、夏圭双款 深谷惊涛图** 弗利尔美术馆 藏品号 F1911.254 感谢 Smithsonian 学会：弗利尔美术馆及沙可乐美术馆

图 11　**深谷惊涛图**　取自喜龙仁 *Chinese Paintings in American Collections*（Paris, 1928）图版第 137

究竟是修容还是毁容？在旧画绢面破损和颜料脱落的地方，以及缀连、补葺的合缝处整片整片地刷上一层淡墨，虽然能使画面新旧过渡自然，有一个整体统一的效果，然而，不论这层墨施得多么轻盈浅淡，总难免对原作有所损害，和《渔庄雨霁》一样，经过修复的画都反而比破损时距离原作更遥远了。

我们今天能在观察和想象中剥离掉的这些破坏性的修复措施很可能只是几个世纪以来的冰山一角，传世至今的古代绘画上究竟层层叠加了多少后人的笔墨，我们永远无法确知。此外，还有一个无法回答的问题是，如果没有这些修复，这些古代绘画还能否保存到现在呢？

《溪岸图》

围绕着带有“后苑副使臣董元（源）画”款的《溪岸图》的争议至今未休：“后苑副使”究竟是作者董源的官衔，还是将这幅画进呈御览的官员？这幅画的时间究竟是五代，还是现代？作者是董源还是张大千？是真迹还是伪品？不过，就我所知，似乎还没有学者对它在现代的重装和修复的历史进行过具体深入的分析。何慕文曾对这幅画的形制做过仔细的检查，并辨识出许多至晚在14世纪就已经破损、补缀和补画的区域，而我下面所要稽考的则是它最近的历史。[6] 看到《溪岸图》并对它进行研究，算来已近五十年了，从我自己早年的记录和它早年的照片出发，讨论它在这五十年间的变化，应该是一个新的角度。

初见《溪岸图》是在1963—1967年间，我那时还在普林斯顿念研究生。当时，我和其他几位讨论班的同学一起跟随方闻教授在王季迁家看到的《溪岸图》，和今天有很大的不同。我曾在1970年出版的《〈河伯娶亲〉：董源一幅佚失的山水画》中对它当时的样貌做过描述，这部分内容我主要是在1968年的夏天写成的：

> 《溪岸图》……现在已十分残破，画面暗淡失色，还有的局部已完全失落了。只能在几英寸的距离之内，非常努力地辨识，才能看出画上的内容。绢面的磨损如此严重，以至于完全无法把握皴擦的笔触和用墨的层次。……也许通过对细节进行红外摄影有助于我们一窥云遮雾绕的《溪岸图》真颜。[7]

图 12
董源
溪岸图
大都会博物馆藏
照片摄于 1960 年代

有一张差不多摄于同时的《溪岸图》全幅照片【图 12】保留到现在，能清楚地反映当时它的状况：和波士顿美术馆藏的《辰星图》一样，数条纵向的纹痕从天头贯到地脚，居中的一道正是两幅绢的拼接处，另外还有两道原来可能只是折痕，后来沿着它们就有了撕扯和断裂的痕迹了。画面顶端的中间有很大的一片区域绢色明显浅于它的四周。我们还可以看到，前一次对左右两幅绢的拼合工作从中点以下就完成得不太理想，尤其在从下往上的五分之一处，水和中间的第一组山岩的底部交接的地方。从这一点向上延伸，有一条淡白色的直线（应为折痕或裂痕）。如果我们沿着它仔细观察，就会发现更多不贴合的地方。这些状况有的在另一张摄于同时的局部照片中还有更为清晰的反映【图 13】。这两幅旧照片是《溪岸图》在 1960 年代残破状况的最好证明。

回到当时，在 1960 年代中晚期，在如此暗淡和破损的状况下，虽

图13 **溪岸图** 局部 与图12摄于同时

然很多的笔触几乎已无法辨认，剩余的部分仍足以表明这幅画是一幅古代的杰作。事实上，它一直带着一层陈旧发灰的调子，就和其他年代如此久远的画一样。无论如何，当我数年后再次见到这幅画的时候，却差点认不出它来。摄于1970年代中期但具体时间不可考的一张照片【图14、15】显示了长期旅居国外已使这幅画气象不同，如果将它和前两张照片进行比对，还能看出期间的修复给它的表面和形态带来的改变。这些改变微妙但却重大，创造了一个面目不同的新形象。当我向王季迁表示自己为这幅画经过了太多的修补、装裱和过度的描润而感到吃惊之后，他有一些悻悻地回答"只是在几个地方上了些淡墨而已"。然而对我来说，和从前的状况相比，它简直是一幅新画：显然不只是被彻底地清洗过并将原来的画心和裱边分别加固翻新，而是通过大量的补笔把绢面上的裂隙和破洞一一遮盖掉了。我觉得画面的绝大部分区域都被刻意地染了一层淡墨，进行了系统的填补，所以和我记忆中那个暗淡的影子总是无法重合。

我不知道修复《溪岸图》的究竟是谁，不过高居翰关于他自己和其他人对古代绘画"所动的手脚"的有趣回忆录为我们提供了大致的线索。高居翰个人网页上的这些文章提到了一位香港的装裱师经常受雇为侯时塔（Walter Hochstadter）裱画，他的技术可以满足侯对古画的任何要求。1970年前后，王季迁曾告诉我他把这幅画带到香港去重装了，所以我相信他也雇用了这位装裱师。正如高居翰在回忆录中提到的，王季迁总是忍不住想在自己收藏的古代绘画上做一些改动，有的时候是移动一方印章或者一个名款，有的时候甚至还要在这里和那里补上几笔。尽管他自己总是矢口否认，并把这些推到之前曾指控他欺诈的其他收藏家身上（比如侯时塔）。1970年代《溪岸图》还曾在日本装裱师目黑三次的工作室中逗留过几个月，毫无疑问，一张面目颇不相同的画最终取代了1960年代那张破损严重的画。关于目黑的技艺，高居翰是这样描述的：

> 他能够像变魔术一样对一幅画按照你的要求随意增减，可以让任何一方印章或者一段题跋出现或者消失，凡此种种，不一而足。[7]

究竟装裱师们对《溪岸图》做了怎样的处理，我们现在只能从它在

图 14
董源
溪岸图
大都会博物馆藏
照片摄于 1970 年代
作者收藏

图 15 **溪岸图** 局部 摄于 1970 年代

1970 年代回到纽约之后拍摄的照片来了解了。图 14（很可能也是图 12、13 和 15）的摄影师是奥托·尼尔森，在这段时间他拍摄了王季迁大部分的藏画。从这张照片我们可以看到，原先拼合得不甚理想的两幅绢的边缘被重新处理得妥帖了，同时通过与之前照片的细节比对，我们可以看到细微的笔墨将画面整个地匀了一遍，原先不太均匀，有时中断的轮廓线也被修匀了，使得山峦和岩石的形状都有所改变。画面顶端靠右的远树和它们的树叶被描得清晰——而这正是一个能够说明过度描润会带来怎样后果的好例子：原作暗化、淡化于若隐若现、若明若晦间的远景被明朗化。沿着这儿往下看，还会找到更多修描的痕迹。修复和重装对《溪岸图》最根本的改动在如下两个方面：其一，绢面被清洗和提亮，画心被托厚了。其二，原来的笔墨被加深和强化了。这些处理可能是在相当长的一段时间内，由不止一位修复专家，逐渐完成的，所以一旦完成，就不可能再回到从前。当1997年《溪岸图》在大都会博物馆展出并再次拍照，它已经是现在的面貌了【图16】，我们可以就以此为起点，反观它曾经的样子。

众所周知，王季迁喜爱《溪岸图》犹如骨肉，并把它看成中国的《蒙娜丽莎》，这些曾在1997年5月19日《纽约时报》的头版被报道过。不过奇怪的是，他对这幅画的喜爱似乎是随着它越来越干净、清晰而与日俱增的。在唐骝千先生公开允诺将《溪岸图》赠予大都会博物馆之前，王季迁在自己所有的藏品中最爱的似乎是另一幅宋代的山水立轴《湖山清晓》【图17】，它的作者归属在董源的两位后继者僧巨然和刘道士之间摇摆。这幅有着卡通画一般构图的作品（仿佛迪士尼公司出品的北宋山水风光片）最早的照片见于陈维略1955年由香港统营公司出版的《中国画坛的南宗三祖》一书的第六幅图版，以及谢稚柳1957年出版的《唐五代宋元名迹》一书的图版五。在这两张图片上，右下角的"巨然"款尚在，可是当1960年代中期王季迁向我展示这幅画的时候，不但这个"巨然"款消失了，而且画面已经变得又明亮又鲜艳。这幅画究竟是什么时候的作品呢？大家的看法莫衷一是，可是无论如何它不像10世纪的作品。在王季迁手上的《溪岸图》也有了步《湖山清晓》后尘的倾向，当后者在1957到1970年间从晦暗的巨然摇身变成明媚的刘道士，《溪岸图》也在同时迈出了它在现代蜕变中的重要一步。

但是，所有现代的人们所做的"改进"最终都未曾严重地损害《溪岸图》最根本的历史身份。许多年前，罗樾曾对《溪岸图》历史地位做过精彩的分析，至今仍然没有人能够超越：

> 王季迁收藏的《溪岸图》是一幅巨大的色调灰暗的立轴，如果没有那个可能是董源的名款，它很可能被当作10世纪无名画家的作品。它与之前我们讨论的辽宁博物馆、故宫博物院以及上海博物馆收藏的同样表现河景的手卷几乎没有相似的地方。虽然已经十

图16 **溪岸图** 局部，1997年摄于大都会博物馆，王季迁旧藏。《溪岸图》现为唐骝千所有，为纪念Douglas Dillon，将捐赠给大都会博物馆，1997（L1997.24.1）

图 17
（传）刘道士
湖山清晓
王季迁家藏
图片取自谢稚柳
《唐五代宋元名迹》
（上海，1957），图版五

分残破，以至于许多部分都无法清晰辨认，但它具有的超越性特质却可以和我在以下所要讨论的那些杰作进行比较。通过水墨和淡彩，它表现了一片宽阔的水域和两山的峭壁之间曲折延伸的山谷。两边的山崖并不嶙峋，轮廓有些暧昧不明，中分处更像是土质山体被河流冲刷侵蚀后的结果。山坡上分布着一些疏疏落落的松树和杉树，越到远处就越小越模糊。山谷中长着高大的落叶树，枝叶在大风中摇摆，水波也随风漾动。水边的山石半掩着一座院落和一个水阁。整幅画没有使用任何一种、如可能会令人想起荆浩及其追随者的皴法。画面的设计充满了动感，在空间的安排上我们会发现主角并不是山峦，而是它们之间峡谷一样的空隙。这种开放和动态的组合与荆浩、关仝、范宽、李成的作品中那些庄严肃立的主峰完全不同。这幅画还保留了许多古老的风格特征：强烈地向一边倾斜的地平面，在敦煌壁画中常见的阶梯状排列的树丛（这种设计最早见于6世纪，并一直持续到10世纪），地面的巨大裂隙（这让人想到波士顿美术馆收藏的10世纪中期的《法华经变》细部的山水），还有谢稚柳曾讨论过的唐代常见的网纹水波……

　　无论如何，如果我们暂且接受《溪岸图》是董源的真迹，它无疑比其他几幅归于他名下的作品更容易让他在10世纪找到归属感。[8]

在经过了所有的那些围绕《溪岸图》的争议之后，罗樾的评价依然显得恰如其分和有效。作为公元900年前后中国最早的、同时也是最野心勃勃的对描绘全景山水的尝试，后人的修复和描润虽然多少改变了它的面貌，却无法对它的历史地位产生多大的影响。

不过需要补充的是，从许多角度看，《溪岸图》都不是一幅完全成功的作品，如果我们把它与更晚的宋画传统相联系进行评估，还会发现一些反潮流的地方。和在它之后典型化的范宽和郭熙一峰挺秀式构图相比，它的构图不规范、不协调，甚至不完整。将之置于那些成熟的宋代山水画的背景下来观察，尽管这张画不平衡、左支右离和不成功，它却是仅有的一张很可能与董源相关，接近《宣和画谱》和米芾《画史》中对董源风格的所有描述的画作。这两本宋代的文献都强调董源的画中夸张的高山深谷，米芾还曾说过董源“峰顶不工”，而《溪岸图》恰恰没有画峰顶，完全与来自著名鉴赏家的早期批评相吻合。[9]《溪岸图》的存在也比任何言语更能说明郭若虚所谓的董源是如何“水墨类王维”和“着色如李思训”的。不过，它没有像著名的三个手卷《夏景山口待渡图》《潇湘图》和《夏山图》，以及日本兵库县黑川文学院收藏的《寒林重汀图》那样，反映董源最成熟的风格和最为后人所称道的“平淡天真，一片江南”。相反地，在这些后期的作品中，董源似乎已经完全放弃了显然属于他个人早期风格的“崭绝峥嵘”的“重峦绝壁”。[10]然而，从严格的历史的角度来看，《溪岸图》是所有归属于董源的作品中唯一一件从10世纪流传至今的实物，它和仍被争议的一小拨10世纪的作品共同发出了中国山水画从唐代的旧传统向将要蓬勃展开的、全新的巨幅山水的时代迈进的先声。这个新时代的代表画家随着董源接踵而至，他们是巨然、李成、范宽、燕文贵、许道宁，还有郭熙。《溪岸图》被这个迅速地改变着的时代推开了，如果我们以后来形成的经典标准来衡量它的话，它也许是一个失败的作品，然而毕竟是它揭开了这个时代的序幕。我们其实也不能说它没有预流，后来的收藏家和装裱师们难道不是一直在随着自己的心意改变着它的样貌吗?

*

正如我一开始就说明的，这些个案分析其实只是对一个非常大、同时很少有研究者涉及的问题做的初步研究。我也许犯了许多错误，也一定会有失察和判断错误的地方。可是，我希望能够通过这样的努力来推动对宋代绘画的实物形态做进一步更科学的研究，并希望所有的收藏机构和研究所都来参与这样的研究。这一定会对我们历史地认识这些伟大的艺术作品有切实的帮助。

华蕾　译　白谦慎　校
译者单位：复旦大学
原文收录于《翰墨荟萃：细读美国藏中国五代宋元书画珍品》
(北京大学出版社，2012)，有修订。

注　释

〔1〕见顾复《平生壮观》卷7及吴其贞《书画记》卷3第433条“僧巨然萧翼赚兰亭图小绢画一

幅"。二书影印本分别收入《续修四库全书》子部第1065册、第1066册。虽然吴其贞在陈以谓处看到这幅画的时候，它已经"剥落之甚"，吴甚至预言它"未必久存于世"，然而现在这幅画依然完好地保存在台北故宫博物院中。

译者注：《平生壮观》存世仅一清抄本，今藏浙江省图书馆，《续修四库全书》影印的底本即此，避讳至"禛"字及偏旁，不避"宁"字，当是嘉庆间的抄本。《书画记》曾收入《四库全书》，后被撤，后在故宫博物院发现一四库抄本，《续修四库全书》影印底本即此，详见邵彦点校本卷首说明，收入《新世纪万有文库》(辽宁教育出版社，2000年第1版)。

〔2〕刘芳如等，《书画装池之美》，台北故宫博物院，2009。

〔3〕如徐小虎，"The Problem of Retouching in Ancient Chinese Paintings or Trying to See Through the Centuries," *Artibus Asiae*, LI, nos. 3-4, pp. 257-274.

〔4〕上海博物馆，"美国藏中国古代书画珍品展"，展品第20号，2012年11月2日至2013年1月3日。

〔5〕吴同，*Tales from the Land of Dragons: 1000 Years of Chinese Painting* (Boston: Museum of Fine Arts, 1997), p. 179.

〔6〕见何慕文，"附录—《溪岸图》的实物与文献证据"，收入何慕文与方闻合编的 *Along the Riverbank: Chinese Paintings from the C. C. Wang Family Collection* (New York: The Metropolitan Museum of Art, 1999)(《溪岸漫步：王季迁家藏中国画选》)，第156—161页。文中何氏从相当广泛的角度讨论了《溪岸图》的历史身份。

译注：何慕文此文有沈立中译，收入《朵云》第58集《解读〈溪岸图〉》。

〔7〕班宗华《〈河伯娶亲〉：董源一幅佚失的山水画》(*Marriage of the Lord of the River, a Lost landscape by Tung Yuan*, Ascona, *Artibus Asiae*, 1970)。

〔8〕本文所引高居翰关于有些装裱师能够对古代绘画做任何改动的评论，以及收藏家等人对古代绘画所做的种种移花接木、脱胎换骨的追忆见高居翰的个人主页 www. jamescahill.info，收在"Cahill Lectures and Papers"第36篇，以及"Responses and Reminiscences"第58条。

〔9〕罗樾《中国的伟大画家》(*The Great Painters of China*), New York: Harper and Row, 1980，第113页。

〔10〕引自俞剑华《中国画论类编》(香港，1973)第2卷，页652。

〔11〕这一点的讨论参见我的《河伯娶亲》，同注7。

从传为张训礼的《灞桥风雪图》谈金代北方山水画

本文讨论的这幅画是普林斯顿大学美术馆所藏诸多鲜为人知的中国绘画中的一件【图1】。这是一幅巨大的水墨设色绢本挂轴，纵164.3厘米，横98厘米，是普林斯顿大学1893届毕业生Dubois Schanck的遗赠（编号：y1947.77)，白雪覆盖的深山与结冰的树木，构成一幅生动的冬季景象。前景被不寻常地压缩至最底端的空旷处，一行冻僵的旅人和驴沿着小径，被隐约的山石与结冰的树林遮挡住部分，向最右侧那座斜陡的小桥曲折而行。画中巧妙构建的空间和含蓄不露的基调与12至13世纪的山水画十分契合，而将它归为张训礼旧作也别有意趣。

具体而言，这件作品强有力的构图值得将其与另两件年代相近的冬日山水作品进行比较。第一件是被董其昌（1555—1636）断为出自巨然之手而实际年代更晚、另有归属的作品【图2】。另一件被王铎（1592—1652）定为范宽所作，但也是年代更晚、出自他人的作品【图3】。在这三件作品中，旅人穿过低处的前景，向白雪覆盖的山峦蜿蜒前行，最终到达他们的目的地——远方的寺庙或是僧院。实际上，宋元时期的绘画中还存在着许多作品有类似的构图，并显示出冬日山水画的范式存在的迹象。这个主题以李成和范宽二人的山水传统风格独特地传达出来。而普林斯顿的《灞桥风雪图》的画风则益显古怪，难以捉摸。

书法家和学者张荫椿（约1877—1922年，1903年进士）在裱于卷轴右上角的题签和画上方的诗堂都写明了此画为张训礼所作。张训礼活跃于宋光宗（1190—1194年在位）年间，今天我们对他已了解甚少。虽

图 1
（传）张训礼
灞桥风雪图
普林斯顿大学美术馆

图 2
（传）巨然
雪景图
台北故宫博物院

图3 （传）范宽 雪山萧寺图 台北故宫博物院

然现在传张训礼的作品包括了几件宋代晚期的佳作，但都没有画家本人的题识，也不存在著录过的作品，因此张训礼绘画的特点仍然无从知晓。庄肃在他的《画继补遗》（1298年序）中记录了张训礼的大致生平：

> 张训礼，旧名敦礼，后避光宗讳，改名训礼。学李唐，山水、人物，恬洁滋润，时辈不及。

尽管将《灞桥风雪图》归为张训礼颇为有趣——它确实接近我自己

图4　灞桥风雪图（局部）

对此画的断代和特点分析——我们也注意到张训礼在杭州供职朝廷，并且与当地的马远、夏圭和刘松年同辈，但他的作品没有明显的南宋绘画的基调或技法和母题。我们只能在其远山隐约的斧劈皴中窥得一些李唐的痕迹，在其萧瑟的山林中觉察到范宽风格的迹象。

除了张荫椿在此画诗堂和题签的题字与印章外，画上另有其他几位收藏家的印章，包括明代三大收藏家之一的项元汴（1525—1590）：两方在右下角，一方在左侧；另有一方满清总督端方（1861—1911）和一方伍元慧的印（19世纪）。这一组16至20世纪的著名收藏家的鉴藏印表明了我们看到的这件作品应该有着相对突出的流传史。

如石慢（Peter Sturman）所指出的，类似其构图，这幅画的名字“灞桥风雪”也是一个普遍的选择，与王维和李成一派表现冬天树林的传统似有联系。短语“灞桥风雪”出自一则有名的诗话，即晚唐诗人郑綮（卒于899年）在灞桥寻觅作诗灵感的故事。当被问到最近是否有作新诗时，郑綮答说：“诗思在灞桥风雪中驴子上。此处何以得之？”郑綮时在西安做官，他认为诗来源于对生活经历和世界的情感表达，并非源自为官朝廷的职责。历史上的灞桥位于西安的东侧，是旅人离开都城

图 5 （传）李山（活跃于 1150—1200 年） 雪景图 Hobart and Edward Small Moore Memorial 收藏
Mrs. William H. Moore 捐赠 . 1952.52.25g，耶鲁大学美术馆

的必经之地。在这里，人们折柳送别去往远方为官、流放、贬黜或致仕之人。这是一处客观的物理地点，尤其在风雪交加、苦涩寒冷的季节更是人生的转折所在，而人生变幻无常、前途未卜时，更是充满伤感、黯然、迷惘。换言之，这是承载沉重情感的地方，是诗意兴起的地方。这座桥也便叫作“锁魂桥”。

在《灞桥风雪图》的前景处，一行旅人和驴子向着陡坡桥曲折而行；前方是低陷的屋舍，几人在里面瑟缩，再往前，白雪皑皑的山峰升起，高处的房舍隐约可见，陡直的小径、冰冻的溪流——整片景象笼罩在渐暗的夜光与渐沉的暮色中【图 4】。中心往右的半道上，两个瘦小的人依稀可见，他们在冰冷的悬崖下，沿着狭窄的栈道，向着远方的寺院攀行。每一处细节都暗示着我们身处在戏剧和不确定之中，“在灞桥风雪中驴子上”。画轴底端的前景被压缩至寥寥几寸，更加剧了画面的戏剧性。

图 6　**郭敏**（13 世纪）　**风雪松杉图**　景元斋旧藏，现藏地不详

图 7 （传）武元直 赤壁图 台北故宫博物院

“灞桥风雪”也可能至少是另一幅年代相近的山水画的原名，即耶鲁大学美术馆藏册页，其上有年代不详的题签将其归为金代画家李山的作品【图 5】。耶鲁的这件册页相较于普林斯顿《灞桥风雪图》，构图更紧凑，是后者的缩小版本。在这幅画中，我们得以更靠近穿过白雪覆盖的小桥的旅人，他们从右向左，往下行走，慢慢淡出我们的视线，而凌厉的寒风和漫天的飞雪正暗示了旅行的困苦艰辛。普林斯顿同耶鲁的两件作品共有的戏剧性低压的前景看来不止是巧合，而也许是它们独特的创作年代与环境所致。

曾有上百万人生活在金朝政权统治的一百二十年和其后元朝大都建立前的半个世纪间，但这期间，在中国山水画历来的中心地区——从荆浩到李唐等著名北宋山水画家的诞生地——却只有极少数著录过的山水画存世：有几件著录过的金代的马、人物和神龟的绘画，但具体到山水，我们便只有一件有李山款的画；一件著录完整的王庭筠的画（非山水）；一件有我们所知甚少的金代晚期画家郭敏署款的画【图 6】；一件有赵滋署款的青绿风格的画（这幅画现藏于上海刘海粟美术馆，余辉在其 2008 年的文章中讨论过）；一件著录过但无款的传武元直的画【图 7】；一件在冯道真墓穴墙上发现的作于 1265 年的佚名大幅山水；几件金代墓葬的扇面或屏风上的小幅山水画；以及岩山寺佛教壁画上作装饰陪衬的山水——基本上就是这五件有著录的山水画和一些墓葬的片段勉强组成了金代绘画的一角。另有一些其他山水画被定为金代，例如克利夫兰美术馆藏佚名作《溪山无尽》，其第一处题跋即是金代人于 1205 年所写；以及纳尔逊美术馆藏《溪山行旅》，其上有“太古遗民”款和“东皋”印一方，可能是金代的画家所作。加上这两件，存世有记载的金代山水画共有七件。

虽然只有四件金代的卷轴册形式的画作流传了下来，艺术史家们却不曾因金代绘画的稀缺而忽视它们：不懈的努力付之于重新鉴定那些丢失了原名的金代绘画，以弥补有所著录的绘画的大量缺失，依余辉所见，这样持续的努力始于1937年，即马衡发现现由台北故宫博物院藏手卷《赤壁图》为金代大师武元直所作，而非出自历来以为的宋代宫廷画家之手；卜寿珊（Susan Bush）于1965年率先发表有关金代艺术的成果，以及近来更多的关于金代艺术文化的研究。最近且最全面的当是余辉对金代山水画的系列研究，他在发表于2008年的《藏匿于宋画中的金代山水画》中总结了整个领域的研究历史，并为以后的研究搭建了坚实的框架。

金代绘画多在其他作者的名下流传了下来，太古遗民手卷旧传为北宋画家孙知微所作，因其字太古；传武元直所作《赤壁图》则以南宋宫廷画家朱瑞的名义流传下来。现藏于台北故宫博物院被卜寿珊用以研究金代绘画的作品《岷山雪霁图》如同克利夫兰美术馆的《溪山无尽》曾一直被定为郭熙所作；余辉近来将几件曾被归为宋代画家例如宋迪和郭熙的画作重新定为金代作品。他的研究说明，虽然这些画作没有一件是著录完好的，但艺术史学者试图重构金代山水画原貌的努力仍然促成了一种坚实的共识。

金代绘画毫无疑问始于北宋绘画，之后逐渐形成了其独有的特性，正如李山和武元直的山水画以及王庭筠笔下美丽的老树与竹子所展现的，这些画都可定在明昌时期（1190—1195）至1228年赵秉文在作《赤壁图卷题诗》之间。克利夫兰《溪山无尽》可能画于更早一些的1150年，当时宋代的流行画风仍受推崇，而真正的北方山水风格还不具雏形；卜寿珊曾将此手卷解读为某一种只可能在北宋灭亡后得以延续的北宋风格。

1234年蒙古灭金后，北方的画家毋庸置疑继续了一段时间的与赵孟頫或钱选无关的绘画风格。冯道真墓穴里定为1265年的佚名壁画，以及同一时间郭敏的《风雪松杉图》都不像是金代晚期和元代政权建立前的山水画。广为人知的是，脱离金代传统的北方画家，诸如高克恭和李衎，在随后元代文化的构建中扮演了主要角色。因此，虽然实际的作品寥寥无几，脱漏也多于记载，这些绘画提供了一个故事的架构与艺术史的框架以待发展。一大批金代的绘画正继续以其他身份存世。

于我而言，普林斯顿传张训礼的《灞桥风雪图》隶属于上文指出的历史范围；正如其他幸存的金代绘画，它以宋画的身份存世。《灞桥风雪图》的风格特点让我想起了与它最为接近的武元直早于1191年所作的《赤壁图》，我倾向认为这幅画为武元直的仿效者于13世纪早期所作，虽然它缺乏更坚实的地势，这也只是增加其不确定性的一小步罢了。它是一件非常具有“绘画性”（painterly）的作品；我们尤其注意到，绢面上以淡墨做出的精准勾勒，使它具有细腻而绝妙的艺术效果，树纹盘错，枝头上是透明的冰晶，而枝干千姿百态。整个画面布局仔细而层次丰富，营造出一派逼真的北方山景。

弗利尔美术馆藏李山手卷与旧藏于景元斋的郭敏挂轴都名为《风雪松杉图》，而这一画名与普林斯顿《灞桥风雪图》相映成趣。假如我的猜测正确，耶鲁大学美术馆所藏的后者的缩小版应当也曾名为“灞桥风雪”；这件作品的主题确是令人胆寒的风雪行旅。风和雪看来是大部分金代山水画的主要题材，在此基础上便可以被视作金代绘画的主题之一。

普林斯顿《灞桥风雪图》中山的结构从历史上说似乎也很独特：在金代绘画之外，我们只能偶尔见到断裂的呈平板状而成角的山势，如一副薄薄的纸牌相互重叠着成扇形散开，而这恰是武元直《赤壁图》、太古遗民的山水长卷、郭敏《风雪松杉图》、克利夫兰《溪山无尽》以及普林斯顿《灞桥风雪图》的特性。若要以言辞来表述这样独特的地形结构，我会用“断裂”“破碎”“折断”“残缺”“瓦解”等词语来描述，而南宋宫廷绘画的观者则会将此看作“一角”构图，或是象征被驱逐至南方或遭受游牧部落侵扰的宋代遗民的“残山剩水”。

虽然普林斯顿《灞桥风雪图》不能被列入那一小部分著录的金代山水画，但透过与那些画的比较，除了主题和形式风格，它的历史身份确实开始浮现。与弗利尔美术馆李山和郭敏画作相同，画中描绘的独特的常青树实际上是杉松。这种杉松是拉丁冷杉科的辽东冷杉，生长在中国东北周边及朝鲜半岛，一种非常独特的本土常青树种，并未在南方的绘画中出现。它与南宋典型的尖角松树截然不同，亦难在元代山水画中找到，即使是北方画也难有；这种辽东冷杉可能是金代绘画的独有标志，即便没有其他记载，也几乎算作断定金代绘画的力证。需要注意的是传武元直《赤壁图》中辽东冷杉的戏剧性出现不合历史时宜，却在艺术史的角度令人信服。即使在历史和地理上不合理，金代画家仍借东北山水塑造他们的文化形象，这样的尝试便在赵孟頫将山东山峰描绘成江南丘陵前先行一步。

我的主要目的在于向更广泛的观者介绍一件鲜为人知的画作，并希望引发对上百件未曾研究的中国古画佳作的关注，即使它们已经为人所知。不幸的是，我们仍然缺乏关于金代绘画和画家的充足证据以得到关于普林斯顿《灞桥风雪图》的历史性结论。此画的特点应当是指向一个独特的历史时期，可能是北方女真族的统治时期或紧随的那几十年。这个鉴定疑惑和围绕金代绘画鉴定的更大的问题需要长远的反思，而我也欢迎任何指正。普林斯顿大学美术馆现在将《灞桥风雪图》定位“明代或更早”，这为以后的研究留下了更为广阔的余地。

鸣谢与注解

我在此感谢普林斯顿大学美术馆 Cary Liu 博士与 Karen Richter 女士的帮助。我也诚挚感谢波士顿大学白谦慎教授与大都会博物馆刘晞仪博士。

关于金代的绘画艺术与文化，我尤其要感谢卜寿珊博士的以下研究：“‘Clearing after Snow in the Min Mountains’ and Chin Landscape Painting,” *Oriental Art*, n.s. 11 (1965), pp. 163-172; “Literati Culture under the Chin (1122-1234),” *Oriental Art*, n.s. 15 (1969), pp. 103-112. “Chin Literati Painting and Landscape Traditions,” *Palace Museum Bulletin* 21, no. 4/5 (1986), pp. 1-24. 以及余辉最新的金代山水画研究：《藏匿于宋画中的金代山水画》，载王耀庭编《开创典范：北宋的艺术与文化研讨会论文集》（台北：台北故宫博物院，2008）。这是迄今最为全面的金代山水绘画的研究，为未来研究提供了许多重要的观察与基础。我也受益于姜一涵和刘晞仪关于金代艺术的写作。石慢教授对李成传统的精细研究“The Donkey Rider as Icon: Li Cheng and Early Chinese Landscape Painting”（*Artibus Asiae*, vol. IV, 1-2, pp. 43-97），为我提供了“灞桥风雪”的由来关联，以及比这些更多的东西。正如我从八大山人的一方印章“教学半”所学到的，我从石慢教授那里学到了许多。

大多数我用以比较的金代和相关绘画的图版见梅原龙三郎编《文人画粹编》第二册《董源·巨然》（东京：中央公论社，1977）。庄肃《画继补遗》中张训礼生平（见人民美术出版社 1962 年版本《画继·画继补遗》，页 13）。我正在撰写传巨然《雪景图》与传范宽《雪山萧寺图》的文章。我对于前者的早期研究“The

'Snowscape' Attributed to Chu-jan (Juran)" 发表于 *Archives of Asian Art*, XXIV, 1970-1971, pp. 6-22.

陈霄　译

译者单位：美国加州大学洛杉矶分校

译自 "*Wind and Snow at the Ba Bridge* attributed to Zhang Xunli: A Note on Landscape Painting in North China during the Jin dynasty," *Kaikodo Journal*, XXX（Spring, 2014）, pp. 14-21.

元明绘画研究

吴兴姚彦卿（廷美）考

元代绘画传世的精品并不多，波士顿美术馆收藏的一幅幽暗的《雪景山水图》【图 1】正是其中之一。此图署款“姚彦卿画”，下钤“吴兴姚彦卿章”“胸中丘壑”。〔1〕

关于这位“吴兴姚彦卿”的较早记载仅见于夏文彦的《图绘宝鉴》(序于 1365 年)，在“孟玉涧、吴庭晖”条下，姚彦卿被顺带地提及：

> 孟玉涧、吴庭晖皆吴兴人，画青绿山水、花鸟虽极精密，然未免工气。同时有姚彦卿，亦能画。〔2〕

以上三人的生活时代可以从孟玉涧有纪年的画作估算出一个大概，即从 1326 年到 1352 年间。此外，孟玉涧是杨维桢（1296—1370）的朋友。〔3〕又，徐沁《明画录》“张文枢”条述及孟玉涧，言其在明初仍以画名。〔4〕

夏文彦称姚彦卿与孟玉涧绘画风格近似，藏于故宫博物院的《春花三喜图》轴正可为之佐证。〔5〕此图旧传为边文进所作，最近在其上发现孟玉涧之印，从而使作者归属得以确证。这幅《春花三喜图》轴用郭熙风格的卷云皴擦染出岩石，与《雪景山水图》何其相似，而与其时渐占上风并被后来写史者描述为这个时代主流的那些枯涩的文人笔墨相比，两画精湛的绘画技巧入目便有一股清润的气息扑面。

事实上，《雪景山水图》通常被当作元初激进文人画甚嚣尘上的主流中一个区域性的逆流，或者说是李成、郭熙的绘画传统在南方的一次死灰复燃来看待。〔6〕无怪乎，与它自己遥远的宋代典范和与同代的文人画相比，它的境遇不佳。然而，仅就画幅本身而论，灰蒙蒙的巨大山体，雪色一片苍茫，黧黑的树被严寒锁闭在静谧之中：它有效传模出了令人震撼的冬天风景。很少有同时代的文人画家，具有这样的技巧和志趣来追求这种艺术效果，因为绘制这样的作品，需要熟谙绘画的种种独特笔法，而非仅仅依靠书法的用笔。如果我们肯定北宋的大师通过精确描摹空间以及自然界其他物事的形体、光影乃至氛围，把握住了存在的永恒本质，那么选择追随这样的典范，自然有其价值和品格。本质上，姚彦卿们师法自然的选择并不比头顶耀眼光环的文人画更低下：君不见后者一边把师心造化的绘画传统扔进历史的垃圾堆，一边却以尸食古人的陈迹为标榜。只有那些带有严重偏见的文人武断的批评理论，如董其昌的南北宗论——至今我们仍笼罩在它的影响之下——或者那些强调“进步”与“客观标准”的抽象历史理论，[7]才会允许我们菲薄《雪景山水图》这样的画作。由于我们持续抱有这些偏见，太多的画家已被忽视不见，是时候来反思它们广泛而又有害的影响力了。

图1 **姚彦卿 雪景山水图** 纸本 水墨设色
159.2厘米×48.2厘米 波士顿美术馆

以姚彦卿为例，我们对他所知甚少，何以现代学者把他归入“画工”之列，并因此理所当然地低文人画家一等？承袭李郭画风也不能成为把他归为次等的理由，因为不少受到尊崇的文人画家也对李郭有所借鉴。对姚廷美的轻视更可能是因为夏文彦无心地将“工气”的评价贴在了他和孟、吴二位的身上，而我们则不假思索地接受了这个值得斟酌的、对职业身份的模糊指示。诸君可曾试问：具备专业造诣有何不妥？我们或可把误导的责任推诿给夏文彦，反躬自省却不易。因为我们已经被一小撮批评家彻底洗脑，以致竟能容忍把专业造诣当作损害艺术。

让我们从这个问题的源头开始讨论：夏文彦本人于学术原无所建树，亦非创作之才，其《图绘宝鉴》乃多方抄撮而成，并非严肃撰著。作为14世纪60年代苏州地区的书画赏鉴圈子的同道，他的鉴赏观点本是一个单薄而又隐遁的人为环境的产物，竟被塑造成元末风雅的唯一仲裁，[8]而过去从未如此。从夏文彦对孟玉涧和吴庭晖的“精密”画风的批评，可知姚彦卿被判为“画工”不过是因为画技太精熟，如此而已。在1365年的苏州，绘画已不再是一门独立的艺术，而成为书法的附庸；此外，任何对绘画的评价标准在苏州地区的书画赏鉴圈子都不被接受。这样的历史背景，不能不纳入我们考虑问题的视野中。它确实让我们从中得到了大量的苏州地区审美观点的信息，而对其他地区的情况则语焉不详。新近的学术研究已使我们不能认同这一已被提升为普世标准，可原本却属地域性的审美观点，在这一标准之下，本应无闻的苏州画家如陆广之流，被抬举为“先进的”“表现主义的”大师，而姚彦卿这样坚持绘画自有其不同于书法的技法的画家，却被扣上“画工”的帽子。[9]

“画工”一词在14世纪的文献中自有其特定的含义，需要限制在特定的语境中使用。它令人想起的是一个身份低微、装饰宫廷墙壁的雇工的形象，而这一形象反过来又歪曲了蒙元时期绘画领域中存在着重要分歧的现实。假如姚彦卿是一位文士、诗人、书法家，高隐世外，且是苏州地区著名赏鉴家圈子中的一员，《雪景山水图》是否看起来便自不同，变得身价不凡起来？如果有相当地位的学者为其张目，作为一门艺术和手艺独立存在的绘画在14世纪是否也能够获得足够的尊严？

事实恰恰如此。多位艺术史学者已分别通过各自的证据证明姚彦卿就是姚廷美，他的诗与书法在克利夫兰美术馆收藏的《有余闲图卷》

图 2　**姚廷美　有余闲图卷**　纸本　水墨　84 厘米×23 厘米　克利夫兰美术馆

图 3　**姚廷美　雪江渔艇图**　纸本　水墨　故宫博物院

【图 2】上与绘画相得益彰——此画虽非巨构，却也是元代画坛文人画传统的一个毋庸置疑的典范。

关于姚彦卿和姚廷美为同一人的证据简单而明确。除了《雪景山水图》和《有余闲图卷》，传世仅有故宫博物院收藏的一个手卷《雪江渔艇图》【图 3】被确认为姚廷美所作。若将此图与《有余闲图卷》相较，风格上极为明显的相似性足以说明二者出于同一人的手笔。不过这幅《雪江渔艇图》上既无姚廷美的名款，也没有同时代人的题跋，只在画面的左下角钤有“姚彦卿氏”和“胸中丘壑”两方印章。《雪景山水图》上亦见“胸中丘壑”印，两者的印文相同。

笔者最早在顾复《平生壮观》（成书年代不详，序署 1692 年）一书的“姚彦卿”条下见到这两方印章的记录：

> 湖山雪意，白纸低短卷。水墨枯树屋宇坡陀可方驾朱泽民，乃河阳嫡派也。无款，惟“姚彦卿印”及“胸中丘壑”两图书耳。[10]

其后，又在清宫的收藏目录《石渠宝笈初编》看到对这幅画和这两方印章的著录，[11] 虽定名有所不同，显然即是现藏于故宫博物院的《雪江渔艇图》。在目前能见到的图录中，两方印章今已漫漶难辨，唯“胸中丘壑”之“胸”字尚能识出。

由于克利夫兰美术馆收藏的《有余闲图卷》上有“姚廷美”名款，而故宫博物院的《雪江渔艇图》有姚彦卿的两方印，两画又明显出自同一人之手，故知姚彦卿即姚廷美。“姚彦卿”何时变作“姚廷美”已不可考，不过至少到18世纪依然无人汰清。虽然有姚彦卿的印章赫然在上，《石渠宝笈初编》依然将《雪江渔艇图》定为佚名作，可能因为当时《有余闲图卷》亦同在内府，上有姚廷美落款。此外，以《石渠宝笈》三编之富，却再无姚廷美作品见于著录了，姚廷美为姚廷美，姚彦卿则成了无名氏。可以证明早期的鉴赏家知道彦卿、廷美实为一人是吴其贞的《书画记》(约1677年)，此书将《有余闲图卷》系于姚彦卿名下，尽管此卷仅有廷美的名款而从未出现过“彦卿”二字。[12]

可能对一些学者而言，“姚廷美”“姚彦卿”究竟是谁，从来就不曾是个问题。1954年喜龙仁造访北京时，曾经眼一个姚彦卿的手卷，并在其《中国绘画》一书中做了著录。[13] 此后，虽然还有其他西方的艺术史学者往观此画，却一直未再见著录。他们见到的手卷便是姚廷美的《雪江渔艇图》。喜龙仁不识篆字，一定有人代为识读了上面的姚彦卿印章并告诉了这位瑞典的艺术史学者。遗憾的是，1956年这幅画的图版首次发表在《文物》杂志上，直接被标注为“元姚廷美”作，而没有任何进一步的文字说明。1965年，Fourcade出版的书与之一脉相承。[14] 由于喜龙仁的目录将姚廷美和姚彦卿分作两人著录，所以显然他自己并没有解决这个问题。

我本以为自己是第一个试图论证姚廷美和姚彦卿的西方学者，没想到本文的草稿一出，就发现许多同事早已捷足先登：吴同很早以前为馆藏《雪景山水图》制作的标签就已注明姚彦卿即姚廷美。除了吴同，克利夫兰美术馆的何惠鉴、普林斯顿大学的江文苇（David Sensabaugh）以及傅申，也都知道彦卿、廷美为一人。[15] 毫无疑问，还有其他人知道这一结论，对此，我唯一可以声称的是，自己找到的竟然是众所周知的证据。

上述三幅姚氏画迹中，仅《雪景山水图》既有名款又有印信，均作“姚彦卿”，《雪江渔艇图》上的印款，亦作“姚彦卿”，加之《图绘宝鉴》与《书画记》均以“姚彦卿”著录，我推测，“彦卿”当为其名，而“廷美”为其字。《有余闲图卷》自题“至正廿年春正月”，即1360年，是三幅画中唯一确切纪年的作品，据此我们可知姚氏的大致活动年代。我曾将《雪景山水图》断为13世纪晚期的作品，不确，实际应该在1325年前后，所以姚氏的活动范围应该大致与孟玉涧相当，约在1325—1365年之间。

一旦把“廷美”作为“彦卿”的字，人们就会吃惊地发现围绕着两个名字之间的大量巧合：二人均在14世纪中期之前活动。二人均籍吴兴。仅姚彦卿一人名著于当时的艺术史文献，廷美之名仅见诸同时人之笔记。彦卿之侪辈孟玉涧为杨维桢之友，廷美亦与杨维桢相善。〔16〕如果不是我们盲信自己对文人与画工所做的不可靠区隔，更麻烦的是，如果不是我们没能看出故宫博物院的《雪江渔艇图》与《有余闲图卷》的风格完全相同，〔17〕那么，从某种意义上来说，故宫藏手卷只能确认从文献考证中得出的推论。

我怀疑，对《雪景山水图》和姚彦卿的误解的部分原因在于，我们至今还无法理解绘画形制、材质、题材带来的风格表面上的差异。比如说，我们能准确辨识出范宽的手卷，或者许道宁的立轴吗？若非傅申与其他同道告诉我们《九峰图》是黄公望的作品，不知道它还要多长时间处于隐晦无闻之中？诚然，《雪景山水图》是一幅巨大的、年久色晦的、相对比较工整的绢本画，而《有余闲图卷》与《雪江渔艇图》则是尺幅短小、保存精善、相对比较随性的纸本，可是，《九峰图》与《富春山居图》，郭熙的《早春图》和顾洛阜（John Crawford）旧藏的《树色平远图》又何尝不是存在着差异，也充满了指向同一位画家的相似性？在分析《雪景山水图》与两个手卷在风格上的相似性之前，这些都是应当考虑的问题。

无论如何，以上讨论的三张画都出自姚彦卿之手已经得到了确证。对它们的文献分析证明它们同属一个画家的作品，这一事实可能将改变我们对中国绘画风格的些许认识。

在分析姚彦卿的风格之前，我想指出，还有一幅画也应当是出自他的手笔，尽管没有切实的文献证据。这幅作品或能进一步廓清我们对14世纪中国绘画的风格以及与之相关的地位、质量、精神的认识。

《春山图》【图4】，是一幅收藏于台北故宫博物院的纸本墨笔立轴，原被断为元代佚名的作品，最近傅申发表文章，〔18〕将之系于杨维桢名

图 4　佚名　春山图　纸本　水墨　73.2 厘米 /42.31 厘米　台北故宫博物院

图 5
张绅、顾安、倪瓒合作
杨维桢题
古木竹石图
纸本水墨
93.5 厘米×52.3 厘米
台北故宫博物院

下。开始我也倾向于接受傅申的论断，不过，在认识到姚廷美即姚彦卿后，我不得不对姚氏的风格宽度做调整以容纳上述事实，我便不再接受此论断了。这幅《春山图》的作者更可能是姚彦卿。

《春山图》本无姚彦卿的名款和印章，不妨有人与傅申一样，以为杨维桢所作。然而，画面上方的杨维桢长跋并未明言此画出于自己之手，而傅申所举的一些证据，无一不可指向另一个结论。由于傅申的分析触及了中国绘画研究中的许多重要的问题，而我所持的异议本与这些论证建立在相同的证据基础上，所以我要对他的论证过程做一番比较详细的引述。

傅申在其文章中，首先将《春山图》置于存世的元末几幅与李郭传统一脉相承的作品之中，姚廷美与姚彦卿的画作均在此列。接着，他有力地证明了此跋不伪，确为杨维桢所书。然后，他称此跋“宛转随山势之起伏，笔调与画面的色调浑然一体”，这些固然不错，不过并不足以确证作画者即为作跋者。

当傅申开始论证画与跋“出自一人之手”，证据是跋文与画在形状、结构和走势上具有相似性时，他的分析陡然滑入一个暗礁丛生的水域，问题开始浮现。令人遗憾的是，他所讨论的形式特征并没有清晰地建立起，或是没有被人清晰地理解为一致接受的结论。最可能说明问题的是，台北故宫博物院收藏的另一幅有杨维桢题跋的画作，亦即由张绅、顾安、倪瓒合作的《古木竹石图》【图 5】，杨维桢在此仅作为书法家参

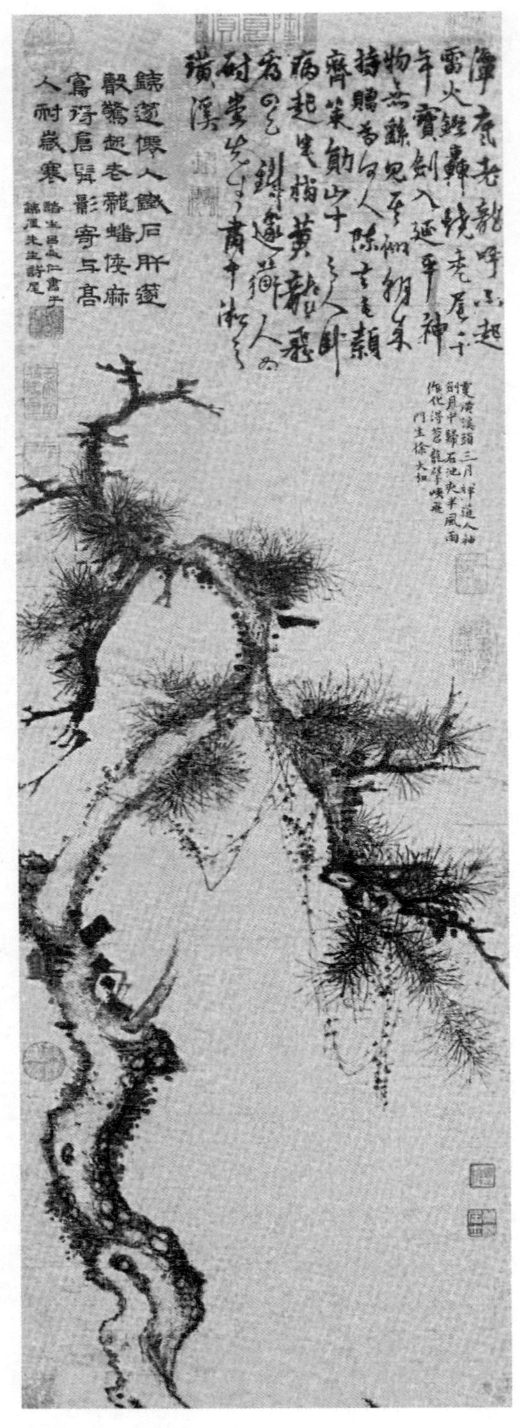

图6　杨维桢　岁寒图　纸本水墨　98.1厘米×32厘米
台北故宫博物院

与其中。在这里人们同样会发现，尽管是多人合作，书画有着相似的笔触，木、竹、石与跋仍然自然无碍地交融在一起。若无题跋明言，我们一定能肯定杨维桢没有参与竹木的绘制吗？傅申的观点正是建筑在这些无法确定的因素之上，所以不能不对其持保留态度。

另一个用来支持杨维桢为《春山图》作者的证据，是将它与传世唯一可以确定为杨维桢所作的《岁寒图》【图6】进行比较。事实上，傅申所引用的杨氏自己的话清楚地表明，杨维桢并非画家，《岁寒图》也充分说明，他只不过偶尔墨戏而已。《岁寒图》完全是一件无甚技法可言的作品，若署的是他人的名款，马上会被认为是劣手的仿作。整幅画的用笔既犹豫又笨拙，墨色了无生气。若将《春山图》中间造型相似的群树【图7】与《岁寒图》中的孤松对比，马上就会发现前者意气勃发，生机扑面，富有节奏的墨色和皴法的变化加上了自由洒落的苔点：它们开放，能量丰沛，富有生命力。而《岁寒图》却呆板、破碎，

图7 图4局部

死气沉沉，下笔缺乏自信和训练。事实上，这正是业余画家作品的最好例证。与之相比，《春山图》用笔轻灵自由，技巧娴熟，收放自如，正是大师的笔墨。

两件作品也许表面上看起来有些许相似，正如傅申所指出的那样。然而，究其内里，全然是不同的艺术世界。《岁寒图》根本无法为杨维桢绘制山水画提供证据，相反，上述比较证明，这两幅画绝无可能出自同一个作者之手。

傅申所举的最后一条证据，是他对杨维桢在《春山图》上手书题跋的文本细读。我自己也试着对这首诗做了一字一句的翻译，并在此基础上，进一步提出诗作者恐怕并非画作者的质疑：

巨然不作惠崇景，秀远最爱春山图。
危峰戴出若孤矢，大树林立如千夫。
杖藜谁行天姥道，酒船间出贺家湖。
道人自指读书处，文壁峰前宅一区。[19]

诗的第一、第二句，提出了一个有趣的反讽：一幅源流可以祖述北方李郭传统的画作（必须承认也同时包含了一些巨然的风格元素），在一个南宗的徒孙眼里，便成了南宗风格的体现。这个固执的臆见让我想起董其昌曾不容置疑地宣称，现藏于台北故宫博物院的笔墨精妙、影响深远的北宋晚期无名氏所作《雪景图》，只能是巨然的作品。[20]我们也被提醒，黑白颠倒有时竟如此容易，只要一个有足够影响力的人多次将黑说成白。

第五和第六句开始涉及杨维桢与这幅画的关系。他写道："杖藜谁行天姥道，酒船间出贺家湖。"天姥山在浙江绍兴新昌；贺家湖即镜湖，也在绍兴。杨维桢正是绍兴人。这两句可以有两种理解：1．杨维桢绘制了整幅山水。2．这幅《春山图》是他人为杨维桢所画。由于画中的人物，以及杨诗所提到的画面左下方的"酒船"，还有在小径上向画面右上方行进的孤独行者，都与画面一起因年久而变得模糊，且不过竟寸，绝似与山水一气呵成者，不似另请他手施加。很难想象偶尔戏墨的杨维桢会画人物，上述两种可能性的第二种较为合理，杨维桢只是画外者，应邀题诗而已。

最后两句更进一步确证了这样的推断。此时杨维桢直接提到了自己："道人自指读书处，文璧峰前宅一区"，直接向我们指示了他在文璧峰前云卧高隐，手倦抛书的别业所在——据傅申的考证，此为实录，绝非虚言。最后四句说明了有人为杨维桢在文璧峰前的别业戏作一画，杨维桢欣然题诗一首。换言之，此画是为杨维桢所作，而非杨维桢自作。

杨诗第七句，傅申译作"The Taoist sets forth the place where he reads"，言下之意，铁笛道人将自己的读书处绘出示人，然而详其诗，实无"绘"的暗示，杨维桢所用的动词不过是个"指"字，加上"自"字，还是译作"I myself will point out for you"或者"show you"比较贴切。

无论如何，傅申将杨维桢的题诗理解为他画了些什么还挺有趣的，很可能他确实有所作，不过他的作品却不是《春山图》，我在下文再做分解。

既然根据我的分析，《春山图》的画风和杨维桢题诗的内容都不能证明杨维桢是其作者，那么我们就应该考虑另一种可能性，亦即，此画作者为杨维桢的知交好友，画与跋是彼此一次轻松愉快的合作，用的甚至可能是同一墨锭磨出的墨，如傅申设想的那样。如果是这样的话，那这完全是一次友人的雅集。画与跋充满了和谐的调子，画家为杨维桢的山中别业作了一张速写，诗人题诗于上，随后作为别业的主人，将画收入囊中。

这幅画的作者，如我在上文所说的那样，很可能是姚彦卿，他既是杨维桢的朋友，也是画艺精湛的文人，在某些场合，他俩合作，如克利夫兰美术馆藏的《有余闲图卷》，姚作画，杨题跋，为另一位文人的别业留下云烟。

傅申的文章中收集了所有需要的绘画方面的资料，以彰显姚彦卿和姚廷美画作中相似的笔触与风格元素，并证明《春山图》与它们如出一辙——这当然不足为奇，因为它们的作者本为一人。

确实需要证明的是，《春山图》并非如某些学者所轻视的那样，是文人画家业余水平的作品，[21]恰恰相反，这是一幅造诣不凡之作，这种逸笔如飞、简笔写意的技巧，所有画家都用它来应对雅集时作画所需，只不过这类作品绝少幸存而已。在《春山图》中，画家运笔如意，不时改变方向，回锋稳健，穿插细密，卷舒停驻，生气勃勃。其用墨是如此流动，浓淡变幻，肌理微妙。苔点随意挥洒，伴随树石轮廓之曲折，墨色浓淡之氤氲，错落有致。即使是乘兴放笔之作，丘壑却能先了然于胸，再应之于手，所以形体与留白浑然一体，不似堆砌生硬。山石崔嵬，严巉若削，林木葱茏，最难能可贵的是，虚实相生，余韵悠然。即使是最不经意、最微末的细节，如群鸟归飞，及其下的林表树色，都完成得沉着老练。

所有这一切都说明，作为一个已被证明不是画家的杨维桢不可能随意地、快速地、轻松地达到这样的绘画效果。与杨维桢的《岁寒图》相比，《春山图》流露出的是业已成为下意识的技法本能。

一旦我们把《春山图》作为姚彦卿（廷美）的作品来探究时，从中便处处可见他的画风的证据。画面右下方的一条蜿蜒向上的小路，在结构特征上与《有余闲图卷》坐着的文人背后的留白相同【图8】：它们都是一侧由平滑而富于节奏感的线条勾勒，另一侧由临近山石的外缘界

图 8　图 2 局部

出，用相同的方法将所画形象固定在二维平面之上。《春山图》与《雪景山水图》则采用了相似的莲花状攒聚的矾头。四幅画都用小皴点来表现远山山顶葱郁的林木，近景的丛树也各尽屈曲峥嵘之态，仿佛是同一批演员在不同的舞台上跳舞。《春山图》的主峰只用淡墨轻巧地渲染，厚重的近景山石具有坚实的雕塑感，正如其他作品中沉稳而又富于触感的山岩和峰峦，这是他的作品独特而具有识辨度的特征。同样的黑点刻画出熔岩和巨砾的空洞的凸起处。同样形状奇特、像爆米花一样突出的山岩轮廓，构成四幅画的底层结构。此外，《春山图》右下方的群石，与两个手卷左边的岩石也非常相似。四幅画的建筑物都很简洁，然而界线端谨，半掩半映，与四周的风景浑然一体：在《春山图》中楼台被群山环抱，正与《有余闲图卷》中房舍含隐在树石间意趣相似。

当《春山图》加入了另外三幅确证为姚彦卿的作品后，我们就能了解一位 14 世纪的画家典型风格的多样性可以在一个什么样的范围内变动。从有名款、有钤印的精工巨幅《雪景山水图》，到文人气息浓厚、用笔如书法般冷峻有节制的《有余闲图卷》和《雪江渔艇图》（这两个手卷一有画家本人的题诗，另一则仅有印记而已），再到逸笔草草、墨色淋漓的《春山图》，既无款也无印，是文人交情的雅奏，彼此心会，不与旁人相干。它们之间的差异性并不仅仅是由于年代的差异所造成，还与创作的动机及当时的情绪有关，也因它们的内在结构本来就能够兼容风格的多元性，这正是中国图像艺术的独特之处。能够将上述四张画紧密地联系在一起的，是潜藏在表层变化之下，出自一个画家独自的心智对各种结构、关系、母题、审美意识的感悟。

回到《春山图》杨维桢题诗的最后两行，除了这几行显而易见的题跋外，至少也有可能他参与了这张画的创作。傅申将这两句译作“道人画出了自己书屋之所在”，而我译作“我将亲自指示我的书屋之所在”。考虑到杨维桢对绘画的游戏态度，或许有可能他真的对画幅有所染指，但完成整幅山水对他而言当然是力不能及。如果他画了什么的话，那又会是什么呢?

在这幅成功甚至可以说是华彩斐然的作品中，仅有一处小细节令人不安，即左下角树荫处的一座小茅屋【图9】。这处位置经营得不甚得

图9　图4局部

体，且技法荒疏，茅屋与下方山石的关系，仅用屋后一根暧昧的线条交代过去，似乎是事后的补笔。与画面右侧及姚彦卿另外三幅作品中笔致简洁却结构紧密、层次清晰的屋宇相比，这个茅屋像是一个不速之客。虽然无从确定，不过若有人猜测这是杨维桢在旁观画作完成之后添补上去的，似也未尝不可，就如最后一句诗句所言："我将亲自指示我的读书之处，诺，就在文璧峰前的那座小茅屋。"只需寥寥数笔，这个指示就完成了。

如此这般，既让题诗所指有的放矢，又与当时的雅集气氛有所呼应。我们只消对比一下茅屋右侧的那座曲折有致的小桥，就能感受到二者明显的不同。当然，我们没有证据确定这座茅屋是杨维桢所加，唯一可以确定的是，这就是他的诗句所指示的读书处。这里，一切都不可太一本正经，而杨维桢也声称自己并不能画。因为，绘画会使人为他人所驱役，就如姚彦卿岂不就是在一次雅集上，受友人杨维桢所嘱，用自己的画笔为其描摹了一幅文璧峰的春景。

顺便一提，《春山图》证明杨维桢对画家地位的判断十分准确：画家在自己的作品上没有留下名字和任何印记，为画幅张目的，是一位书法家、诗人、学者的题记。

姚彦卿的作品，为我们观察绘画艺术在元代发生的性质转变以及狭隘的艺术史观是如何彻底地歪曲了复杂的元代艺术的真实状况，提供了丰富而又令人不安的机会。姚彦卿从来就不是历史所塑造的那样，而是一个尊重绘画的艺术性和技法自身价值的艺术家和文人。

我们找不到风格上的内在原因来假定《雪景山水图》早于《春山图》或《有余闲图卷》。然而时逢绘画史上一个重要的转折点，亦即绘画技法的衰亡，师造化被师心所取代成为绘画的核心价值的时代，我们有充分的历史原因来找到这几幅画作相应的系年依据。《雪景山水图》既充分展现了绘画技法，同时代表着中国山水画最深厚的宋代传统。它的技法和书法毫不相干，所展现的完全是绘画自身形式的独特性。在绘制《雪景山水图》之时，姚彦卿理直气壮地拒绝苏轼"高人岂学画，用笔乃其天"的箴言，〔22〕坚持绘画别是一家，自有其当行本色与至臻之境，可与书法分庭抗礼而不必俯首称臣。在1300年左右，还有许多画家，特别是像李衎那些北方画家，〔23〕也包括南方的钱选与罗稚川，秉持着同样的信念。〔24〕关于本色画家和书法家兼画家的论争一直持续到14世纪上半叶，在这一时期，存在着南北之间真诚坦率的对话。当时的情况很可能是，南宋院画随着南宋政权被蒙古所取代而失去依托，使作为一种专业技艺的绘画在南方丧失了活力；不过，在北方，从金代到元初，绘画的专业水准仍维持在很高的水平。[25]经过一段时间的南北对峙，当蒙元帝国在13世纪末统一中国后，赵孟頫于1286年蒙召赴大都是一个标志性的关键事件——北方艺术显然给长期偏安一隅的南方文人带来了新的视角和选择。1295年，赵孟頫回到江南，他所接受的北方视角想必又会对南方此时的文艺复兴有所影响，这次复兴的浪潮一直持续到14世纪中叶，又随着绘画职业化的衰落而沉歇。[26]

《雪景山水图》正是南方画家对北派山水风格、视角、技法标准恢复兴趣的初期产生的一幅力作。如上所述，它应当作于1325年前后，因为它的气氛、空间、真实的冬色，无拘无束地使用了各种绘画独有的技巧和材料——如恰到好处的大面积渲染，绢本设色，用受光面和阴影来制造三维幻觉、立体感、山石肌理——这一切逐渐在倪瓒、赵原、陆广、徐贲等苏州地区文人画家手上被弃若敝屣，只有干枯的笔画和湿润的墨点成为他们可以接受的技法语汇。在这些南方文人画家的审美逻辑中，存在着明显且令人困扰的不平等：一方面他们需要努力保持自己在书法方面很高的专业标准，每日临池，终生钻研；而另一方面，画家们却应该毫无抵抗地摒弃自己的当行技能与修养，才不至于招致来自苏州的批评。如此，作为一种技艺的绘画虽未死亡，但已无生气，直到戴进、唐寅、周臣、仇英、沈周、文征明成功地将它复苏。

所谓的“画工”姚彦卿在绘制《雪景山水图》之时，把自己定位为追随宋代山水传统的画家，在1360年绘制《有余闲图卷》时，与苏州地区其他的文人画家一样，嗅出时尚的变换而调整风格。当然，他的绘画当行功底仍在，为东南地区大多数同道所不及（王蒙与方从义则不在此列）。尽管如此，在《有余闲图卷》中，他辛苦练就的高超技巧已被消磨掉了锋芒，不合时宜的旧趣味也被他的朋友及赞助人趋之若鹜的平淡所替代。北方雄健的画风不能为平淡的模式所容纳，平淡成为主流审美趣味，至少在东南地区。惜乎14世纪下半叶北方中国没有一幅作品被保存至今，[27]广袤疆土的一隅——苏州，竟成了此时中国绘画史唯一的叙事者。

杨维桢在声称自己不做画家、因为画家被人所役时，他对自己和当时绘画的处境可谓洞若观火。杨维桢为夏文彦的《图绘宝鉴》作序，而姚彦卿也是他的友人。但是，杨维桢及其文人同侪们对这位画家的绘画技巧与审美趣味系统性地否定殆尽，最终令其迷失了方向。对那些能够固执己见的人来说，那至少是同样可敬的标准不是被忘却（正如整个北方画坛所见证的那样），就是被夏文彦和董其昌鄙视为“画工”。

从这个角度来说，《春山图》可算是对逝者的一首挽歌，自由的写意笔法犹存三十年前《雪景山水图》的精神，生气盎然，轻灵自在，充满了绘画性，是被取代的观念与理想的一缕回光返照——随后将一去不复返的，是山水画的北方传统，是绘画艺术中令人尊敬的职业化标准。

华蕾、白谦慎　译

华蕾的工作单位是复旦大学

译自 “Yao Yen-ch’ing, T’ing-mei, of Wu-hsing,”
Artibus Asiae, XXXIX. 2（Summer, 1977）, pp. 105-123.

注　释

〔1〕见富田幸次郎（Kijiro Tomita）与曾宪七（Tseng Hsien-chi）编，《波士顿美术馆藏元明清画集》[*Portfolio of Chinese Paintings in the Museum*（*Yuan to Ch’ing*），波士顿美术馆，1961]，图版说明第15。

〔2〕见夏文彦《图绘宝鉴》（《画史丛书》本），卷5，页133。

〔3〕此条文献引自铃木敬关于《雪景山水图》的注，见铃木敬与秋山光和编，《中国美术（欧美收藏）》（东京：讲谈社，1973），卷I，页228—229。

〔4〕见徐沁，《明画录》（《画史丛书》本），卷2，通行本为上海人民美术出版社《画史丛书》第3册，页22b。

〔5〕James Cahill, *Hills Beyond a River*（Tokyo and New York: John Weather hill, Inc., 1976）, p. 156, pl. 8.

〔6〕James Cahill, *Hills Beyond a River,* p. 79；铃木敬的讨论见上文注释3；Sherman E. Lee and Wai-kam Ho, *Chinese Art under the Mongols: The Yuan Dynasty (1279-1368)*（The Cleveland Museum of Art, 1968）, p. 40.

〔7〕Max Loehr, “Phases and Content in Chinese Painting, ” in *Proceedings of the International Symposium on Chinese Painting*（Taipei: Palace Museum, 1970）, pp. 285-297, especially p. 290.

〔8〕关于这个时期苏州的文化氛围，参见 F. W. Mote, *The Poet Kao Ch’i*（Princeton University Press, 1962）。关于苏州地区对元末画坛的影响，参见 Chu-tsing Li, “The Development of Painting in Soochow During the Yuan Dynasty, ” in *Proceedings of the International Symposium on Chinese Painting*, pp. 483-503.

〔9〕引号中对陆广的形容词，引自 Chu-tsing Li, “The Development of Painting in Soochow During the Yuan Dynasty”, p. 494.

〔10〕顾复《平生壮观》(上海：上海人民美术出版社，1962)，卷 4，页 118。

〔11〕《石渠宝笈初编》(1745)，卷 35，页 23a。

〔12〕吴其贞，《书画记》(上海：上海人民美术出版社，1963)，卷 3，页 272—273。

〔13〕Osvald Sirén, *Chinese Painting*, v. VII, p. 144.

〔14〕《文物》，1965 年第 1 期内封。François Fourcade, *Art Treasures of the Peking Museum* (Harry N. Abrams, Inc., 1965), pp. 42-43.

〔15〕感谢 Deborah Muller 告知波士顿美术馆的标签，江文苇对姚彦卿的了解是 Alfreda Murck 转告的。

〔16〕参见注 3 铃木敬前述论文；Lee and Ho, *Chinese Art under the Mongols*, no. 260.

〔17〕另外一个对这个时代的画家发生混淆的例子是，本文最开始时引用的《图绘宝鉴》中所谓的吴兴“吴庭晖”，很可能是吴兴“胡廷晖”之讹。《佩文斋书画谱》卷 53 亦讹，《中国画家人名大辞典》，页 160，293。

〔18〕台北故宫博物院，*Bulletin*, v. VIII, no. 4 (Sept.-Oct., 1973).

〔19〕高居翰为我提示了此诗第二句的所指对象，谨此致谢。

〔20〕参见 “The ‘Snowscape’ attributed to Chü-jan,” *Archives of Asian Art*, XXIV (1970-1971), pp. 6-12.

〔21〕James Cahill, *Hills beyond a River*, pp. 82-83.

〔22〕Susan Bush, *The Chinese Literati on Painting* (Harvard University Press, 1971), p. 36.

〔23〕Bush, *The Chinese Literati on Painting*, pp. 139-141.

〔24〕钱选的观念，可参见 James Cahill, “Ch’ien Hsuan and His Figure Painting,” *Archives of the Chinese Art Society of America*, XII (1958), pp. 11-29；关于罗稚川，参见岛田修二郎的论文《罗稚川的〈雪江图〉》，载《宝云》，卷 22 (1938)，页 41—52。

〔25〕Susan Bush, “‘Clearing After Snow in the Min Mountains’ and Chin Landscape Painting,” *Oriental Art*, n.s. 1965, XI: 3, pp. 3-12；铃木敬，《关于元初山水画李郭传派的一些观察》，载《亚洲学刊》，1968 年第 15 号。

〔26〕李铸晋 (Chu-tsing Li) 在 “Stages of Development in Yuan Landscape Painting” (《元代山水画的发展阶段》) 一文中论及李郭传统在南方的复兴，载台北故宫博物院，*Bulletin*, v.IV, nos. 2 and 3. 又见其 “The Development of Painting in Soochow During the Yuan Dynasty” (《元代苏州地区的绘画发展》) 一文。又见于 James Cahill, *Hills beyond a River*, pp. 76-84.

〔27〕严格说来，《古木竹石图》【图 5】尚有三分之一的北方血统：张绅居于山东济南。更审慎的表述应该是，肯定有北方的作品存世，只是尚未得到确认。

异代宗师
——探寻两幅宋元画的风格与意义

传李成《寒江钓艇》【图1】曾在1961—1962年影响深远的台北故宫博物院美国巡回展览中展出。[1] 我当年在旧金山看到这幅画时，还是个大学生。那是我第一次看到如此高水平的中国艺术。因而《寒江钓艇》成为我心目中的中国绘画的原型印象之一。

台北故宫博物院目前（1996年）的展览并没有包括《寒江钓艇》，但似乎是为了填补它留下的空隙，展出了早期山水的另一瑰宝——《临流独坐》（见图4）。这是一幅宋画风格的巨幛山水，过去曾被当作范宽的作品。[2]《寒江钓艇》和《临流独坐》除了过去都曾被认为是宋代山水画两大宗师的作品外，它们的画名和主题也有奇特的一致性。由于它们具有许多相似处，放在一起讨论应是很有益处的。开宗明义，两幅画和它们所传说的作者都没有非常密切的关系。

寒江钓艇

这幅画的主题，在某种程度上取自唐代著名诗人柳宗元（773—819）的五言绝句《江雪》，柳宗元是影响中国山水图像的主要人物之一。

> 千山鸟飞绝，万径人踪灭；
> 孤舟蓑笠翁，独钓寒江雪。[3]

在许多类似主题的宋元绘画中，这幅显得特别生动有力：瀑布从高处直冲而下，在跌入画面中心时似乎凝结成冰，水天一片昏暗；似魔似

图 1 （传）**李成 寒江钓艇** 立轴 绢本水墨 170 厘米×101.9 厘米 台北故宫博物院

龙的松树激起邪恶与暴力的联想。渔翁独处险境，几乎被赶出画面的左下角。

显然，这个戏剧性构图的作者是个技法娴熟的职业画家，他有意创造出视觉上的激荡气氛，来描写一个极其弱势且孤独的人，在这个寒冷又忧闷的冬季，置身于冰冻世界的威胁中。

《寒江钓艇》的风格属于宋代山水画的“百世宗师”李成（919—967）的传统。把它和李成著名的《读碑图》相比较，可以最直接地印证如此的观察。《读碑图》的一件早期摹本现藏于大阪市立美术馆。[4] 至于《寒江钓艇》的制作年代，1961 年特展目录的作者提供了一个大略的说明：

> 宽湿的轮廓线条，混杂的石块质地，“巴洛克”式树干旋纽节结，豆点形状的结实苔点在树身出现，树枝和灌木的尾钩——所有的特点似乎都将断代指向元朝。[5]

高居翰在他的《中国古画索引》中肯定地指出：“这幅画所呈现的是元朝的气息；参见朱德润的作品。”[6] 这样的观察虽然大致上正确，但是这幅画的年代应该比朱德润（1294—1365）更早些。我会再回过来讨论有关年代的问题。

在《寒江钓艇》的右上角有两长条题诗，作者难以辨认。如此的巨幅山水画上有这样的长诗题跋相当少见（虽然，我们将很惊异地看到《临流独坐》也有许多诗跋），最令人费解的是，这些作者的身份难以辨识。经历了这么多年的隐晦不明，我们或许应该开始怀疑是否这些作者当初就不想被指认出来。这些题跋没有任何印记，可能是这些作者在题诗时，印章不在身边。这两首诗亦有独特之处：它们都是二十句的七言古诗，最后的一句都有十一个字。二十句中十五句的最后一字两诗完全相同，应是唱和之作。两首诗都有相当戏剧性、隐秘性的内容，以及奇特的作者名款。[7]

第一首诗共有一百四十四字。读者可以参考照片细图【图 2】和《故宫书画录》上的题跋本文。

> 万仞之山高插天，瀑布飞流千尺泉。
> 山高仰见三峡近，白昼但见云连烟。
> 岧峣直下几百里，岩上有松岩下水。

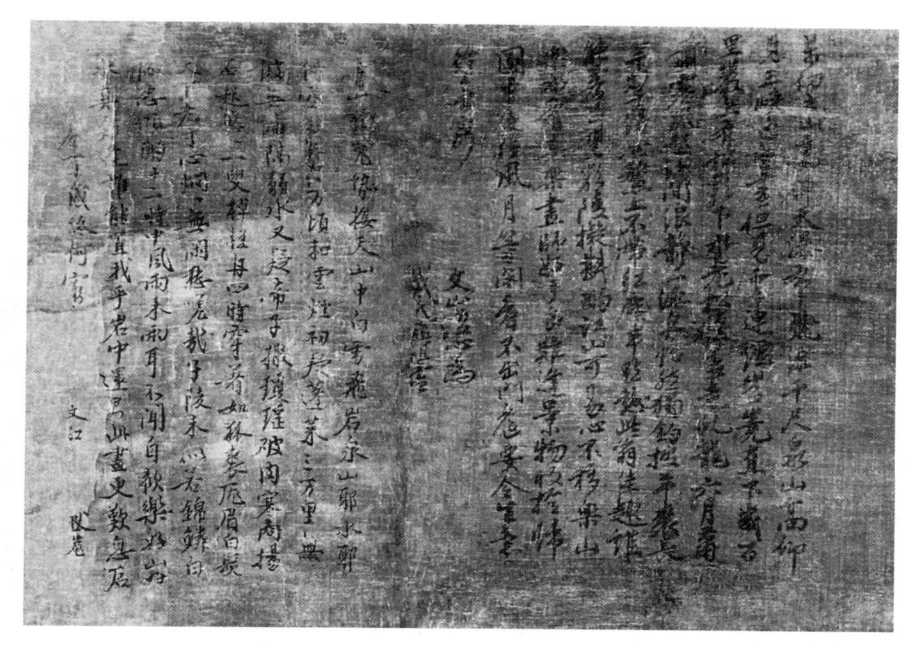

图 2 《寒江钓艇》上的题跋

老松偃盖走虬龙，六月萧萧寒风起。
江间浪静一渔舟，怡然独钓披羊裘。
长竿掣得□鳌上，不带红尘半点愁。
此翁佳趣谁能若，吕望严陵拟斟酌。
江山可易心不移，乐山乐水有真乐。
画师好手良难逢，万物收拾归图中。
便将风月等闲看，不出门庭要令生意终无穷。

此诗的最后一行有十一个字（第二首诗亦如此）。题款为“文山复心为戴氏□□书”。

第二首诗有一百四十字（有若干字脱落或模糊难辨，可能原先也有一百四十四字，和第一首诗相同）。如上指出，它一共有二十句，其中有十五句的尾字是根据第一首诗所用的相同字而来：

青山崔嵬势接天，山中白雪飞岩泉。
山耶水耶倚空壁，苍苍万顷和云烟。
初疑蓬莱三万里，无波无涛隔弱水。

又疑帝子撒琼瑶，破肉寒商扬石起。
悠悠一叟棹轻舟，四时穿着如狐裘。
庞眉白发天下老，寸心炯炯无闲愁。
嗟哉子陵未似若，锦鳞白酒恣倾酢。
十二时中风雨来，两耳不闻自欢乐。
好山好水真难逢，谁能置我乎岩中。
还君此画更叹息，□□□□茅屋可岁终何穷。

诗尾题款为“文江默庵”。

这两首气势不凡的诗同属于宋末元初时期，它们都有精致描写的主题，只是主题从未被直接写出。[8] 虽然没有确认的主题，这两首诗都有引人注目的典故，肯定指向某种具体而特定的主题、对象或相关事件，而这样的主题也许就隐藏在诸如“江山可易心不移”的诗句中。呼啸的风，狂扫的雨，令世界战栗的严冬，全都指向非常暴力的背景。这首诗显示可怖事件已经发生，但隐者渔翁在寒江上，就像这两首诗的作者和画的主人一样，逃离了险境并且生存下来。我相信他们所逃离的是蒙古入侵和宋朝覆灭。1278 年，宋朝皇帝和皇后的陵墓被喇嘛教僧人杨琏真伽盗掘，尸骨乱弃。1279 年，宋朝末代宰相和军事统领文天祥（1236—1283）被擒获押往大都，四年之后被处死；这事件象征着宋朝对抗蒙古的惨痛结局。

两位题诗者隐姓埋名的原因，或许是因为他们的署款都影射了象征宋朝覆亡的文天祥。文天祥一直被关在大都直到 1283 年被处死。自他被捕后到 1323 年他的遗像入家乡吉州郡学的先贤堂，与欧阳修等乡贤并列祭祀之前，他的名字都没有被公开提到过。[9] 在 1323 年之前，想要悼念他的人只能隐藏自己的身份，或是文天祥的身份，或是两者都隐去。举例而言，文天祥的下属、宋遗民谢翱（1249—1295）在 1290 到 1291 年的冬季，登严子陵钓鱼台，设文天祥牌位于荒亭隅祭拜，并写下著名的《登西台恸哭记》，文中不但未能直称文天祥其名，而且还以纪念颜真卿的名义来暗喻对文天祥的悼念。[10]

严子陵的名字在两首诗中都可见到，就如画中老渔夫图像所影射的主题一样。由于严陵钓台是谢翱和其友人悼念文天祥之地，严子陵的名字似乎亦有唤起遗民团体贯彻文天祥理想的作用。然而，这两个题诗的署款和一些次要的符号，竟提供了与主题相关的最直接的线索。第一首诗的签名是“文山”，正是文天祥最常用的名号。“文山”之后接着的两字“复心”，可大致解释为“复还他的心”。

第二首诗的签名是“文江”（正和“文山”相对），或与文天祥的出生地江西省吉水县有关。此名之后隔着一长段空白处再接上“默庵”两字，或可解释成“沉默的草庵”，或是“虚空的草堂”，令人想起吉水畔一个空无人居的草堂。尽管默庵是个普通的名号或室名，但没有一个所知的默庵来自文江。所以这个名号可能也是虚构的，是一个不愿露其真名的人用来唤起对文天祥的回忆。

一旦这些身份鉴定落实后，诗中所有戏剧性的典故、亡宋与最后抵抗者的象征、寒江上老渔翁的图像，都将有更丰富的共鸣。

第一首诗还有一个特异之处，诗的第八句“六月萧萧寒风起”，用来描绘这个明显的严寒冰冻的冬景山水。这张画不可能画的是农历六月（夏天），我们不禁要问：为什么一幅厚雪寒冬的山水画会被明白无误地指认成六月？难道仅仅是因为诗的作者在六月看到了这张画（即使诗中并没告诉我们）？还是描述它像“冷风”一样地令人心寒？然而，另一个可能的解释是，当时正是1281年的六月，文天祥被关在狱中等待死刑，并写下他最著名的一首诗《正气歌》。[11] 从那时起，“六月”可能比普通的夏月更能唤起遗民们的凝聚力。

如果我对这些诗和名款的解读是正确的（我也可能是完全错误的），我们可以推论，这些诗是在1279年和1323年之间写成的。在这期间，这两首诗所涉及的内容与事件，均不可能被公开讨论。虽然这些诗和此画相关的事件还不十分明朗，但是我相信，这幅画极可能作于这一期间，而且是应收藏者戴先生的专门要求所作。无论如何，这两首诗是不可能被题写在普通的山水画上。最合理的说法是，这幅画就是为此目的而作。第一首诗提到画家是“画诗好手”，似乎是指当时的一位职业画家，而且也可以间接地解读为对画家技艺的认可。

这些相互关联和意义交织的多重元素之间，有着惊人的连贯性和紧密性。柳宗元的《江雪》唤起持续的困苦和流放，确实是柳宗元所经历的流放，而他也因此而死。可能就是这首诗及其和柳宗元的密切关系，提供了画家和受画者第一层意义。但是，这幅无名氏作品的形式和风格，属于李成原创类型，它曾被冠上李成之名也颇恰当地反映了这样的事实。反而言之，李成所创作的山水图像象征了持久的困苦和流放；进而言之，李成也创作出代表宋王朝（后来成为宋政府的同义词）和宋皇室的自我形象。因此，《寒江钓艇》可以说是代表了宋王朝和它的遗民，假借冰冻河上一个钓翁——处在李成三百年前所设计的世界中，而且它首先被柳宗元这位中晚唐流放诗人描写出来。

很明显，在13世纪晚期的宋遗民群体中，与过去的关联，正是通过流放、苦难、失败的各种适切象征。我设想类似《寒江钓艇》这样的画，在遗民中颇受欢迎。遗民文化与群体的主要标志，经由诗与画创造出了自我形象。举例而言，多年前何惠鉴写了一篇论文，论述龚开《瘦马图》的重要性。他指出《瘦马图》代表了一个遗民的基本自我形象——无用和贫饥，但仍“像山一样”投影在对面沙岸。〔12〕这个寒江上的孤独渔翁，正是另一个典型的遗民自我形象。

高居翰注意到《寒江钓艇》和朱德润的画有很多惊人相似的特征，因此它们创作的时间和地点应不会很远。但是，我想提出另一个同样令我着迷的例子——罗稚川（卒于1330年前）和他的《寒鸦老树图》【图3】。罗稚川是李成传统唯一的大师，并和宋遗民群体有特别关联。前面所讨论的《寒江钓艇》及其题跋的情形，几乎一模一样地出现在赵文（1239—1315）和罗稚川兄弟的交往上。罗稚川的兄长是个颇负声名的诗人（名字不详），住在江西临川，该地也是抗蒙的主要基地之一。赵文是宋遗民学者，曾和文天祥为抵抗蒙古势力而并肩作战，入元后在家乡吴兴隐退。他在离世的那年（1315）探访了罗氏兄弟，后者很明显地同情赵文和遗民群体。为了纪念这次访问，赵文作长诗《罗稚川善画作此赠之》，以下为诗的前数行：

> 吾观天地间，一一皆是画与诗。渝川有二罗，画得天地之英奇。大罗诗名撼湖海，小罗天机勃郁不得已而水墨之。摇毫造化已破碎，洒墨元气为淋漓。〔13〕

作为文天祥的助手、朋友，著名的宋遗民，赵文显然不会轻易地赞扬如罗稚川之类的年轻画家，除非后者有相同的理念和记忆。的确，那定是赵氏赞赏罗氏兄弟的原因之一，因为这个遗民并非漫无目的地到处旅行并赞扬他所遇到的任何人的志向。相反，他积极地进行有选择性的交往。

许多这样的遗民聚会都有诗画创作。事实上，诗和画是塑造遗民文化与特性不可或缺的工具。文天祥在大都被囚三年多，仍不断地写诗。

图 3 **罗稚川 寒鸦老树图** 立轴 绢本 水墨设色 131.5 厘米×80 厘米 纽约大都会博物馆

谢翱在《登西台恸哭记》中指出，为了追悼文天祥，他和朋友们在富春江边的严子陵钓鱼台，“举酒相属，各为诗以寄所思”。显然，在赵文来访临川之时，罗稚川曾经为赵作画。有充分的证据显示，在遗民们的交往中，艺术和文学一直扮演着重要角色。

我认为，1279至1323年之间，就在这样的遗民聚会中，一位遗民大画家（或许就是罗稚川），为这些哀悼宋朝而聚集的人们创作了（或是带来了）《寒江钓艇》。其中的两位出席者（我们可能永远不会知道他们的身份）在画上题诗，对文天祥之死、对宋朝覆亡、对老渔夫独钓寒江的象征，抒发他们的感受。罗稚川曾经画过类似的雪图；诗人胡助（1278—1355）曾作一首诗，题为《罗稚川雪图》：

> 独钓寒江似冻蝇，五楼千古挂枯藤。
> 山阴道上无行迹，林外人家雪满罾。[14]

把艺术史建构在数件名画上的一个后果是：在这样的批评框架内，绝大部分的画变得与这个历史毫不相干。在1961—1962年的展览中，《寒江钓艇》被认为是颇合宜的选择，展览目录作者这样写道：“在所有传为大师（李成）画作的（台北）故宫博物院藏品中，我们认为这件极有绘画性的作品最佳。”[15]但是此画并没有包括在目前的大型展览中，因为我们现在非常确定（其实在六十年代展览时，很多人就已经有此认识），它是李成去世若干个世纪以后的作品，而且我们还无法为它在艺术史上定位。本文即是为了呼应这第二种考虑，尝试为它和同类的画找出在时代和精神上的定位。

临流独坐

《临流独坐》【图4】曾传为范宽（950—1032）所作，它虽然和《寒江钓艇》各有自己的传承历史，却是同类绘画的另一个例子。图的上方共有十一个题跋，年代最晚的是乾隆皇帝（1736—1796在位）的手笔。[16]在十个较早的跋文中，只有少数几个作者被确认，这样的情况可能延缓了我们对此画及其历史的全面了解。无论如何，这些题跋是呼应这类古老巨幅山水画的引人入胜的例子，即使它的全盛时期早已消逝。

《临流独坐》的断代存在争议，因为讨论过这幅画的两位权威学者

图 4 （传）**范宽 临流独坐** 立轴 绢本 水墨淡色 156.1 厘米×106.3 厘米 台北故宫博物院

对它的年代没有一致的见解；一位认为是12世纪早期的作品，另一位认定是13世纪。[17] 既然所有早于乾隆皇帝的十个题跋似乎都是在14世纪写的（其中唯一的年款是1376，而这个日期因其跋文在图上的位置，我认为是这画和它的题跋最晚的可能年代），而且没有一个提到画家或日期，我倾向于判断此画的年代不会早于13世纪晚期到14世纪早期。它的风格大致和宋末元初的风格相符合，我将在下文建议并且讨论：《临流独坐》之于范宽，正如《寒江钓艇》之于李成——是对宋画大师在不同时代的一个重新建构。

由于所有题跋已被Caron Smith在她的博士论文中翻译了，在此无须重复。[18] 但是本文将选择几首题诗予以讨论，以期对其基本特点有所理解（所有的题诗及其位置请见附录）。首先，做一个粗略的分析。乾隆皇帝的题款在图中心分界的略右上方。在中心分界的略左有一个长跋，字迹一丝不苟，而且仔细注明了日期与名款："洪武丙辰（1376）五月既望太末（在浙江省）徐克谐。"徐诗所表达的是颇为俗套的想法，亦即他希望能在一个像这画中的地方退休。

在徐题诗的左方有一个类似的长跋，作者是苏伯衡（1329—1392或之后），浙江金华人，著名作家、学者、官员，曾在1363年加入明太祖朱元璋的南京阵营。[19] 1368年朱元璋登基后，他追随朱到南京，成为国子监教授，一直到1371年左右退休为止。苏的退休期持续到1387年，也就是在这十多年之间，他写了这首诗跋：

> 大山合沓横阵云，小山窈窕瓜文分。
> 大山小山谁凿断，回溪中有波沄沄。
> 扁舟长系太古石，略彴遥通何处村。
> 数间茅屋少人住，万壑松风多画闻。
> 临流独坐者谁子，嗒然已似忘昏昕。
> 逍遥时咏池上作，酩酊自倒林下尊。
> 时来好作东山起，麋鹿焉可同其群。眉山苏伯衡。

或许我们可以从苏伯衡在金华老家的退休生活心态来了解这首诗。1388年，苏伯衡在将近六十岁时被聘主会试，事竣辞还。不久出任处州教授，最后竟因上呈奏表触犯了朱元璋，死于狱中。他的两个儿子也因试图营救他而死。苏伯衡的一生有种英雄的气质，正和他题跋的这幅范宽风格的雄伟山水画相符合。苏伯衡是宋代文人苏轼的胞弟苏辙的裔孙，因而他自署“眉山苏伯衡”，眉山是他引以为傲的祖先故乡。

正因为徐克谐和苏伯衡的长跋都是挤在图上方近中央原本已很小的空间，而不是在图上方靠两侧边的位置，那些大胆地写在右上侧的题跋，似乎在1376年徐和苏题诗时就已存在。我怀疑右上侧的三个题诗是在1376年之前写的，但因为无法确认它们的作者，这个解释仍然是个假设。它们的大胆写作风格和画颇相应。第一首诗署名何权：

> 茆堂结构背江干，日日爱看江上山。
> 箕踞盘陀吟未稳，不知身在画图间。何权

第二首诗有个奇怪的名款：昇杨牗。

> 亦有名贤远市朝，萧然环堵住山椒。
> 虚亭未足容清气，据石临流兴自饶。昇杨牗

这组的第三首诗署名：王闲。

> 藐石林兮熹微，望佳人兮不归。
> 目眇眇兮愁绝，怅青山兮夕霏。王闲

相较于他人觉得画中是遥远的乐园或不可及的胜地，这些诗的确呈现奇特又惊人的读画内容。诗中的“佳人”寓意丰富，可视上下文做不同的解释，如比喻为一个君王，或群臣，或美人，甚或爱人，而且可能总是有此种的暗示。此诗让人惊异的一点，王闲指认《临流独坐》中的孤单的人，是忠实的爱人或官员，在逐渐增强的失望和忧郁中，终日等待着没有出现的爱人或君王。

这三首诗都相当个人化，并容许读者在阅读时联想到这位画家——他住在河畔简陋的草寮中，吟着他的诗歌，画着他的图，不知不觉中成为他自己的画。他怀想着那没出现的王子，而且在傍晚，他像一个失望的恋人，日复一日悲哀着。在十一个画跋中，只有这三个题跋没有钤印。

所有其他已知的作者，包括写明自己籍贯的作者，都是浙江（当时

称为浙东）人。其中两位住在金华（苏伯衡和刘伯善），一位住在太末，一位住在海盐。至少有两位是政府官员。金华是元初著名的遗民活动中心，在蒙古人被推翻后和明朝建立时，成为强力拥护朱元璋的地区。[20]这一事实和14世纪的范宽传统的关联尤其值得留意。

根据夏文彦（活跃于14世纪中期）的记述，在14世纪只有一位画家专注于范宽风格，那就是曾瑞，又名曾瑞卿。[21]曾瑞是杭州居民，和所有的题跋作者同属一个区域。最有趣的曾瑞传记是他的朋友钟嗣成（约1279—1360）写的。钟编著的《录鬼簿》共记述152位杂剧及散曲作家，编者本人也是散曲家，和许多收录的作家都熟识。在他的朋友中，有一位是曾瑞，钟记注他卒于1330年之前。钟的"曾瑞小传"全文爰录于下：

> 曾瑞卿，名瑞，大兴人。自北来南，喜江浙人才之多，羡钱塘景物之盛，因而家焉。神采卓异，衣冠整肃，优游于市井，洒然如神仙中人。志不屈物，故不愿仕，自号褐夫。江淮之达者，岁时馈送不绝，遂得以徜徉卒岁。临终之日，诣门吊者以千数。余尝接音容，获承言话，勉励之语，润益良多。公善丹青，能隐语、小曲，有《诗酒余音》行于世。
>
> 江湖儒士慕高名，市井儿童诵瑞卿。衣冠济楚人钦敬，更心无宠辱惊，乐幽闲不解趋承。身如在，死若生，想音容如见丹青。[22]

有关曾瑞生平和个性的第二个重要资料来源，见于另一位英雄及遗民史学家林景熙（1242—1310）的文集。林虽然贫困，但当宋高宗和孝宗的陵墓被盗时，林景熙收拾遗骨，葬于兰亭，植冬青树为标志，作《冬青花》以抒忠愤。作为一个坚定的遗民，他的友人中就包括了身为画家和作家的曾瑞。他曾为曾瑞在杭州的居所孤竹斋撰写了《孤竹斋记》。林告诉我们，曾瑞的祖先源自河北古代"孤竹国"的故地，那里是伯夷和叔齐的家乡；夷、齐忠于商而耻为周臣，隐于首阳山，不食周粟，宁愿饿死也不愿臣服于新朝。林这样描绘曾瑞："其貌冰悬雪峙，莹然而清也。聆其论，蛟腾虎跃，轩然而英也。"曾退隐江湖，虽未追随伯夷与叔齐的"西山之饿"，但却能"廉顽立懦"，自持如孤竹。[23]

从这些歆慕钦佩曾瑞的叙述可知，曾瑞是一个足以体现遗民群体本质的人——不仕新朝，创作戏曲、诗歌、画图，生活简朴、远离权贵（虽然这些人尊敬他，提供他充足的各种支持，使他得以过着有尊严的生活）。

我见过唯一的题款为曾瑞的画，是现藏普林斯顿大学美术馆的《鸲鹆竹石图》【图5】，上有祝允明（1461—1527）的跋。此图需要进一步的研究，因为它展现了有趣的图像，似乎预告了八大山人（1626—1705）的自传性图画；图中一只孤单的黑鸟倒挂在庭石边的竹枝上，似乎正是画家斋名"孤竹"的写照。无论这幅普林斯顿所藏之画的性质如何，《临流独坐》与曾瑞的正面关系，应建立在对于这画和它所有关系的了解上。曾瑞是唯一被确认在元

图5 **鸲鹆竹石图** 有曾瑞名款及印章 以及祝允明款的题跋 立轴 绢本水墨 124厘米×26厘米 普林斯顿大学美术馆

初活动的承继范宽传统的大师；他住在浙江，所有此图上能被辨认的元明时期题跋都在此地写成；况且图上年代最早的题诗，可解读为描写一个所知的、被其他资料所证实的人。无论如何，这是我想要提出的一个假设。王闲奇特的诗，几乎是为这位坚贞而有着理想主义个性的曾瑞所作：黎明即起，等待着他的"佳人"，耐心地坐了一整天，直到日暮才失望地意识到，无人会来。我相信进一步研究《临流独坐》应辨识所有在图上题跋的人，终究会有成果，而且关于曾瑞的更多资料，将会在与他同时的学者文集中被发现。

我们应该注意的是《临流独坐》不凡的风格与技巧，因为它们也会呈现一个特立独行的大胆艺术家，拥有从范宽到李成紧密的形式语言中提炼出的挑战性技巧。树干和枝丫以折角式的快速转换的斜尖笔触画出，叶片丛点随意散布，斧劈皴法和水墨轻快融和以画出尖锐岩石。在画中一种既深又广的山水视野，似乎是自动而不着一力地被包容而涌现。《临流独坐》的画家创造了一种书法式的自由而松弛的方法，来唤起这些深邃巨大、充满氤岚的古老山岭。而他在此采用一种富于提示性的自传式角度，小心翼翼地孤立这个唯一人物，以致几乎要消失似的"独坐溪畔"——这画更像是范宽在另一时代所作。[24]

从另一个立足点来考虑这一问题，类似这一风格特征的最接近的例子，可以在南宋末的李东（13 世纪中期）以及梁楷（活跃于 13 世纪前半期）相关的作品中看到。[25] 但是南宋作品很少具备《临流独坐》的豪放、开阔、宏伟；与此性质相近、或许是最接近的回音，是高克恭约 1309 年画的《云横秀岭图》。[26] 高和曾瑞同是 14 世纪早期流寓杭州的北方人，这两个事实可能并非完全无关或纯属偶然。

一旦我们超越了目前倾向于认同《临流独坐》代表一个古老理想的没落，我们或许可以看出，故宫此画在当时相当现代，可以和一些确定的同时代作品相提并论，譬如赵孟頫、高克恭、李衎和其他元代早期的文人传统。《临流独坐》似乎也是一个回归巨幅山水的重要例子；它把宋末山水转变成如元末大师黄公望和王蒙的引人注目的视觉表现。在这决定性的宋元过渡时期，《临流独坐》之巨幛山水的再现，无疑是和纪念的想法有关联，就如同《寒江钓艇》一样，两幅图似乎都是为了哀悼宋朝和它的理想所画的纪念碑。

在现存的古画中，毫无疑问有出自《临流独坐》作者之手——我们不妨称这个画家为曾瑞——的作品，其中一张是普林斯顿大学美术馆所藏著名的《仿范宽山水图》【图 6】。限于篇幅，此处无法做详尽分析，然而这两张画构图的明显相似性因时间而愈加强化，即使随机地比较两图的细部，我们几乎无法忽视许多可以互换的特点。两图形质上亦很相似，每张画都是由两条绢在画幅中央拼接而成，而且两图的宽度都接近 105 厘米。普林斯顿轴稍高了 19 厘米。若比较一些颇能说明问题的次要细节，诸如：奇特造型的峭壁轮廓，水中小且黑的苍老岩块，在雾中飘摇的远方屋顶，勾画出枝干和叶丛的潦草如飞的笔触——这两幅画极为相似。

无论如何，它们是否出自同一作者，甚或关于作者的这个问题，都不是需要强调的重要课题。我的看法是：曾瑞和他的艺术有许多未知之处，我们将会发现和曾瑞有关的其他作品和文献，届时许多问题会得到解释。在此，我仅希望重新引介普林斯顿山水轴，点出它在这样的背景中固有的重要性。

最重要的问题，或许就是这令文人们认真题诗的独特图像——临流独坐和寒江独钓。在蒙古人统治下多变难卜的不安时代，李成和范宽（他们有时被视为两位最伟大的宋代山水画家）所创造的山水画风格，明显地被有些人认为适当地代表了古代的理想和亘久的人类价值，尤其是当理想与价值受到挑战和被重新定义的时候。经由元初的罗稚川和其他人的形象重建，“李成”被那些悼念亡宋的人们用来表达哀伤。经由曾瑞的重新塑造，“范宽”提供了一个视野，让那些蒙元统治下的汉人，得以适切地传达他们的生命与希望，直至他们重新赢回政权。在蒙元时代，两位宗师持续地提供灵感，鼓舞那些在尘世中挣扎的人们。

王仲兰　译

译者单位：美国哈特福大学

附录：《临流独坐》诗跋。

录自《故宫书画图录》（台北：台北故宫博物院，1989）1，页 160-161。

1　年来深媿窃时名，争似无官去就轻。李渤自甘居少室，谢安应不念苍生。小桥曲径孤村远，茂树青泉一雨晴。何日风流成二老，青鞋布袜遂幽情。

图 6　佚名　仿范宽山水图　立轴　绢本　水墨淡色　175.2 厘米×105.4 厘米　普林斯顿大学美术馆

时洪武丙辰五月既望。太末徐克谐题于邑庠之论堂。

2 峰峦兮崭岩，溪谷兮潺湲。乐哉幽居兮，夐隔乎尘寰。
吾将抱琴兮，相从乎泉石之间。伯善。

3 画工能画山，不识山之真。泉石阿谁曾着身，天机精到若有神。高低远近随所置，心与造化工无二。点布众翻墨浪匀，迅扫尖排笔锋利。翠岚红树满秋山，断崖水落当松关。松下丈人坐不去，似讶此境非人间。君不见李将军王摩诘，一幅千寻妙难述。崩石惊涛耸观目，潇洒充君眠中物。庐山五老雁荡峰，芒履杖藜何日同。佳境满堂秋色动，山要隐隐来清风。池裀。

4 轻绡水墨横秋色，一曲溪山似辋川。
柳浪欹湖俱在眼，何时花落醉犹眠。吕荧。

5 自西南兮遐观，江漫漫兮峰巑巑。云冥冥兮上覆，奚纡回兮中盘。吾不知其为何所兮，抑池阳之群山。九华崒嵂以前列兮，浮图依约乎崇峦。望谪仙兮不见，觉天宇之空闲。青松白日以晦昧兮，碧巘倒浸乎苍湾。石惨惨兮玉润，枫萧萧兮霜殷。路崎岖兮直上，欲南接乎荆蛮。涉夫人兮独处，超逍遥兮盘桓。人间岂不有异境兮，嗟身纡兮青纶。安得羽翼极八表之外兮，驾黄鹄兮徕还。张彝。

6 曹君手持山水图，黑色暗淡云模糊。请我试作山水歌，对之神思驰八区。
忆昔薄游齐楚间，不见好画常见山。匡卢巫峡千万仞，江水下注声潺潺。
泰山三峰倚天碧，徂徕龟蒙皆辟易。上登绝顶俯日月，元气鸿蒙阖且辟。
此图恍惚欲相似，更有高阁清江里。何人最得隐者趣，行到水穷望云起。
千林高树动寒风，半崖飞瀑走玉虹。轻舟长向古渡泊，小径自与仙源通。
曹君爱画意无极，此画千金未可得。明朝肯作鹿门期，布袜青鞋踏秋色。桑以时。

7 御题行书（乾隆癸巳御题。诗文不录）。

注 释

〔1〕*Chinese Art Treasure*（Geneva: Skira, 1961）, no. 17.

〔2〕Wen C. Fong and James C. Y. Watt, *Possessing the Past: Treasures from the Palace Museum, Taipei*（New York: Metropolitan Museum of Art; and Taipei: Palace Museum, 1996）, p. 135, pl. 61.

〔3〕有关此诗的讨论，见李霖灿，《范宽〈寒江钓雪图〉》，载李霖灿，《中国名画研究》（台北：台北故宫博物院，1973）第一册，页 96—101。

〔4〕Osvald Sirén, *Chinese Painting: Leading Masters and Principles*, 7 vols.（New York: Ronald Press, 1956-1958）, vol. 3, pl. 149.

〔5〕*Chinese Art Treasures*, p. 60.

〔6〕James Cahill, *An Index of Early Chinese Painters and Paintings*（Berkeley: University of California Press, 1980）, p. 42.

〔7〕诗跋收录于《故宫书画录》，共 4 册（台北故宫博物院，1965），第 3 册，卷 5，页 36—37。

〔8〕Kang-I Sun Chang, “Symbolic and Allegorical Meanings in the Yue-fu pu-t’ i Poem Series,” *Harvard Journal of Asiatic Studies* 46, no. 2（1986）, pp. 353-385.

〔9〕有关文天祥的传记，详见 William Andreas Brown, *Wen Tian-hsiang, A Biographical Study of a Sung Patriot*（San Francisco: Chinese Materials Center Publications, 1986）；亦见 Jennifer W. Jay, *A Change in Dynasties: Loyalism in Thirteenth-Century China*（Bellingham: Center for East Asian Studies, Western Washington University, 1991）.

〔10〕有关谢翱此诗的翻译和讨论，详见 Jennifer W. Jay, *A Change in Dynasties*, pp. 157-162.

〔11〕黄玉笙编著，《文天祥评传》（台北：黎明文化事业公司，1987），页 265—268。

〔12〕Wai-kam Ho（何惠鉴），“Chinese Under the Mongols,” in Sherman E. Lee and Wai-kam Ho, *Chinese Under the Mongols: The Yuan Dynasty (1279-1368)*（Cleveland: The Cleveland Museum of Art, 1968）, pp. 93-95.

〔13〕此诗的英译见 Richard M. Barnhart, *Along the Border of Heaven: Sung and Yuan Paintings from the C.C. Wang Family Collection*（New York: Metropolitan Museum of Art, 1983）, pp. 121-126.

〔14〕胡助，《纯白斋类稿》（四部丛书编），卷 15，页 4。

〔15〕*Chinese Art Treasures*, p. 60.

〔16〕《故宫书画录》，册 3，卷 5，页 37—39。

〔17〕Wen C. Fong（方闻）, *Images of the Mind*（Princeton: The Art Museum, Princeton University, 1984）, pp. 60-68；以及 James Cahill, *An Index of Early Chinese Painters and Paintings*, p. 82.

〔18〕Caron Smith, “The Fan K’uan Tradition in Chinese Landscape Painting,” 2 vols.（Ph.D. dissertation, New York University, 1990）, vol. 1, pp. 325-335.

〔19〕苏伯衡的传记，详见 L. Carrington Goodrich and Chaoying Fang, eds., *Dictionary of Ming Biography*, 2 vols.（New York and London: Columbia University Press, 1976）, vol. 2 , pp. 1214-1216.

〔20〕John D. Langlois, Jr., “Political Thought in Chin-hua under Mongol Rule,” in John D. Langlois, Jr., ed., *China Under Mongol Rule*（Princeton: Princeton University Press, 1981）, pp. 137-185.

〔21〕夏文彦，《图绘宝鉴》（1365；画史丛书编），卷 5，页 138。亦参阅 Caron Smith, “The Fan K’uan Tradition,” vol. 2, p. 415。

〔22〕钟嗣成，《录鬼簿》（1330；知不足斋编），卷 2，页 4。

〔23〕林景熙，《霁山文集》（四库全书编），卷 4，页 15—16。林景熙的传记，详见 Jennifer W. Jay, *A Change in Dynasties*, pp. 155-156。

〔24〕范宽画中的人物，参阅 Richard Barnhart, “Figures in Landscape,” *Archives of Asian Art* 42（1989）, pp. 62-70.

〔25〕有关李东，详见前注 3 所引的李霖灿文章。

〔26〕*Chinese Art Treasures*, no. 70.

台北故宫博物院典藏的狂邪学派绘画

一

以台北故宫博物院对中国绘画收藏的丰富，其中自有极少数一群被泛称为“狂邪学派”的明代画家的作品在内。但据笔者所知，藏品中代表着这群被评为晚明时期绘画水准不高、具有邪态的画家们的作品，仅有张路（约1490—1563）和郭诩（1456—1532）的两幅署名之作。[1]然除张路和郭诩外，属于“狂邪学派”的画家还有蒋嵩、钟礼、郑文林、张复阳、蒋贵及其他一些较不知名者。

这群画家的作品未能纳入故宫博物院收藏的原因之一，当然是由于16世纪末期出现“狂态邪学”一词后，对其产生一种轻蔑的态度所致。17世纪晚期和18世纪早期，是这种批评态度的巅峰时期，而当时清朝皇帝正在收集书画，以形成今日故宫博物院藏品的精髓，于是彼等的作品便自然不在收藏之列了。但在16世纪，此态度尚属萌芽阶段，情况显然有所不同，以明代权相严嵩的私人收藏为例，其中便至少有十七件张路的作品和许多其他狂邪学派画家的作品。[2]

另一更有趣的原因则是，在18世纪形成故宫博物院今日的收藏时，许多狂邪学派画家的作品已失去原作者的名字，而被伪托成了宋人的作品。当时这种大规模地将明代的院体绘画伪托成宋画的戏剧化过程已相当盛行，虽然其确切发生的年代难于考证，但无疑地自16世纪晚期即已进展得颇为顺利。[3]

而这种伪托过程的典型例子则见之于《渔乐图》【图1】。清宫的《石渠宝笈》中将其著录为宋人，[4]然此画左上角的远山上，有真正作

图1　宋人（本文定为丁玉川）　渔乐图　台北故宫博物院

者丁玉川的钤印一方，其印文为“玉川”二字。丁玉川为明代一位不十分重要的画家，现今对其所知甚少，甚至对大部分的学者来说，丁氏之名是并不具有任何意义的。

二

笔者最早注意到丁玉川，正值1970年代末期任教于普林斯顿大学，研究莫瑞斯先生二次大战后捐赠给该校美术馆的中国绘画之时。莫瑞斯先生居住于中国三十年，收藏了丰富的中国绘画。〔5〕其中一件作品的原签为夏圭【图2】，乍看确属夏圭的风味，但从画上的款印和个人风格来看，则并不相符。其上有款题“玉川”二字，下钤“翠�”一印，未署姓氏。于查寻著录时得丁玉川之名，小传中所记述其风格内容，正与普林斯顿的作品相合。以徐沁（17世纪）的《明画录》为例：“丁玉川，江右人。善画人物，行笔草草，论者谓其徒逞狂态，比于邪学。其山水宗马夏而乏气韵。”〔6〕另《图绘宝鉴续纂》（译者注）和《无声诗史》的内容则皆雷同。〔7〕各著录均未论及丁氏的活动年代，唯有后二书将其与15世纪的石锐、林良和颜宗并列一处。

证明丁玉川活动于15世纪的证据，在于刘珝（卒于1490年）题丁玉川画作的一则题跋〔8〕：“彼美玉川子，素慕青溪翁。远浓近淡不停手，神机所到天然工。”此诗跋虽是传统式的题跋，却提供了两项新的资料。一为跋文中提及的“青溪翁”，虽同为江西婺源程琐和福建长汀马相的字号，〔9〕但此处所指当为马相。其原因在于丁玉川的风格和另一同时期的福建画家周文靖（活动于15世纪）相当接近【图3】，虽俱仿效宋李唐、马远和夏圭的院体画风，但使用的却是一种疏淡从容、具书法意味的笔墨。这种笔墨所呈现的是南宋院画的紧密风格舒缓化后的感觉，而更接近于吴镇（1280—1354）和黄公望（1269—1354）的面貌。丁玉川和周文靖综合宋元的绘画技巧，创造出宽广、开放和季节性的山水，形成融合夏圭和吴镇的绘画风格。两位画家的构图重心均置于画面的一侧，另一侧则为辽阔的空白处。画云雾的方式相似；画疏散在山岭的轮廓线、脉络和峰顶上的浓湿墨点亦然。又均善于用色，皆以具有明亮色彩的小区域和散布的较深色泽来相互对照。总之，丁玉川和周文靖的风格极为相似，且周氏的作品也和丁氏一样，有时会被误认为宋名家之作。〔10〕

图 2
丁玉川
（旧传为夏圭）
琴鹤高士
普林斯顿大学美术馆

二为丁玉川虽为江西人氏，又或是邻省福建画家马相的学生，但其有可能曾在北京居住过一段时期。因刘珝几乎终生皆在京中为官，故极可能是在当地见到丁玉川及其作品的。而支持此种可能性的记载，则见于鉴赏家李开先（1502—1568）有关丁玉川的记述。李氏终其一生分居北京和家乡山东两地，其对丁氏的作品虽甚为了解，却并不欣赏，以致将其和沈周、李在并列为浊品。然从李氏的论述内容来看，其应对当时

图 3
周文靖
雪夜访戴
台北故宫博物院

北京和北方的绘画十分了解，且有着明确的意见，但对他地则否。[11]总而言之，刘翊和李开先的记载，均指出丁玉川一生中曾于北京度过相当长的一段时间。

据笔者所知，关于丁氏年岁仅有的线索，是见于日本私人收藏中，一幅丁氏作品【图 4】上其本身的款题："清江九十二翁丁玉川作。"这也是现存唯一见到丁玉川全名的作品，并知其年过九十时仍然在作画。

图 4　丁玉川　山水人物　日本私人收藏

由上述各项资料，正显示出丁玉川的一生应历经过大半个 15 世纪，正当盛行着戴进（1388—1462）、吴伟（1459—1508）、林良（1428—1494）和沈周（1427—1509）的画风之时。而从丁氏的作品与彼等的相似之处来判断，丁玉川的风格和此趋势必有着密切的关联。

另笔者所知丁氏有著录的作品有二，俱属日本私人的收藏，且皆仅款署“玉川”二字。其一【图 5】充分展现宋代山水诗情画意的风貌，原可能为一巨幅山水的局部。湿笔晕染的山脉为构图的主要部分，沿着棱线分布着三处孤立、只见局部的房舍，都甚为隐蔽。此山脉是画面的中心，直接地呈现于观赏者的眼前，作者已尽其可能地表现了古老山岭宁静又多变的气氛。本作品的风格显示出丁玉川确与戴进同时，并开唐寅（1470—1524）画风之先。另笔者以为极可能此幅下段有残缺的部分，且其上原本有着一或二个人物，就像普林斯顿大学的收藏品一样。至于丁氏的第二幅有名款的作品【图 6】则仅见一状况甚差的图片，其中有高士一人悠闲地坐于船中，一边啜饮，一边聆听着松涛。

台北故宫博物院的这幅丁玉川，因画幅上显然有画家尚未经过篡改的钤印，故可能是其有署名和有著录的作品之一。由于丁氏有记载的作品有限，不易做进一步的款印研究，以致此印无法与笔者曾见之印章相印证。且丁玉川作为一位活动时间可能长达七十年的职业画家，必拥有

图 5　丁玉川　山水　日本私人收藏

图6　丁玉川　松荫垂钓　日本私人收藏

图 7 **丁玉川**（旧传为荆浩）
秋山访友 弗利尔美术馆

许多的印章和不同的款署，故目前将暂不对其真伪下任何结论。

手边的数幅丁玉川署名或有著录的作品，其绘画风格均有一致性，致使其上纵无款印，也颇易于辨认。典型的例子是弗利尔美术馆收藏的《秋山访友》【图 7】，原依画幅下方朱彝尊（1629—1709）的题跋，定作者为 10 世纪的荆浩。其构图与前述普林斯顿大学的藏品相类，各细节均具有丁玉川的特点。然本幅的前景人物虽也有鹤为伴（另伴以飞行于船只上方的白鹭和悠游于左下角的鸭），却是坐于船上的。从丁氏的作品来看，其画人物、建筑和船只的用笔皆熟练而迅速，但不十分精细。

上述二件作品在构图上，都以较小的建筑和屋顶作为远景来增加画幅的深度和空间感；前景树木的造型也和远山上者相同，并同样地因距离的远近而有大小之别。另一特色则在其常用浓湿的墨笔点画前景坡石，以加重画幅下方的分量。若纵观今日丁玉川有限的作品，则知其可自在地运用熟悉的宋元笔墨，一再不造作、不经意地以轻松、自然的方式，创造出简单而丰富的秋景山水。

从丁玉川现今传世的作品来看，其画风当远溯自夏圭，而此一说法可能最早于李开先1545年的《中麓画品》中提及："丁玉川其原出于夏圭、孙君泽。"[12] 而由三位画家的作品来判断，此说应颇为恰当，且传承的路线乃始自宋代画院传统，传至元代杭州的职业画家，再至明代宫廷画家和职业画家如丁玉川者。这一属于夏圭风格的传统，自也影响着当时的宫廷画家如戴进、钟礼和王谔（活动于16世纪早期）等，同时沈周和其他引领苏州画坛的大师亦对夏圭深感兴趣。广义地说，夏圭实为明初绘画的主要影响者，而十分有趣的是，普林斯顿大学的那幅藏品，就至少在本世纪初是被认作夏圭的作品的。

三

台北故宫博物院中一幅旧传为夏圭的作品，实也为狂邪学派画家所画，然可能正因此误传，而至今仍能保存。是幅《山水》【图8】虽无原作者的款印，却很容易被辨认出为"狂态邪学"画家蒋嵩所作。蒋氏身为朱元璋（1328—1398）的医生和顾问的后人，却始终安于在南京做一名职业山水画家。其约和张路同时，画风源自经15世纪的大师戴进和吴伟等加以变化和重新创造后的马远、夏圭风格。[13]

蒋嵩典型的署名作品【图9】中，通常款署"三松"二字，并钤有一或二方印记。款印皆以直行的方式，排列于画幅上方的明显之处，而在台北故宫博物院的这幅作品上，便有着如此一个被刮去的痕迹。虽不知未来能否经由实验的方法来辨认被刮去的款印，以证明此为蒋氏的作品。然近来弗利尔美术馆在两件旧传为宋人的作品上，辨识出了磨失的款印，却证实在实验室中对古代中国绘画从事原件的检验，是可能大有收获的。例如该馆旧传为郭熙的巨幅山水【图10】，以特殊的摄影方式检验画幅右上角、最右方松树顶端被刮去款印的部位，显示出为李在（约活动于1426—1436）的名款，印文则是"金门画士"，乃15世纪一

图 8　旧传为夏圭（本文定为蒋嵩）山水，台北故宫博物院

图9　蒋嵩　山水　私人收藏

图 10 **李在**（旧传为郭熙）**松荫对弈** 弗利尔美术馆

图 11 **戴进**（旧传为夏森）
袁安卧雪
弗利尔美术馆

些有名的宫廷画家常用的官印之一。本幅为典型李在师法郭熙那种构图雄伟、适合皇家气势的巨幅山水，加以再创造后的作品，并也是为迎合皇室的品味而作。

而弗利尔美术馆中另一构图雄伟的作品【图 11】上，近日才发现了重要职业画家戴进残存的款印。在此之前，原据旧签标为晚宋画院画家夏圭之子夏森的作品，然馆内的人员实早已认定其应为一幅明代的画作。[14] 另许多年前，台北故宫博物院一件自 18 世纪以来传为马远的巨轴，亦由李霖灿和李铸晋发现属于狂邪学派画家钟礼的款印。[15]

图 12
李在（旧传为郭熙）
山庄高逸
台北故宫博物院

虽基于种种因素而显见继续对古代中国绘画从事实验室检验的重要性，但风格本身也是艺术史研究中一项重要的因素，甚至较著录更具考证的价值。上述在台北故宫博物院中的二件作品，便经笔者从风格和笔墨技法证实为丁玉川和蒋嵩所作，不过著录在此也还是同样重要的。另一直接以作品本身来作为凭证的例子，是台北故宫博物院中一幅向标名为郭熙的山水画【图 12】，原根据 18 世纪的《石渠宝笈》而定名，然专家早便认为此幅《山庄高逸》实为李在所画。[16] 虽其上李在的款印必已于某时被移走，但据笔者所知除了画幅本身外，当没有任何著录更能证实此事。而此一直接由绘画风格本身所呈现出的事实，已使台北故宫博物院同意于1996至1997年赴美的“中华瑰宝”展览中，将之定名为李在的作品。

四

近代的艺术史研究中从未见过丁玉川之名，其所有的作品几乎均被冠以荆浩、郭熙的名字，或传为宋名家所作，但至少还有五幅仍具其名款或印章。此现象正略为反映当出现了所谓“狂邪学派”的名称，使得作品本身和原有的艺术评论均被予以重新评估后，对了解真实的中国绘画史所造成的影响。原本画史中并无此学派，但自创造以来渐为众人所接受，终扭曲明代的绘画史，造成所谓“狂态邪学”的作品变成了宋代名家之作。而台北故宫博物院的收藏中实包含许多“狂态邪学”名家的作品，其数量远超过本文中所提及者，但大部分皆被标以宋代各名家的名字，如从荆浩到夏圭，从李唐到马远。

而对这种相当讽刺的状况，笔者仅能臆测是在约1530年画院结束之后的几十年内，原本对明代此类绘画的公正评论，受到绝大多数人的否定，以致任何人都不会以此方式来作画，更遑论去对之有所了解。而当画院消失的时候，其中教导古典绘画技法和理念的职业艺术教育便也随之消逝。故笔者以为院体风格的绘画必迅速地减少，继来的画风则首先因为晚期的苏州大师，接着由于董其昌及其跟随者而多有改变。于是15世纪明代宫廷画家和职业画家的作品，俱被当成是一种古代、古典风味的作品，就像举凡古老样式的事物，仅在其被当作古董时才会具有意义一般。另外很确定的是，董其昌当时既是具领导地位的鉴赏家之一，对混淆明画和宋画一事必扮演着直接、重要的角色，因此16世纪晚期和17世纪早期，即已明显地开始在大规模地将明画改为宋画了。〔17〕

“狂态邪学”大师的艺术之终能得以保存，是一件值得庆幸的事。而对这一保存的过程，若从动机和背景去推测其发生的经过，也会是很有趣的。毫无疑问地，在某一种艺术传统失去价值的时候，必有人发现将无名的15世纪江苏职业画家，如丁玉川的作品改造成夏圭，或将李在变成郭熙，是相当有利可图的事。于是蓄意欺骗行为自然一再重复地出现，如移去或涂去款印，将旧作另标以新作者等。当20世纪初期，美国的收藏家如弗利尔和莫瑞斯在收藏中国绘画的时候，画商们依然在使用着相同的手法。这种伪托行为的产生，需要有易受骗的买主，和买卖双方均有买、卖价值极高物品的欲望。但双方也都关切着利益的问题，故除非各方皆已深为一种误解所影响，并将之当成了事实来看待，否则此行为应不可能会持续数世纪之久。而董其昌的鉴赏，便是证实这种误解早已存在的例证。董氏和其他 17 世纪著名的鉴赏家如王铎（1592—1652）者，皆有时可能为了社交和经济上的理由，以致提出不实的鉴定。且其历来的鉴赏中，也显示彼等常将元或明的作品混淆为宋代或更早期的作品，而这种情况约在 1600 年即已相当普遍。

上述情况延续至 18 世纪后，极为盛行。此时正值全国各地在搜寻被珍藏的宝物，以建立清皇室收藏之际。可以想象的是，当时必有些生活在满人统治之下的中国文人，十分满意于见到这些受人轻视的所谓“狂态邪学”和低水准的院体作品，被当成了宋代的古典绘画作品，而为外族皇帝所珍视。但这对从事此事和出面作证的人而言，却是非常危险的行为。故大体上来说，许多改造真明画成为伪宋画的行为，极有可能是自然而有系统地发生在约 1600 年和 1700 年，当评论的品味和艺术作品均有所改变的时候。

在整个扭曲历史的过程中，18 世纪对判定作品的真伪、价值和理想形态所采取的观点，成为后人遵循的准则，但此准则的奠定却并不基于真实的历史，即使那是一贯、应有的立场。那些被贬抑的作品，只能借着被赋予新的名字和身份，伪装成前代受肯定的作品而存留下来。即其本身被评价的所谓空泛和“狂态邪学”丝毫未曾改变，只是经由成为他人的作品方得以保存。若从艺术和文化历史的视角来看，这些问题实值得加以认真地研究。

附记

在笔者完成此文后，郝华德 · 罗杰斯先生（Howard Rogers）又撰写了新的有关丁玉川的研究，发表于 1996 年秋季的《怀古堂》杂志，页 16—17 和 207—209。

谭怡令　译

译者单位：台北故宫博物院

译自 "'Heterodox' Paintings in the Palace Museum,"
Palace Museum Bulletin, vol. XXXI, no. 1
(March-April, 1996), pp. 1-21;
谭怡令的译文发表于：《故宫文物月刊》
第 175 期（1997 年 10 月），页 4—17。

注释

〔1〕张路《画老子骑牛》，图见《故宫书画图录》（台北：台北故宫博物院，1991）第 7 册，页 211；郭诩《东山携妓图》，图见《故宫书画图录》第 6 册，页 32。有关"狂邪学派"之研究，参见拙作"The'Wild and Heterodox'School of Ming Painting, "in Susan Bush and Christian Murck, eds., *Theories of the Arts in China* (Princeton: Princeton University Press, 1983), pp. 365-396.

〔2〕《明严氏书画记》，收录于《佩文斋书画谱》卷 98。

〔3〕参见拙作"The Archaeology of Early Ming Painting, "in *Painters of the Great Ming* (Dallas: Dallas Museum of Art, 1993), pp. 15-19.

〔4〕《石渠宝笈》著录，参见《故宫书画图录》第 3 册，页 99。

〔5〕此收藏未经编目，仅数百件中之五十件曾出版于 George Rowley, *Principles of Chinese Painting; With Illustrations from the Du Bois Schanck Morris Collection* (Princeton: Princeton University Press, 1947).

〔6〕徐沁，《明画录》卷 1，页 8，收录于《画史丛书》。（译者注：实非《图绘宝鉴续纂》，应为《图绘宝鉴续编》，收录于《图绘宝鉴》卷 6，见注 7。）

〔7〕《无声诗史》卷 6，页 96，收录于《画史丛书》，《图绘宝鉴》卷 6，页 162，收录于《画史丛书》。

〔8〕刘翔，《刘古直集》，引自《佩文斋书画谱》卷 56，页 7 下。

〔9〕二者之小传参见《中国美术家人名辞典》（台北：文史哲出版社，1984），页 770 上，页 1100 上。均无作品传世。

〔10〕参见上海博物馆藏《岁朝图》，此图在近年发现一周文靖的钤印之前，长久以来皆传为马远所作。图版参见《中国古代书画图目》（北京：人民美术出版社，1987）第 2 册，页 154，上可见伪作之马远名款。有关周文靖钤印之记载，参见穆益勤，《明代院体浙派史料》（上海：上海人民美术出版社，1985），页 233。

〔11〕李开先，《中麓画品》（艺术丛编），页 49、53 等。

〔12〕同上注，页 58。

〔13〕蒋嵩之研究，参见 Richard Barnhart, et al., *Painters of the Great Ming*, pp. 303-309.

〔14〕此作之研究，参见拙作"Rediscovering an Old Theme in Ming Painting, " in *Orientations* September 1995, pp. 52-61.

〔15〕李霖灿，《中国名画研究》（台北：艺文印书馆，1973）第 1 册，页 223-225；第 2 册，图版 45。

〔16〕Howard Rogers, "Packaging the Past: Chinese Painting of the Ming Dynasty, " *Orientations* April 1989, pp. 42-63（especially pp. 42-46）.

〔17〕参见拙作 "Tung Ch'i-Ch'ang's Connoisseurship of Sung Painting and the Validity of his Historical Theories: a Preliminary Study, " in Wai-ching Ho, ed., *Proceedings of the Tung Ch'i-ch'ang International Symposium*（Kansas City, Missouri: The Nelson-Atkins Museum of Art, 1992）, pp. 11-1～11-20.

孙君泽《雪景山水图》及一些相关作品研究

“孙君泽，杭人。工山水人物，学马远、夏圭。”这是元代夏文彦所撰《图绘宝鉴》（成书于1365年）中对于孙君泽的介绍，寥寥十余字，却是这位元代画家仅存的生平信息。此次展出的东京国立博物馆所藏《雪景山水图》就是孙君泽的作品。在明代，沈周（1427—1509）与友人吴宽（1435—1504）均曾作诗题咏孙君泽的画作（见附录）。戏曲作家李开先对画的品评与众不同，他在《中麓画品》（序作于1545年）一书中，将鲜为人知的浙派画家丁玉川归作夏圭和孙君泽一系。到清代，还能在周石林所整理的明代严嵩（1480—1565）家产清册《天水冰山录》中，看到有一件孙君泽作品的记载。之后，孙君泽的名字便不见于传世文献著录。

与此同时，孙君泽的画作也似乎在中国完全消失了。流传至今的孙君泽作品大部分存于日本，幸运的是，其中一件又到了美国。在日本的藏品中，有静嘉堂（Seikado Library）一对山水立轴——《夏》与《秋》【图1】；东京国立博物馆这件《雪景山水图》；还有一件长而窄的立轴，描绘了刘晨、阮肇入天台的故事，上存其名款（见图7）。孙君泽存世作品中尺幅最大的一件，是美国景元斋所藏的一件绘有建筑的山水画，长185.5厘米，宽113厘米，也落有名款。日本还有一两件无名款但钤有孙君泽印章的画作，另有一些虽无名款但归于孙君泽名下属马远、夏圭一系画风的作品，比如此次展出的东京国立博物馆所藏《高士观眺图》。不过，我倒觉得，《高士观眺图》画面薄雾缭绕，空谷幽远，墨色细腻，有异于孙君泽的画风，可能为同时代另一意趣相近的画家所绘。13世纪晚期和14世纪早期，杭州城内有很多延续宋代院体的画家，但仅有寥寥数者，其作品流传至今尚可鉴别，孙君泽便是其中之一。

图1 元 孙君泽 夏、秋 （日）静嘉堂藏

除了上述有据可查的作品之外，中国和美国一些主要的博物馆中，应该还能再找到一些孙君泽的山水画。不过，由于孙君泽画风逼肖宋人，这些画都被当作宋画了。

《雪景山水图》【图2】所绘冬雪景象颇似南宋山水画大家马远、夏圭的风格。然而，马、夏两位的作品供皇室成员私人欣赏，所以往往尺幅较小，少有大幅作品传世。当宋王朝与其优雅的文化已不复存在，在杭州城新兴的商业社会氛围中，作为马、夏追随者的孙君泽等元代画家，把宋代画家的绘画主题与风格改造为具有装饰意味的巨幛山水，譬

图2
元　孙君泽
雪景山水图
东京国立博物馆

如此次展出的《雪景山水图》。这样大尺幅的作品显然是用来悬挂于高屋大宅的室内墙壁上，就像孙君泽的作品中常能见到的那种建筑之中，或是装裱成大的屏风。正是孙君泽这一辈的元代画家汲取马远、夏圭两人的风格要素，综合而成一种画面空阔而又意蕴丰富的表现方式，并逐步发展为后世所熟知的“马、夏”画风。明代早期流行的浙派直接源于孙君泽及其同时代画家对宋人画风的阐释，他们对明代画家之影响，超越了明代画家所临摹的宋画本身。

《雪景山水图》的画面主体，是一位系深色头巾的书生，由一仆从相伴，在水边的亭阁中，遥望河对岸那位骑着毛驴的旅人。旅人身后，仆侍抱伞随行。旅人正经过小桥，在他的前方，蜿蜒的道路一直延伸到白雪覆盖的茫茫群山之中。人们可以想象，这位旅行者才拜访过书生后不久。新折的梅花仍置于桌上，或许正是这两位友朋早些时候同去踏雪寻找春天消息后携回的。画面雅致地传递出清冷的气息，仿佛能让在旧时杭州城炎夏中的思绪清静下来。对过往岁月的留恋，东京梦华般的追忆，似乎都是画中蕴藏之意。

临安在1276年被蒙古军队攻破时，相对而言还比较安定。孙君泽不过是宋亡后活跃于这座南宋故都的诸多艺术家之一。在那些元朝初期来访杭州的人们（譬如马可·波罗）的眼中，杭州虽已不是政治中心，但商业与艺术文化依旧繁盛，令人赞叹不已。南宋旧都的艺术特色得到了长期沿袭，寺庙与道观依然兴盛并成为当时的艺术活动中心，在寺观中产生了数量可观的延续前朝传统的艺术作品。最杰出的画僧牧溪及与之同时代的另一位画僧玉涧可能也曾在元初生活过。而南宋士大夫与宗室后裔，如周密、赵孟頫等人，仍在资助着前朝宫廷画师与工匠的传人。宋代的旧传统与元代的新艺术在蒙古一统的疆域中兴盛繁荣。

虽然出生于浙江吴兴，作为宋宗室的赵孟頫，却是元初影响至巨的艺术家。他的资助者和圈中好友中很多人长期居住在杭州——诸如曾出仕南宋的周密、庄肃等，还有像汤垕这样的学者，王渊、陈琳等画家。赵孟頫努力将宋代院体风格导向源于北宋甚至更早的绘画传统风格，并在画中施用文人书法之笔墨，不仅其本人身体力行，还传授与人，江南地区翕然相从。他的成功使得吴兴取代了杭州成为新的艺术革新与创作中心。然而，孙君泽及其他一些画家的作品表明，从元代直至明初，南宋故都中仍出现了许多熟稔原先的院体和职业画风并且成就很高的艺术家，在另一位杭州画家戴进（1388—1462）的影响下，这些旧时的画风

图 3　元　张远　潇湘八景图　上海博物馆

获得了新的生命与活力。

我们在另一些元代画家的作品中也能发现宋代宫廷传统的影响。如华亭张远，其作品《潇湘八景图》【图 3】亦在此次展览之列。杭州宋汝志，曾为画院待诏，宋亡后入道观。东京国立博物馆藏《雏雀图页》，可能是他在宋末或元初的作品。松江张观，以临摹马远、夏圭而著称，故宫博物院现存其一幅颇具夏圭风格的山水画。回纥画家丁埜夫，亦师法马、夏，一日本私人收藏家藏有其临摹马远的一幅作品。他们与孙君泽，以及一些未有作品传世的元代画家们，承袭了夏圭、马远和梁楷的传统。

值得注意的是，这些南宋画风的追随者们，如传闻中的张远，往往会临摹一些古画，还会对古画“偷偷做些改动”，就连收藏家们也难以鉴别。结果是，收藏家、古董商和鉴定家们渐渐地开始把这类元代画家的作品与其所学习的宋代绘画混淆起来了。比如，景元斋所藏那幅悦目的南宋风格的山水画，虽然落款被稍许修改并被部分隐没了，以伪托为马远作品，但孙君泽的款识仍宛然可辨。近年来，博物馆的研究人员和鉴定家们花费了大量精力，来区分元代作品和真正的宋人原作，并更好地了解了诸如孙君泽这样独特的画家。2008 年，台北故宫博物院推出展览“追索浙派”，成为当下研究的一个标志性成果。台北故宫对其馆藏诸多归于南宋画家名下的作品进行了梳理，以逐步加深对元代及其后模仿宋院体画之状况以及明代浙派之发展的理解。在大多数情况下，由于缺乏可靠的文献资料，这样的工作会引发争议和学术论辩。然而，如果我们还期待对中国艺术历史的理解有所进展的话，这就是一项重要的工作。当学术界热衷于追求理论之时，方闻在《为什么中国绘画是历史》（“Why Chinese Painting is History”）一文中就对鉴定工作的必要性做了令人信服的论证。古代绘画鉴定虽然有

图4　元　孙君泽　山水人物　台北故宫博物院

其不可避免的困难与不确定性，但这都不应成为学者们关注这一艺术史研究的基础工作的阻碍。我们只需翻翻有关中国绘画史的著作，如下文将提到的著名汉学家劳费尔（Berthold Laufer）1924年的论述，就会明白艺术史的改变将首先取决于鉴定领域的进展。

台北故宫博物院为追溯浙派起源而对其相关藏品进行了彻底的重新审视，最受瞩目的成果之一就是将一件旧传马远的著名画作定为孙君泽所作。这幅轴装的《山水人物》无疑是一幅罕见而又美丽的黄昏夕照图【图4】。在画中，一位文士由侍者相伴，立于两株遒劲的松树下，俯身凝视着山间的云卷云舒。这一画轴与静嘉堂那一对立轴看起来出自同一画家手笔；那两株松树仿佛是从静嘉堂两轴上各取一株拼合而来。画作本身的魅力不但不会因为将其作者从马远更正为孙君泽而减弱丝毫，而且我们还向着更为合理地理解中国绘画史迈进了一小步。在一个被战争、恐慌、贫穷、饥饿与杀戮所困扰的世界中，对历史如此微小的一次修正亦有其意义。

台北故宫博物院诸多得到重新鉴识的展品中，我还对一件名为《雪景图》的作品感兴趣【图5】。人们一直认为它是佚名的宋代画作，后来发现作者应该是明初宫廷画家钟礼。和孙君泽一样，钟礼的作品也常被归在他所承袭的宋代画家名下。虽说将这件作品与钟礼联系看来甚是合理，不过，我却认为《雪景图》的真正作者或许更可能是孙君泽，因为这幅画看来和此次展出的东京国立博物馆的《雪景山水图》只有微小

图5 宋 佚名 雪景图 台北故宫博物院

的差别。比较这两件作品，就可以看出画家很容易地在一些相同要素的基础上将一种典型风格稍事修改，便完成了另一件作品。

孙君泽擅长界画，技法娴熟，后代的浙派画家中，就绘制精妙的建筑结构与装饰细节而言，无人能出其右。事实上，浙派画家也并未尝试超越他。孙君泽对建筑结构煞费苦心的精心表现，是其艺术作品的出众之处。他在画中以台基、彩绘栏杆、屋脊、雅致的花格窗、亭轩长廊和花园，营造出屋主所喜爱的高雅生活氛围，而这亦成为其与众不同的个人创造。即便是马远，在界画技巧上，也未必强于孙君泽。在台北故宫博物院所藏《雪景图》中，我们可以看到形态夸张的松、柳、竹，特别是那株无叶的树木，近景嶙峋的岩石和远山，环绕于建筑及其居住者之外。对比明显的是，孙君泽画山石用苍劲爽利的“斧劈皴”，花草树木的勾勒也更笔法明快，对人物与建筑物用笔却细腻入微。孙君泽擅长对一些基本主题进行变奏转换，这一技巧使他能够轻而易举地拓展作品，根据自己的意愿来连接或分离一些画面的元素。比如，景元斋那件藏品的右半边，原本为独立一轴，构图和东京国立博物馆的《雪景山水图》非常相似。

劳费尔 1924 年出版的《众家所藏中国唐宋元绘画》(*T'ang, Sung, and Yuan Paintings Belonging to Various Chinese Collectors*)，记录了一幅题为《望梅》【图 6】的作品，归为夏圭所画，但与东京和台北的《雪景图》颇为相似，作者亦应为孙君泽。画面中，一位身着厚衣的书生，由侍童相伴，透过优雅的亭窗，凝望着园内山石旁盛开的梅花。亭阁式建筑结构似曾相识，只是稍有改动。远处的雪山颇具压迫感。然而，那高过屋顶的虬枝，以及每一处构图和技法的细节，都透露其出于孙君泽手笔。这类在一些旧主题和基本要素基础上进行转换变化的方式，常见于孙君泽的艺术作品，也是元代山水画创作的一项独特成就。

孙君泽持续地拓展其艺术偶像——马远和夏圭作品的典型主题与技法。马远、夏圭都会在画面前景布置苍石虬枝、茂林修竹，马远的一些作品里也会描绘亭馆楼阁。许多南宋宫廷画家的画面前景中通常会出现诸如文士与仆从的人物形象，有时是访者与随从，孙君泽就将这些特点提炼成为“马、夏”画风的要素加以运用。不过，宋代画家通常将他们的主题图像置于近景，而将画面其余部分留白，意在营造清远之境。孙君泽则仅将画面中景留白，远景则是高大的群山。如此布局，及其着意于建筑细部、人物和前景山水细节的描绘，更有助于形成工稳、构造性强的建筑结构。

图6　南宋　（传）夏圭　望梅

这样的画法，是那些他所摹仿的宋代画作中并不常见的。孙君泽对“马、夏”传统在构图、技巧和风格上的潜力的创新性开拓，造就了全新的艺术形式——他在智识与绘画两方面的创新，颇类似于与其同时代的黄公望与王蒙对董源和巨然的借鉴与改造。

明确了相当数量的可以归为孙君泽的作品后，我们就能够对它们的艺术质量的高低、技巧特点的差异以及其经济价值做出区分。其中最精美，或许也最昂贵的，当属景元斋所藏《山水人物图》。这是一件大尺幅的画作，高185.5厘米，宽113厘米。与台北故宫的那幅高190.4厘米、宽102.5厘米的《雪景图》相比，差不多宽，稍短一些。然而，若与东京国立博物馆或是景元斋的藏品相比，台北故宫的《雪景图》的笔触看来更为随意而未加修饰，仿佛还是一张草图。我觉得它可能只是一件尚未完成的作品。如同孙君泽的其他作品，台北故宫的《雪景图》精心描绘了建筑物及与之直接相关的细节，然而，无论是本应在收尾前再上的浓墨或色彩，还是用来表现前景中山石的纹理与质感的锥形皴擦，以及用淡墨渲染远处景致以营造意蕴深远之境，这些步骤均未来得及完成。这件作品给人的感觉似乎是有人在孙君泽逝世后从其画室找出，还未画完即被出售了。《刘晨、阮肇入天台山》【图7】高仅99厘米，宽24.5厘米，与其他作品

图7 元 **孙君泽** 刘晨、阮肇入天台山 日本私人藏

相比，如同是从更大的一组卷轴中抽离出的一轴。而且，孙君泽的款识在画幅最左侧，这说明，这轴画可能是一组画中最左边的那一幅。画面底部，我们看到两个刚开始步入深山之中的旅人。同时，我们可以设想，在其右侧，应有一幅或者几幅画表现他们将旅经的山中景色，或者还会有遇到仙女，继而命运被改变的情节。元代其他一些描述刘、阮入天台故事的画作或许能提示我们孙君泽可能会怎样处理这个题材。

若果真如日本学者所称，孙君泽主要活跃于元代后期，那么他就与黄公望、倪瓒和王蒙等画家为同时代人。如果孙君泽确在杭州作画，我们可以推测，当黄公望等画家途经杭州时，他们应该彼此相知。赵孟頫在世时，敬重职业画师并向他们学习，同时亦向他们介绍自己探索的新画法。事实上，元代绘画辉煌的创新成就是诸如赵孟頫这样的文人士大夫与如孙君泽这样的职业画师之间持续交流的结果。赞赏文士之功而忽视这些画师的成果，便会曲解了这个宏大复杂的时代。我们同样感到疑惑的是，为何孙君泽的画作都会流至日本，孙之画作凡能于中国被收藏均因其被误认为马、夏之作，而马远、夏圭、赵孟頫三人之作品确在中国备受珍视。如果是有人独具慧眼，激赏孙君泽，那么，我们可能又要问，是什么样的标准支持了此种判断。或许，我们还想知道，像文征明这样的一位受人尊崇的文人所作的“拟王蒙笔意”与寂寂无名的孙君泽的“临马远”是否具有本质性的不同。问题的答案似乎取决于画家是否居于杭州和苏州，或在东京还是在北京，抑或是一些偶然性的因素。然而，若是以某种艺术特质、风格和技法更为优秀，或是想象中或实际的社会地位来作为讨论这些问题的基础，那么我们便又落入了数百年来画史评论的窠臼。

关于孙君泽，我们所能知道的确切信息，除了他生于杭州，便是他是一个有才能的画家，宗法南宋画院大师马远与夏圭，所画山水浪漫而富有新意。尚流传于世的十几幅孙君泽的大幅作品（虽然其中有些被归在他的前辈名下）这一事实本身就是对其作品经久不衰的魅力的肯定，亦是对其将宋代绘画之理念传延于蒙元时期的高超技巧的褒奖。他的名字，“君泽”意蕴“君子之行”，启人遐思，遥想他的生活及性情。他的作品，构图讲究，笔触优美，乃至落款亦别具一格。于我而言，禁不住会想，孙君泽是为数不多的那些可居于湖畔亭阁的人，漫步泽畔，踏雪寻梅，迎朋送友。不仅仅文人画家可居如此之地，度如此之生，即便是愿想，亦体现出人世间的现实。

有一点我们可能比较清楚，孙君泽对后世的中国和日本绘画都产生了重要影响。南宋院体在明初宫廷绘画的复兴，戴进及其诸多追随者所代表的浙派的繁荣，都与孙君泽及其他元代画家对马远、夏圭风格的创造性继承密切相关。而在日本，孙君泽与马远、夏圭、牧溪和玉涧等一样，为后世的画风树立了典范。

我并非是要神化孙君泽这样一位有实力、技法娴熟的画家，而仅仅是想展现那个有趣的时代中如其他许多艺术家一样的一位特点鲜明、趣味盎然的人。在后世艺术史学家还没有将绘画艺术简概为文人和其他故事之前，我试图说明孙君泽那个时代丰富的多元性。那个时代的画家拥有更为宏阔的眼界。

刘守柔　译

译者单位：复旦大学

原文中文版发表于上海博物馆编，

《千年丹青：细读中日藏唐宋元绘画珍品》

（北京大学出版社，2010），页59-67。

附录

题孙君泽山水寄华光禄汝德

沈周

众山矗矗如排空，左错右互肝肺重。

岚氛滃地似无足，止有树杪浮菁葱。

两厓擘铁泉迸玉，中见百丈垂长虹。

烟江沉沉纳此泻，天影浩荡吞孤篷。

君泽君泽具此胸，我谓圭远将无同。

高堂突兀出奇观，巴蜀落眼何时通。

我家茅堂不称是，君家昼锦宜县中。

因之卷赠报昨辱，一轴百里吹长风。

载沈周《石田先生诗抄》卷2，页63。（崇祯十七年刻本）

为毛贞甫题孙君泽山水

吴宽

十日一水五日石，古人画笔殚精力。
后来简澹亦天成，披图试看孙君泽。

山腰飞瀑千尺长，悬崖老树为山梁。
人间溽暑不可耐，欲从二老乘新凉。

载吴宽《匏翁家藏集》，卷 26，页 10b-11a。(《文渊阁四库全书》本)

参考书目

[1] 夏文彦，《图绘宝鉴》，见于安澜编《画史丛书》(上海：上海人民美术出版社，1982)。

[2] Berthold Laufer, *T'ang, Sung, and Yuan Paintings Belonging to Various Chinese Collections*, Paris and Brussels, 1924.

[3] 铃木敬，《李唐 · 马远 · 夏圭》，《水墨美术大系》第 2 卷（东京：讲谈社，1974)。

[4] James Cahill, *Hills Beyond a River: Chinese Painting of the Yuan Dynasty (1279-1368)*, New York and Tokyo, 1976.

[5] James Cahill, *An Index of Early Chinese Painters and Paintings*, Berkeley, Los Angeles, and London, 1980.

[6] Richard Barnhart, with essays by Mary Ann Rogers and Richard Stanley-Baker, *Painters of the Great Ming: The Imperial Court and the Zhe School*, Dallas, 1993.

[7] 《元代的绘画》(奈良：大和文华馆，1998)。

[8] Quitman E. Phillips, *The Practices of Painting in Japan, 1475-1500*, (Stanford, 2000).

[9] Wen C. Fong, "Why Chinese painting is History? " *The Art Bulletin*, June, 2003, pp. 258-280.

[10] 陈阶晋、赖毓芝编，《追索浙派》(台北：台北故宫博物院，2008)。

弗利尔美术馆的一件新近收藏以及画坊经营运作之问题

弗利尔美术馆在1992年获得一幅中国风格之图画【图1】，描绘一名中亚马夫观察拴系于树干的白马。这件漂亮的挂轴，绢本，水墨设色，166厘米×93厘米。壮硕的马夫戴着头巾，身穿棕褐色长袍与靴子，双手交握于背后，正看着一匹身形颀长的白马。马衔垂着红色流苏穗子，马尾系着红色缎带，这匹拴系于树干的马举起左前脚并向上伸展，轻轻地嚼食着树叶。一个男孩站在马夫后面，似乎吹奏着直笛，与风以及人物之后的流水相互和谐。几丛短竹生于前景溪岸岩石旁，一道烟岚横越树木上方。

图1　**佚名　奴散马图**　轴　绢本　水墨设色　166厘米×93厘米
弗利尔美术馆　藏品编号F1992.40

两个标签，一个贴在外包装封套上，另一个则直接裱装在画幅右边的丝质隔界上。根据这个隔界上的标签，此画

图 2
佚名
胡人驯马图
轴　绢本　水墨设色
167.6 厘米×94 厘米
印第安纳波利斯美术馆
藏品编号 1985.137

题材乃是《奴散马图》，而此画作者乃是五代之赵嵒（卒于 922）。较为切实地，弗利尔美术馆的研究人员将此画的年代定于 14 世纪，亦即将之视为一幅元代或明代早期佚名画家的作品。由于有相当数量的画作——稍后即将讨论——也呈现类似的风格，而这类风格与明宣宗（1426—1435 在位）及其紧随在后的继承者在位时期、明代宫廷绘画风格相类似，因此将此画之年代断为 15 世纪早期，似乎更为恰当。无论如何，这幅挂轴的风格与元代鞍马画家，例如赵雍（生于 1289）或任仁发（1254—1327）所作者不类，而与 15 世纪画家所绘制者关系较近。

然而，这幅画作最有趣的一个方面，可能并非其画面主题、风格或制作年代，而是此画与 1985 年入藏于印第安纳波利斯美术馆的另一幅画作，几乎完全相同。印第安纳波利斯所藏《胡人驯马图》【图 2】也是绢本水墨设色，167.6 厘米×94 厘米，尺寸与弗利尔美术馆藏品（见图 1）几乎相同。两件画作，只有例如前景竹石的描绘，存在些微的差异。大体而言，两画主要母题与构图的极度相似，使人产生其中一件绘画是另一件绘画之摹本的印象。另一种可能，就是两幅画都是根据同一个图样模板（cartoon）或草图所制成。为了方便起见，我们应该遵循传统，把这类绘画图样母本或草稿所有可能的各种形式，统称为“粉本”。

虽然两画在品质上大致相当，印第安纳波利斯版本画面上，有一则弗利尔美术馆现藏版本所无的题跋。题跋的落款是活动于12世纪的学者画家“廉布”。题跋文字引用例如“昂藏”“气势雄”“八骏”“真龙”等传统上与马相关的古典诗文意象。换句话说，就是那类任何人都可以写在任何鞍马画上，用以哗众取宠的陈词滥调。题跋文字从未讨论此画题材——一位中亚穆斯林男子观赏系于树木之俊美白马——意义为何。但是，我推测此画题跋以廉布这样卓越的（而现今却所知无多的）宋代画家作为署名者，是企图误导观者将廉布看作这件绘画的作者。

有趣的是，弗利尔画幅左上角，也就是印第安纳波利斯画幅所谓“廉布”题跋出现的相应位置，一块面积很大的长方形绢料，已被挖除。这很难不令人推测，在弗利尔画幅的同一位置，原本也曾有与印第安纳波利斯画幅或多或少相类似的“廉布”题跋，而为后来的拥有者去除，企图将原本是一件伪宋画变装成年代更早的一件伪五代画。弗利尔美术馆画幅现在就被画上的标签归于比廉布还要更早的五代画家赵嵒名下。无论如何，印第安纳波利斯画作是一件赝品，而弗利尔画作原本也可能是一件在市场上冒充宋代文人画家廉布作品的伪作。

《怀古堂》（*Kaikodo Journal*）最近刊出包括笔者在内的数位艺术史学者，关于明代绘画经常可见、“一画多本”现象之相关问题的通讯讨论。这个讨论，缘起于台北故宫博物院在美国大展《中华瑰宝》（*Possessing the Past*）所展出之明代著名画家杜堇（活跃于约1465—1509）的《玩古图》。此画现存还有至少2件以上、残缺不全的其他版本。[1] 这个通讯讨论清楚地显示，在遭遇一画多本的状况时，对于应该如何诠释或了解同一绘画之诸多不同版本的历史意义，众多艺术史学者并没有共识。同样清楚地，对于为什么存在一画多本的状况，不论是为了研习古画或为了商业利益，诸多不同的理由都应该被考虑。笔者认为，在弗利尔与印第安纳波利斯两件白马画作的事例当中，两件画其中一件拷贝另一件而企图制成高价古画原作之赝品的可能性，比较容易排除。这两件图画看来从一开始就都是计划被制造成伪宋画的产品，而两者之制作材质与物理年龄，均大致相同。

同样地，没有理由去相信这两件画幅的绘制者曾经亲眼观察实物而尝试去描画。如果这位绘制者曾经观察研究过真正的马，他就绝不会把那位看似明智的中亚观马者放置在马匹的正后方，因为在那个位置很容易被受到惊吓的马踢中两腿之间的要害部位。他也绝不可能在真实世界中看到过画上那种身体如此之长的马，此马之躯干就像加长型豪华轿车。真实世界中所能看到的岩石，也与画中所描绘者绝不相像。两幅图画描绘之树木异于自然的人工化程度，表明画家作画时并没有真的参考现实世界中的树。画家对于树根是否真的扎入地面或树叶是否以有机的方式生长于树枝上，都不甚关心。

如果图画的制作者不是根据真实世界中的物象来作画，那么，他在做什么？画家——毫无疑问，他有助理与学徒们的帮助——是根据画坊中收藏库存的那些个别人物、群体人物、各式树木、各式岩石以及各式鞍马的各式绘画粉本，而小心地影摹拓本、制作拷贝或描摹素描稿本，将需要的形象誊挪安置到新制绘画产品的绢面上。然后，谨慎地以淡墨墨笔描定物象的轮廓线，在物象轮廓内填染色彩，再次勾提轮廓使之醒目，又使层层淡墨之渲染平滑均匀，再整整齐齐地抄写伪造的“廉布”题跋，然后就可以将成品交给裱画师好好装裱起来，准备出售。画家是在制造一件画坊产品，而上述的制图程序只是画坊的例行公事。至于说，举起的马蹄是不是与蹄下的树根搅和在一块儿，或吹笛的男童是不是看上去有点儿像正在叼着古式长烟杆儿抽烟的干瘪小老头儿，或顶戴头巾的观马者会不会被马踢中胯下重要部位，或其中一幅画的树干是不是比另一幅画的来得粗大浑圆，画坊画家与他（们）的可能顾客们显然并不是很在意。要记得这两件画均制作于 15 世纪，而且成功地因历代众多收藏家的呵护而被保存流传到今日。对这些收藏家来说，上述种种并不是与绘画相关或有趣的议题。

这些画幅在持续不断地被保存与欣赏五百多年之后，如果某些美国的艺术史学者仍然想要知道为什么画中的树根看起来不怎么真实，或人物为什么站得这么靠近马的臀部，或某些树枝为什么看起来很扁平，或者两幅画中哪一件才是真迹原作、才是品质较佳，那么，我们必须要求那些艺术史学者们提出证据：到底是基于什么样的历史基础，使得上述那些假设性的问题得以成立。这些假设性问题唯一可能的答案当然就是：这些问题都是应某些武断标准而生。这些武断的标准，反映的其实是 20 世纪晚期这群特定的美国艺术史工作者的文化情境、偏见与个人

图 3
佚名
人马图
轴 绢本 水墨设色
153.7 厘米×104.7 厘米
目前收藏地不明
Sotheby Parke-Bernet, Inc.,
Chinese Furniture and Decorations
(New York, 1980), no. 66.

喜好。

还是让我们继续探讨绘画产品在 15 世纪的中国是如何被制造的问题，比较有趣。除了前述几乎雷同的弗利尔与印第安纳波利斯两件画作，还有第 3 幅与它们关系密切的图画。这些图画很可能都属于同一套共同的粉本原型（prototype）与制造程序（process）之应用。这些绘画粉本与样板，原来的数量不可得知，但它们可以是任何数量。一幅被称为《人马图》【图 3】的画轴，1980 年由苏富比拍卖。[2] 这件漂亮的图画，153.7 厘米×104.7 厘米，在构图上与弗利尔与印第安纳波利斯两画相似，但经过若干修改与扩充。这幅先前在苏富比出现的画轴，比上述两家美术馆之藏画宽了一些，同时也短了几寸。这些尺寸比例上的修改，容许画家将构图向右展开，但也同时舍弃了前景的竹石母题。当然，很难确知此前这幅画作之长宽比例是否曾经被人改动过。

就画坊的经营运作而论，前苏富比画作实质上与弗利尔及印第安纳波利斯两件画作描绘相同的题材：一名外国马夫与其随侍童子，很可能都是根据同一个粉本。但此画又加入背对观众的第二匹马，以及手持托盘从右下角进入画面的第二个童子。人马的背景，也做了大幅修改变动。轻嚼柳叶的白马举起的是右腿而非左腿，而且没有举那么高。前苏富比画作之构图，想必也是从制作弗利尔与印第安纳波利斯两件画作的相同画坊或工作室而来，显示着至少共用一个基本构图粉本的迹象，加上用修改过的粉本来画白马，第二个粉本用来画第二匹马，再加上另一个粉本用来画第二个随侍童子。所有这些各种母题在不同画作之各种不同的位置经营，可以被视为是彼此基本相同的风景构图主题之各种变奏。马夫与白马之间相对位置在不同画面布局的放置落点略微不同之处理，说明了全画整体之构成，除了要照顾到物象彼此关系与经营位置之和谐，其实相对容易。在前苏富比画作中，树木之品种变成了柳树，不但数量增多，而且画法不同于另外两件产品画树的方式。这就显示，这些如同舞台道具一样的布景元素，可以由画坊中不定数量的工作人员——通常是主要画家的助手或学徒们——来提供，而且可以因应不同的需求，对这些素材做出必要的扩增、缩减或修改。这些基于同一群粉本所制造生产的相关绘画产品不同版本所呈现的可见差异，也见证了传统中国画坊在经营运作方面的灵活适应性与功能多样性。绘画的副本拷贝经常被制作，而同一粉本样板之各式变化，甚至是最终结果极为不同的绘画产品形式，也例行性地被制造出来。

当然，也有人会议论说，前苏富比画作是在完全不同的时代，由完全不同的一位画家或多位画家所绘制。但这么一来，上述三件画作的关系，就变得没必要地暧昧含糊，在我看来这种假设欠缺正当性。上述所有三件绘画，呈现大致相同的时代与风格特征，据我的判断，它们都是源自同一群材质、样板、粉本与大致相同的画坊经营之法。因此，根据“奥卡姆剃刀（Occam's Razor）原理”，所有这些绘画产品都应该来自相同的时间与空间。我确实想更进一步地建议，其他几件大家所熟知的柳下白马图，也都是来自于同一源头的产品。[3] 这些增补的画例可以显示，根据基本相同的粉本样板、绘画母题与构图原则，以相同的柳下白马与马夫为主题的画，可以进一步创造出更多变奏的种种画坊运作方式。不消说，这些画坊产品其中一件是否比另一件更好，纯属个人偏好。那些个人的决定，与古代绘画如何被绘制出来，或对绘画产品制造

图 4
胡骢
柳荫双骏图
轴 绢本 水墨设色
103.2 厘米×50.5 厘米
故宫博物院

与欣赏之历史性解释，完全无关。

且容我回到前述弗利尔与印第安纳波利斯两件画作之可能作者的问题。如果我的判断正确，前苏富比画作与其他我在前面提到过的相似图画，也是同一个画家 / 画坊的产品。因为上述这些画作的风格，与大批 15 世纪明代宫廷画家的作品风格相似。先前我已建议：弗利尔与印第安纳波利斯两件带着所谓“廉布”题款的绘画产品，是被某位明代早期可能任职于宫廷的画家制造出来的伪宋画。这位实际的作画者，是以现藏故宫博物院的一件签名画作之形式，现身于我们眼前。《柳荫双骏图》【图 4】描绘着不只一匹而是两匹躯干欣长的白马，马衔垂着红色流苏穗子，马尾扎束整齐，拴系于柳树树干。笔者已在前述文字中简略地讨论过，胡骢（15 世纪）是相同风格类型的其他画作之可能作者。但是在这里，我希望能建立胡骢仅有之签名画作与弗利尔及印第安纳波利斯两件画作之间重要的根本关系。[4] 将上述所有三件绘画鉴识为胡骢画坊的产品之所以如此有趣，乃是由于这也意味着：明代初期与中期的宫廷与职业画家之生产制造伪宋画与伪元画，其实是例行公事。这些例行的制造业务之规律如何，难以得知，但此处的画例似乎可以做出若干见证。在明代中晚期严重地困扰着艺术鉴赏家与批评家、关于宋代绘画与明代绘画之区别辨识问题所衍生的种种混乱迷惑，其实早在15世纪，当像是胡骢这样的画家例行性地以制造伪宋画作为其风格技艺与画坊经营的基本元素时，就已经是既成事实了。直至今日，仍然有大量这类画作被保存下来，似乎说明了上述画坊画家是多么的成功。

严守智　译

译者单位：美国马萨诸塞州艺术与设计学院

译自 "A Recent Freer Acquisition and the Question of Workshop Practices,"
发表于 *Ars Orientalis*, vol. 28, 75th Anniversary of the
Freer Gallery of Art（1998）, pp. 78-84.

注　释

〔1〕Richard Barnhart, James Cahill, Maxwell Hearn, Stephen Little, and Charles Mason, "The Tu Chin [Du Jin] Correspondence, 1994-1995," *Kaikodo Journal* 5 (Autumn 1997) , pp. 8-45. See also Wen C. Fong and James J.Y. Watt, *Possessing the Past: Treasure from the Palace Museum, Taipei* (New York: The Metropolitan Museum of Art; Taipei: The Palace Museum, 1996) , esp. pp. 366-367.

〔2〕*Chinese Furniture and Decorations* (New York: Sotheby Parke-Bernet, Inc., 8 March 1980) , no. 66.

〔3〕可参见 Richard Barnhart et al., *Painters of the Great Ming* (Dallas: Dallas Art Museum, 1993) , p. 120, 122.

〔4〕Barnhart, *Painters of the Great Ming*, p. 18.

中国艺术的外来影响研究

董其昌与西学

——向高居翰（James Cahill）致敬的一个假设 *

当董其昌（1555—1636）于公元1597年为其师友陈继儒（1558—1639）新近落成的山隐之所创作《婉娈草堂图》【图1】时，他也为现代中国绘画奠下了基础。即如石守谦所观察，此图在中国绘画发展史中占据着重要的历史地位，“此画呈现一种全新的风格，或可视为‘董其昌世纪’之肇始”。[1] 方闻亦持类似看法，形容《婉娈草堂图》乃是“[自赵孟頫（1254—1322）以来] 最具创意的画作”。[2]

试图分析董其昌1597年杰作之创新，石守谦指出此画呈现了包括重复的、平直的皴法纹理等数种显著的风格特征。基于对这类相对怪异而又持续的特征之观察，他形容“《婉娈草堂图》之皴法较宋代以来任何其他绘画更为素朴”。[3] 石守谦认为这就是董其昌自己所称的“直皴”，为董其昌“用来制造构图中每一个造型单元取势之动能”。[4] 石守谦对于直至《婉娈草堂图》为止之皴法发展史的细心分析，清楚地显示这项技法是多么激进地不同于所有先前绘画的技法。方闻则评述：“《婉娈草堂图》可见一种激进的新颖结构……以直皴建构之立方体似的石块形式……［意味着］绘画全新的质量与形体（mass and physicality）。”[5]

《婉娈草堂图》其他方面的创新同样史无前例。其一是强烈的明暗对比，如雕如塑地制造出方闻所谓的“质量与形体”。其二是高低不齐等之地平线。其三则是朝着不同方向倾斜的地面，这些块面存在于高低不同的地层，似乎将要坍陷于构图的中央。

寻求对董其昌艺术新风格灵感泉源之解释，方闻、石守谦以及许多其他学者将注意力放在董其昌1597年期间所努力研习的中国古画传统。例如，董其昌在这段时期热烈地追求所谓王维遗风，而且就在这段时期

图 1　**董其昌　婉娈草堂图**　1597 年　私人收藏

寻获一幅传为“王维”最重要的作品之一：《江山雪霁》图卷。正如方闻、石守谦以及许多学者所公认的，这幅图卷对董其昌的绘画风格与艺术理论之演化发展起了强大的影响作用。〔6〕与此同时，造访陈继儒婉娈新居之前，董其昌在杭州一直积极地研究当时著名的郭忠恕（？—977）作王维《辋川别墅》摹本。〔7〕传董源（？—约962）《龙宿郊眠图》巨幅亦在此时为董其昌所获，学者公认董其昌《婉娈草堂图》前景树木的样式，是多么直接地从这幅董源风格作品中借得。〔8〕董其昌又新近获得了李成（919—967）、郭熙（约1020—1090）、王诜（1036—1093后，一作1048—1104后）等大画家的作品，以及重要的董源《潇湘图》手卷。更在绘制《婉娈草堂图》前几天，获观黄公望（1269—1354）传世煊赫名迹《富春山居图》。〔9〕上述所有这些古代绘画杰作，对董其昌这段时期所追求的崭新画风，都有显著的作用。的确，董其昌在1597年阴历十月于陈继儒处为其草堂画像作为送别礼物之前大约短短一年之中，所努力亲眼观察、研究学习之重要古画杰作的庞大数量，见证了在董其昌生命关键时期驱策他的、对绘画艺术永不满足的饥渴与热情。毫无疑问，董其昌所亲见的这些古画经典作品，必然与笔者即将要辨识探讨的另外一些文化元素，在董其昌不知疲倦、充满旺盛企图心、好似坩埚熔炉一般的头脑中，共同而谐和地发挥作用，产生出现代中国山水画原型《婉娈草堂图》。

试图了解董其昌绘画风格如何在16世纪末期发生转变，一个意义重大的转折点乃是作于1596年、现藏上海博物馆之《燕吴八景》册【图2】。这套册页绘制于该年阴历三月与四月，大约是《婉娈草堂图》创作前18个月，可能董其昌心中已念及陈继儒。〔10〕《燕吴八景》册是董其昌较早期最重要的纪年作品之一，画作提供最早的戏剧性迹象，明白地显示董其昌此时已开始为日后之成就打下了坚实广阔的基础。这套册页呈现着大胆的色彩创意与构图法之惊喜，正如高居翰所评论：“这些画作充满业余趣味，但其怪异扭曲的空间变形与厚重的色彩已然令人注目，其中几页甚至敷染金色。”〔11〕《燕吴八景》册显示早在1596年阴历四月左右，董其昌已经努力掌握既有古典传统可资运用的皴法之各种变化，并极力尝试探索直接敷彩与怪异空间变形之奇特视觉效果。

自1596年至1597年阴历十月这段时间，董其昌仍然需要某些进一步的努力，才能促成将始于《燕吴八景》册个别试验的成果，演变转化为现代中国绘画基石之作《婉娈草堂图》的成功创造。这段短暂时期董其昌纪年作品之缺乏，使得对这个转变过程更确切更细腻的分析工作几

图 2 **董其昌**
燕吴八景册 第 8 页
1596 年
上海博物馆

乎不可能。然而，在《燕吴八景》册与《婉娈草堂图》两件基准作品之间的过渡时期，董其昌所遭遇的一个深刻而极具意义的人生经历，对笔者而言，似乎是解释董其昌 1597 年艺术创变的必要元素。

1597 年阴历八、九月间，造访陈继儒位于松江的婉娈新居之前，董其昌在江西南昌主持省级科举考试。从南昌经水路往陈继儒新居途中，董其昌又顺路到杭州再一次研究王维《辋川别墅》手卷，旅程终点是陈继儒家。董其昌在南昌之滞留意义重大，原因是那段时间正好是卓越的天主教耶稣会传教士利玛窦（Matteo Ricci, 1552—1610）驻居南昌的时期（1595—1598）。固然没有文字记录可让我确证董其昌与利玛窦曾经会面，但毫无疑问，1597 年他们的确在同一个文化交游圈中活动，而且知晓对方的存在。例如，利玛窦乃是当时江西巡抚陆万垓（1533—1598）的朋友，陆万垓聘请他做自己儿子们的老师。利玛窦还经常应南昌府建安王朱多㸅（1573—1601）之邀，到王府中餐聚饮宴。[12] 依常理推测，身为中央政府派往南昌主持科考的高官，董其昌应该会与江西巡抚大人与南昌府王爷见面。同时，后来成为董其昌最亲近挚友之一的李日华（1565—1635），也曾于 1597 年秋季于南昌会见利玛窦，并在《紫桃轩杂缀》中留下了一段记录："利玛窦紫髯碧眼，面色如桃花。见人膜拜如礼，人亦爱之，信其为善人也。余丁酉（1597）秋遇之豫章。与剧谈，出示国中异物……"如林小平所指出，李日华认为利玛窦介绍到中国的西学"有可取之处"。[13]

不论董其昌是否见过利玛窦，董其昌应该知晓广交中国士绅的利玛窦之种种事迹。而且可以合理地推测：董其昌看过当时利玛窦等西方教士为耶稣会传教工作而带到中国、包括欧洲绘画样本在内的那些远西奇器异物。[14] 且让我们回忆并考量董其昌1597年到南昌之前与之后所处的交游圈：利玛窦驻居南昌期间撰写了他著名的《交友论》，并将之广为散布流传，而董其昌挚友、《婉娈草堂图》受画者陈继儒曾为利玛窦《交友论》撰写序文。较其他任何因素更重要，这篇《交友论》为利玛窦赢得众多中国学者的支持与敬重，亦为董其昌交游圈中每一个成员所共知。[15] 以当时利玛窦与耶稣会传教士所带来的“西学”在中国学者间享有的声誉，董其昌不可能对利玛窦与其文化抱负毫无所悉。正如何惠鉴与何晓嘉（Dawn Ho Delbanco）在《董其昌的世纪》（*The Century of Tung Ch'i-ch'ang*）展览目录之导论所指出的：“董其昌知晓许多西方观念。”[16] 问题已经不在于董其昌是否具有这些知识；真正的问题在于：这些知识对董其昌的艺术与思想，造成什么后果。

欧洲版画与油画在17世纪中国绘画发展史中到底扮演何种角色，向来充满争议，尤其是自利玛窦1595年驻居南昌起，欧洲人士最早在中国开始出现时期引起的种种争议，最难处理。[17] 高居翰大胆地断言，董其昌乃是经由与耶稣会传教士之接触而为他所见到的欧洲艺术所影响。这个论点首先发表在其1982年出版的杰出著作《气势撼人》（*The Compelling Image*）中，并在同年出版的《山外山》（*The Distant Mountains*）中有更犀利明白的讨论。可惜，高居翰这个立论，尚未鼓舞其他学者做更进一步的研究。[18] 在对高居翰《气势撼人》一书所做的思虑周全的书评中，方闻并没有公然摈斥像吴彬（万历、天启间）与龚贤（1618—1689）这类画家在其创作生涯的某个阶段受到欧洲绘画影响的可能性。但方闻要求对个别艺术家生平、成长经历、个人转化传统惯例的过程以及来自海外的文化如何影响某些特定的艺术家，做更多寻思探究。[19] 循此思路，根据董其昌1597年滞留南昌期间确实见过各色各样的欧洲艺术品之假设，可以合理地推测董其昌这段时期可能拷贝了若干欧洲图画，随后将新的元素加进了他当时正在进行的、对绘画艺术与艺术理论的重新建构。依笔者之见，某些董其昌最令人注目的艺术技巧与理论模式，必然与他对欧洲艺术形象之反应紧密相关。

在某一层次，董其昌的艺术与理论，均谨慎地与传统中国的模式相吻合。他主张追随传统，相信正宗谱系与师法典范，坚持书画道理相通，尊崇内在气韵高于形似刻画，并且确信自然与艺术为一体。事实上，在中国传统的架构之外，董其昌看似没有什么作为。然而，董其昌在建构绘画理论与实践更为优异的模式方面，却又明显地有所作为。他积极地致力于神变古法以求青出于蓝，以更具动能之画，推演传统绘画的价值与目标。笔者认为，在这个追寻与尝试的过程中，只要能对他想达成之目的有帮助，董其昌并不会排斥包括欧洲艺术在内的任何事物。如果董其昌曾经对他见过的欧洲图画表达过态度，他很可能会以一个世纪之后邹一桂于《小山画谱·卷下·西洋画》中的口吻说："学者能参用一二，亦具醒法。"[20]

董其昌对"西学"的反应方式，其实早经他自己的文字记录清楚地揭露出来，文字中董其昌提到利玛窦的名字与利玛窦带到中国的思想，亦即广义上说的"西学"。亚瑟·韦利（Arthur Waley, 1889—1966）早在七十五年前（1923）就已将这段文字介绍给西方学界：

> 曹孝廉视余以所演西国天主教，首言利玛窦，年五十馀，曰已无五十馀年矣。此佛家所谓是日已过，命亦随减，无常义耳。须知更有不迁义在，又须知李长者云："一念三世无去来。今吾教中，亦云六时不齐，生死根断。廷促相离，彭殇等伦。"实有此事，不得作寓言解也。（董其昌《画禅室随笔·卷四·禅悦》）[21]

董其昌非但不排斥利玛窦的论述，反而认为利氏说法与董其昌自认通晓的佛教义理相呼应，因而董还认为自己能了解天主教的某些教义。（至于董其昌的理解是否正确，对此处的讨论而言，并非关键。）换言之，董其昌早已具备识别评估种种新现象的心智与鉴识能力，当每一个新的经验与信息进入董其昌的头脑，便成为其心智机制的一部分。笔者相信，欧洲艺术对董其昌似乎不具重要意义，他甚至不知道这种艺术应该如何称呼或如何给予具体的辨识。因为当时欧洲艺术尚未成为中国学者所熟悉、有独立地位的研究对象；朋友们将所见之欧洲图画介绍给董其昌，但中国学者研习欧洲艺术要到稍后才发生。不过，欧洲艺术的确是董其昌在艺术的冒险探索历程中，亲身经历又掌握相当知识的万象之一。

倘若只有上述《画禅室随笔》的文字，我们只能假设董其昌的情况就是如此，然而这个情况乃真实可见于董其昌的视觉艺术表现。1992—1993 年举办的《董其昌的世纪》盛大展览，不仅包括董其昌的原作，更附带展出董其昌的模仿者、追随者、伪造者与代笔画家的画作（可惜这些状况在展示时没有被适当地标示出来）。不过，有趣的是，展览目录既未包括、亦未提及（甚至不见于注脚）贝特霍尔德·劳费尔（Berthold Laufer, 1874—1934）在20世纪初购自中国、现藏纽约市美国自然史博物馆（American Museum of Natural History），并且有所谓“玄宰笔意”题款的一套六开册页画（见图3、4）。[22] 这个安排忽略了一个事实：劳费尔于1910年、李约瑟（Joseph Needham, 1900—1995）于1965年将这套册页当作董其昌作品出版，而亚瑟·韦利与苏利文（Michael Sullivan）也极有兴致地讨论过这套册页。[23] 非常明显，《董其昌的世纪》展览图录的编者，对于董其昌与西方的可能关系之探索并无兴趣，甚至连假设性的提问都没有。前引何惠鉴与何晓嘉导论之后续部分，为整部《董其昌的世纪》展览图录定下了基调：“董其昌知晓许多欧洲宗教与哲学的观点，但是董选择忽略它们，而一生追求禅宗佛学与新儒学之间的中庸之道，一种基于纯粹中国文化传统的融合体。”[24] 如此学术氛围中，即使是高居翰为这项展览目录所撰写的论文，也不再提起自己先前曾经论述过的、关于欧洲文化之影响的议题。笔者这篇短文的主要关切之一，就是要辨识出，到底在多大程度上，董其昌的生平与艺术持续不断地被刻意漂白，直到所有可能被视为“异端”的痕迹都消失殆尽。现代中国绘画之父［相关研究］所遭遇的状况中，欧洲艺术就属于这样一种范畴。[25]

此处考量的这套《玄宰笔意》册页画，乃是某些欧洲形象非常细心的彩色拷贝，题材包括军事领袖、圣经故事与图绘寓言。[26] 主题的多样性，暗示着作为这套册页之范本的欧洲绘画原作，乃是没有特别关联的多件小型油画或版画。无论如何，仿造者自由地改变，甚至增加附属的元素，例如树木与地面颜色，是以常见于晚明陈洪绶（1598—1652）、丁云鹏（1547—1621之后）等画家作品中那类纯粹的中国风格所绘制。明显地，人物造型之怪异以及设色法与明暗法之新颖，令仿造者很感兴趣。虽然这些册页似非董其昌亲手所作，但是没有理由不相信它们是晚明时代的产物。

《玄宰笔意》册页画，其实正是相关证据极度缺乏的晚明时代，最早以绘画形式表现的、对当时可见的欧洲绘画之反应。例如，根据利玛窦送给程大约（万历年间在世）的四幅欧洲天主教圣像，以木刻版画形式摹刻刊印于1606年《程氏墨苑》的宗教画，也显现出非常类似

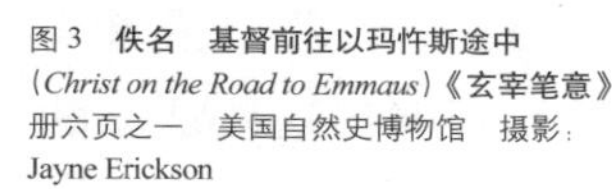

图 3　佚名　基督前往以玛忤斯途中（*Christ on the Road to Emmaus*）《玄宰笔意》册六页之一　美国自然史博物馆　摄影：Jayne Erickson

图 4　佚名　科学与机械学之寓言（*Allegories of Science and Mechanics*）《玄宰笔意》册六页之一　美国自然史博物馆　摄影：Jayne Erickson

的别扭而稚拙之风貌。在这个情境中，美国自然史博物馆所藏的另一幅欧洲油画与《程氏墨苑》版画在风格与构图上的相似，为进一步的研究提供了正当性。[27] 不过，学者们充其量只有很少的几件年代与作者都不确定的图画，可以用来与美国自然史博物馆所藏的图画做直接的比较研究，全部这些图画长久以来总是躲避着历史的探究而欠缺真正的辨识身份。[28]

美国自然史博物馆所藏这套册页【图 3、4】其中一页画幅左下角可见四字题记与画者的印章（见图 4）。与先前学者的解读不同，这位画者其实并非董其昌。题记“玄宰笔意”是以第三人称来对待董其昌（字玄宰，号思白），而印章则难以辨识，所以我们恐怕永远不会知道模写者是谁。无论他是谁，这套册页的绘制者明显地相信：这六页欧洲铜版画或油画奇特却又精心研制之拷贝，展现了董其昌风格。由于这套册页乃是非常谨慎研制而成，甚至容许学者推论：这套佚名者所制册页，就是直接根据董其昌本人对欧洲形象所作模本的忠实拷贝。这套册页所显示的，其实没有任何可以与传统中国绘画“笔意”相关联的自发性或写意性之用笔。无论如何，甚为反讽的是，这些欧洲形象竟然可以被指认为是表现了董其昌的笔意。但这其实正好支持我的假设，也就是除了“利玛窦”的名字与李日华所论及、包括图画书籍在内的种种“异物”之“西学”的笼统范畴外，欧洲艺术当时在中国并没有清楚的文化辨识。因此，我们能否假设，至少在这位《玄宰笔意》册模制者心中，这类欧洲风格形象在晚明中国的主要辨识，就是董其昌笔意？

将自然史博物馆所藏的《玄宰笔意》册页与《婉娈草堂图》挂轴（见图 1）比较，某些学者会立即感受到两者的关联。（某些学者则否，学界似乎有种文化造成的、难以跨越的樊篱。）根据我的观察，这套册页与这幅挂轴，均全神贯注于明暗法（shading）与形塑法（modeling）之经营。这种有意识的经营不仅仅只是巧合的相似，而是蓄意的和谐呼应。这不能被随意地归于某种普通的传统，而必须被看成是两者共同经营的共享事业。《玄宰笔意》册欧洲人物的衣褶纹理与《婉娈草堂图》光影强烈梳整有序的山石纹理，彼此相像。

在 1597 年画幅中，董其昌不仅仅是发明了“直皴”，将之沿着如发辫条束一般凹凸有致的各式造型表面重复梳理，强调出这些造型的浑圆感；同样令人注目的，是董其昌交叉排线光影法（crosshatching）技术之运用，在当时中国画家中为仅见，也未见于 1596 年的《燕吴八景》册（见图 2）或任何其他董其昌较早期的作品。这种以纹理层次轻重分明的平行线组相互交错之交叉排线光影法，在《婉娈草堂图》（见图 1）右边上半、由留白之条状云朵横越的、塑形厚重的山崖块面上，最为明显。这种横直交错的笔法与物象轮廓方向搭配，大体上是以垂直线组笔触构成山岩轮廓，再以水平的线组笔触交错，制造出十字交叉的线组样式，进而结构出画面上阴影深沉形体厚重、立方体似的团块区域。董其昌运用交叉排线光影法，增强了三度立体之错觉，但却避免了自然主义或写实主义。交叉排线光影法以及与物象造型表面平行之线组塑形笔触（modeling strokes），乃是当时欧洲几乎每一幅蚀刻铜版画与素描最重要的基本技法之其中两种【图 5】；这些笔法始终就是 16 世纪欧洲平面制图艺术家用以组织描线、塑造形体以及营造光影效果最主要的技术。它们绝不是传统中国画的特征。这种笔法结构，使董其昌得以在《婉娈草堂图》中创造出强烈的三度立体团块造型之印象，扭转运作出动势与能量，乃董其昌直至晚年都努

图 5　Jan Saenredam（1565-1607）after Hendrik Goltzius（1558-1617），《雅典娜》（*Pallas Athena*），［荷兰］蚀刻铜版画，1590s

力达成的目标。

1597 年画幅（见图 1）所用的种种技法，随着董其昌后来对古代传统与技巧的继续研究，在董氏晚期作品中演化发展出不同的形式，变得更为丰富多样，更具弹性，也更微妙。在 1597 年画幅中较为机械化的交叉排线光影法，与学自董源、黄公望与其他中国画家的墨染、皴点以及水平用笔融合，变得更精微，而稍早的僵硬机械逐渐为丰富微妙所取代。这些技法加上大胆且挥洒淋漓的用墨用色，强调出物象体积感，一直就是董其昌技法的精髓。正如高居翰恰当地描述："这种笔法通常具有之特征，属于［欧洲］铜版画排线光影法（hatching）类型者多，属于传统中国画皴法类型者少……"〔29〕

由于交叉排线光影法并不见于董其昌 1597 年之前的画作，我们可以做出董其昌就是在 1597 年左右找到"参用一二，亦具醒法"其中一法的结论。这一手法不见于 1596 年的《燕吴八景》册（见图 2）。《燕吴八景》册也没有使用《婉娈草堂图》（见图 1）古怪扭曲之弧状地平线与倾斜挪移的地面。相较之下，1596 年册页在这方面与传统相近，与稍早明代画家之作品差异无多。就是从 1597 年开始，董其昌似乎对弯弧扭曲的地平线、倾斜有势的地面，以及高低多重的地平线，近乎痴迷。韩庄（John Hay）是少数试图解释这些特征的学者之一，他诠释这些特征乃是长久以来一统的中国认识论领域，[于西方传教士在中国学术传教之后] 历经思想变革而转为开放的证据，就如画中弯斜有势的地面，乃发生于晚明的显著现象。[30] 另一个较不深刻的建议，许多年前由一位我已不记得名字的学人提出，说董其昌绘画所表现的对倾斜地面、多重水平线以及歪斜字体之偏好，乃其像散（astigmation）之眼疾所赐。

虽然在董其昌所处之晚明历史情境外没有其他证据，同时要冒着被认为是头脑简单的风险，我仍然建议前述董其昌艺术的特征，是从1597年末开始，因为恰巧就是在那个时刻，董其昌第一次学习到大地不是平的而是圆的。地圆之事实，为利玛窦于1584年在广东肇庆绘制其第一幅世界地图《山海舆地全图》时介绍给中国。1595至1598年间驻居南昌时期，利氏又多次翻印这个著名地图的多种版本，广为流传。这些地图首次向中国人揭示了世界上所有国家——包括许多前此完全不为中国人所知的国度——之地理位置，也因此连带显示了中国在世界各国间所处之相对大小与位置，又向先前在天圆地方说之外从未考虑其他可能的中国学界，清楚明白地显示大地是圆球形的。这可能是当时耶稣会传教士为中国学术界所做最受欢迎、也最广为流传的学术贡献。利玛窦地图所明白昭示的讯息与观点，革新了中国的天文学与地理学，并在一开始就为当时最具影响力又最有学识的中国学者所接受。更新、翻译并出版利玛窦《山海舆地全图》之增补放大版《坤舆万国全图》的地理学家李之藻（1571—1630），在序言（1602）中表达了他对这位“西泰子”之感想：“[利玛窦] 其人恬澹无营，类有道者。所言定应不妄……所携彼国图籍，玩之最为精备，夫亦奚得无圣作明述焉者？异人异书，世不易遘……东海西海，心同理同……大道天壤之间，此人此图，讵可谓无补乎哉。”[31] [李之藻序刊印于《坤舆万国全图》太平洋中、全图构图中央偏右之区位——译者注] 高居翰早已论证欧洲图画中或倾斜或弯曲、或既斜又弯的地平线，很快就在例如张宏（1577—约1652）与吴彬（万历天启年间）等中国画家的艺术作品中造成反响。[32] 笔者想将这个洞见上推至董其昌等中国学者遭遇地圆说而震惊地承认地球为圆球状的1597年。这个地理知识所造成的冲击，是非常戏剧性而且迅疾的。

自1597年以来在例如董其昌这样的学者艺术家作品中取代传统旧有

地平的浑圆地表，以及韩庄指出的16世纪末期诸多中国知识领域的开放现象，在清廷入主中原建立政权、并在智识与文化的每一个阵线上强制实施为其认可而制度化的正统政策之后，实质上终结了。在清廷所认可的思维模式之下，最先发生的重大事件之一，是地球又变成了平的。正统思维在人心、在山水画艺术中又占据优势。〔33〕

不只是董其昌的生平与艺术作品提供了充分的证据，可以得出结论说他曾于1597年观览过欧洲艺术，董其昌对来自欧洲的艺术有所意识最清楚的征兆之一，更可以在他关于艺术理论、技术与方法的文字中发现。对于了解董其昌理论中最激进最创新之思想，或董其昌理论对初现于中国的崭新艺术形象所提出的挑战与许诺之反应的一贯持续性与力量，先前的［艺术史］传统为我们所能提供的准备与帮助，颇为有限。从对清代中国与日本的影响来判断，董其昌最具影响力的理论乃是大致上历史性的、紧密地符合正统谱系衣钵传承期许的、又最不让清王朝感到威胁的“南宗山水画”理论。但是，我在此处要讨论的，是董其昌对绘画艺术更广泛的提案、并在他自己的艺术作品中卓越地示范的、关于山水画如何达成空间感与立体感的理论。假使清朝没有在1644年征服中原，今日董其昌最广为人知的理论或许会是他的“凹凸论”。整体观之，董其昌在这个复兴［凹凸］传统议题上所奉献的全部文字，构成了一种无异是全新的中国画论。

这个理论的主题，见于董其昌最常被引用的文字段落：“古人论画有云：下笔便有凹凸之形。此最悬解。吾以此悟高出历代处，虽不能至，庶几效之。”〔34〕在另一个更长段落的开始，董其昌写道：“作画，凡山水俱要有凹凸之形。先钩山外势形象，其中则用直皴。此［黄公望］子久法也。”〔35〕应该指出的是，其实古人可能从未说过任何像董其昌文字所表达之意，因为“凹凸”一词只于短暂期间为唐代人用以形容中亚绘画立体感的技法，这项技法既未形成主流传统，也没有在后来的中国绘画发展史上造成重要影响。〔36〕确实，构成董其昌艺术理论与实际绘画操作的精髓，关于三度立体以及形式存在之幻觉的整群绘画新法，在古人画论中只有极少的前例，而且见于理论文字者多，见于实际绘画作品者少。董其昌对这个主题进一步申论：

> 古人云：有笔有墨。笔墨二字，人多不晓。画岂有无笔墨者。但有轮廓而无皴法，即谓之无笔。有轮廓皴法而不分轻重、向背、

明晦，即谓之无墨。古人云：石分三面，此语是笔亦是墨，可参之。[37]（重点号为笔者所标）

黄公望的确曾在其简短的《写山水诀》中写道："石看三面"，呼应稍早传为王维的评论；然而，在董其昌之前的几个世纪，艺术理论文字与实际绘画作品中，都未曾强调绘制山石表现三度立体之需要。[38]前此，从未有任何人像董其昌在此处所论、如此强调"轻重、向背、明晦"之塑形（modeling）笔法系统的绝对必要性。

类似于此的，是董其昌再次呼应黄公望理论，总是强调三度立体感的关于画树之法的文字。例如以下两个段落："画须先工树木，但四面有枝为难耳。"[39]"枝有四枝，谓四面皆可作枝着叶也。"[40]

董其昌绘画新论另一个重要的核心建构，是他的"虚实"论：

其次须明虚实。虚实者乃各段中用笔之详略也。有详处必要有略处，虚实互用。疏则不深邃，密则不风韵。但明虚实，以意取之，画自奇矣。[41]

固然这样的文字容易让人以禅宗神秘的方式解读，对笔者而言，此处董其昌其实是在讨论欧洲绘画所表现的三度立体实体性（substantiality）之特殊品质，清楚分辨物质实体与非物质空间、而创造出富于触觉质感的视觉意象。这当然也是董其昌自己所作绘画的基本特质。

董其昌对欧洲透视法系统的偶然经验，可能是他所提出之振兴绘画新方案的另一个尚未充分被认识的元素。我不打算在此长篇大论，但要建议董其昌极为强调的、作为绘画构图取势基础之"分合"构图法，应该是由欧洲绘画消失点透视法之挑战刺激所生出。在考量需要创作令人信服之三度立体幻觉的情况中，董其昌"分合"法最有兴味的讨论如下：

古人画不从一边生去。今人则失此意，故无八面玲珑之巧。但能分能合，而皴法足以发之，是了手时事也。[42]

对笔者而言，将"分合"与暗示着潜在动能的"势"放在一起，并不是以中国的视觉语言与概念去诠释关于欧洲透视法所造成、在绘画空间中令人信服的运动之视觉冲击。董其昌当然不是对欧洲透视法与素描技法本身有兴趣，他并没有模仿欧洲绘画。但是，董其昌认识到欧洲绘画的力量，而在黄公望与董源的画风中，找到最接近的对等元素，以之建立全新的“分合”构图理论，寻求复兴山水形象的内在空间。[43]

总结董其昌关于三度立体空间实体性之理论：山石必须清楚地呈现其凹凸有致的结构，而且总是必须石分三面；树木的枝叶必须向所有方向伸展；山水画构图亦应富于空间感与立体感，为向背、明晦之互动所定义。这些视觉效果应以轻重、明晦、向背变化多端的笔法，与“分合”有度、“虚实”互用之取势技法，达成富于“八面玲珑之巧”的视觉幻觉。[44] 在董其昌之前，只有唐代吴道子（约 685—758）的宗教人物画曾被描述为具有“八面玲珑之巧”的特征。[45] 自 11 世纪以来，也确实不曾有主要中国画家建议将某种强大的三度空间之立体幻觉，当成山水画家应有的或可有的主要目标。但是，这些视觉特征当然恰恰就是西方视觉艺术的品质，令几乎每一个与董其昌同时代、能见到这些艺术的人，都以惊喜之情热烈地议论着。

对于欧洲绘画的一个典型的中国式评论，正巧来自董其昌交游圈中的顾起元（1565—1628）。顾起元在《客座赘语》（1618 年出版）中评论一幅利玛窦带到中国的《圣母抱圣婴图》：

> 利玛窦，西洋欧罗巴国人也，面皙白，虬须深目，而睛如黄猫。通中国语，来南京，居正阳门西营中，自言其国以崇奉天主教为道，天主者，制匠天地万物者也。所画《天主》，乃一小儿，一妇人抱之，曰天母。画以铜板为帧，而涂五彩于上。其貌如生，身与臂手，俨然隐起帧上，脸之凹凸处正视与生人不殊。人问画何以致此？答曰：‘中国画，但画阳，不画阴，故看之面驱正平，无凹凸相。吾国画，兼阴与阳写之，故而有高下，而手臂皆轮圆身。凡人之面，正面迎阳，皆明而白；若侧立，则明一边者白；其不向明一边者，眼耳鼻口凹处，皆有暗相。吾国之写像者，解此法用之，故能使画像与生人亡异也。[46]

欧洲方面，到肇庆来接替利玛窦的龙华民（Nicolò Longobardo, 1559—1654）在 1598 年给罗马的一封信中，写到中国人对耶稣会传教士带到中国的、有版画插图的欧洲书籍之反应：“在此处，这一类通俗书籍均为中国人视为既精巧又富于艺术性。其原因在于中国画家向无所知的光影之使用。”[47] 利玛窦本人则在1605年的信中描述中国人“惊愕于[欧洲] 书中印制的形象，以为是雕塑；难以相信这些是绘画”！[48]

董其昌当然知道那些欧洲书中的形象是绘画，并且认识到这些形象与几乎所有晚近中国绘画传统戏剧性的不同之处。这个认识与洞见迅速地转化为董其昌艺术与理论中重要的基本元素：“石分三面”；“树四面皆可作枝着叶”；“下笔便有凹凸之形”；“分轻重、向背、明晦”；又求明“虚实”。这些“醒目之法”，在现代中国绘画之父的心中与手底阐明，与当时重新发现的古代中国绘画大师作品，以及几乎被遗忘的古代艺术理论之断句残篇，相互共鸣，以某种微妙的方式对山水画的振兴做出了贡献。

这个过程中最有趣的面向之一，是这个现象在晚明、不论智识的与艺术的（当论及董其昌，两者几乎不可分辨）论述领域中，持续发生的一贯性。正如董其昌能将利玛窦的评议与佛教教义相关联的例子所示，作为一种思维模式之佛教教义，容许董其昌批判地评论他所接受的其他传统。同理，董其昌也可以在黄公望的文字、早期山水画大师郭熙与董源的画作，甚至已然失落、近乎传奇人物一般的张僧繇与吴道子风格中，看到相关证据，从而诠释外国艺术家纯熟运用的这些小小的“醒目之法”，其实是古人早就发现，于定义中国艺术文化特征必要的但失传数世纪之久的真理，在当代产生的共鸣。[49] 这当然不外乎是一种持续不断的、刻意而为的过程，由此外来的却令人想要的东西，就可以转变成有用的与中国的东西。这就好像中国人可以如是口吻说：“所谓天主教与佛教似乎颇有相通之处，虽稍不如，但绝不失有趣；西方绘画也似乎是古代中国绘画大师天才之反映，故而颇有可取之处”。根据中国国家主席江泽民访美期间（1997）的观察，民主政治其实是2000年前中国学者所发明的。[50] 正是与此非常类似的思维模式，将与西方相关联的现象，转变为在理论上有用而可行的中国实践。

不论在文化、艺术还是思想层面，晚明都是历史上最具爆发性原创力，规模也最可观的时代之一，其思想的特征是对未知世界的一种开放态度，以及对传统价值如何得以更新改革之新途径主动做出考量的一种意愿准备。在这个极为短暂的时期里，中国对文化围墙外的世界之充满自信的兴趣所结成果，乃是从天文学、地理学、植物学、机械学、绘画艺术到制版印刷，许多原本长久以来渐趋衰颓的种种学科技艺之短暂回春。欧洲人、印度人、阿拉伯人、日本人现身于中国之所以令人注目，并不由于其所构成之文化影响本身，而是因为在中国方面，应对于当时限制既已广为人知的僵化传统，众多晚明学者已经欣然准备要欢迎新的知识、不同的观点以及令人兴奋的挑战。就连那些坚持中国文化并没有因为任何西方带来之影响而发生根本改变的学者，都有如下的表达："在16与17世纪，耶稣会传教士所介绍给中国的西方科学、科技与艺术之大量流入，并没有激进地改变中国学术的面貌，却提出了不同思维模式的可能性。"〔51〕

正是不同思维模式的可能性，为这个时期带来史无前例的文化多样性与创造性。如果硬要把这个丰饶多产的晚明时代，说成是仿佛中国在文化上智识上与欧洲文化没有关联，或中国文化未因当时社会之好奇开放而有任何根本改变，那就真会歪曲历史，比清朝入主中原之后的文化影响更加严重。〔52〕现代中国绘画的基础，正是在如此文化氛围中被建立起来的。

严守智　译

译者单位：美国马萨诸塞州艺术与设计学院

译自 "Dong Qichang and Western Learning: A Hypothesis in Honor of James Cahill,"
Archives of Asian Art, vol. 50 (1997/1998), pp. 7-16.

注　释

* 特别感谢高居翰教授与方闻（Wen C. Fong）教授评阅本文初稿。

〔1〕Shih Shou-ch'ien（石守谦）, "Tung Ch'i-ch'ang's *Wan-luan Thatched Hut* and the Innovation of His Painting Style," in *Symposium*, p. 13-2.

〔2〕Wen C. Fong（方闻）, "Tung Ch'i-ch'ang and the Artistic Renewal," in *Century*, vol. 2, p. 43. 何惠鉴（Wai-kam Ho）与何晓嘉（Dawn Ho Delbanco）对于董其昌的生活、艺术与艺术理论之"现代主义"倾向，有甚具刺激性而又思考周延的探讨，见两人合著，"Tung Ch'i-ch'ang' s Transcendence of History and Art," in *Century*, vol. 1, pp. 34-37.

〔3〕Shih, "Tung Ch'i-ch'ang's *Wan-luan Thatched Hut*," p. 13-6.

〔4〕同上，p. 13-12.

〔5〕Fong, "Tung Ch'i-ch'ang and Artistic Renewal," p. 45.

〔6〕参见同上，pp. 43-45，以及 Shih, "Tung Ch'i-ch'ang's *Wan-luan Thatched Hut*," pp. 13，15，16.

〔7〕Shih, ibid., p. 13-5.

〔8〕除了 Wen C. Fong 及 Shih Shou-ch'ien 前引文之外，又见 Kohara Hironobu（古原宏伸）, "Tung Ch'i-ch'ang's Connoisseurship in T'ang and Sung Painting," in *Century*, vol. 1, p. 95.

〔9〕*Century*, vol. 1, p. 94, and vol. 2, pp. 7-8, 402, 493.

〔10〕Shih, "Tung Ch'i-ch'ang's *Wan-luan Thatched Hut*," pp. 13-14, 13-15, 讨论与陈继儒之关系。又见 Shan Guolin（单国霖）, "Tung Ch'i-ch'ang's Album of 'Eight Scenes of Yan and Wu': An Investigation of His Early Painting Style," in *Symposium*；《燕吴八景》彩色图版可见 *Century*, vol. 1, pp. 136-138, 以及展览目录，第 2 册，页 6—7。

〔11〕James Cahill, "Tung Ch'i-ch'ang's Painting Style: Its Sources and Transformations," in *Century*, vol. 1, pp. 56-57.

〔12〕Jonathan Spence（史景迁）, *The Memory Palace of Matteo Ricci*（New York: Viking Penguin, 1984）, pp. 3-4.

〔13〕Lin Xiaoping（林小平）, "Wu Li's Religious Belief and *A Lake in Spring*," *Archives of Asian Art*, vol. 40（1987）, p. 28.

〔14〕这些绘画的相关讨论，见 Michael Sullivan（苏利文）, "Some Possible Sources of European Influence on Late Ming and Early Ch'ing Painting," in *Proceedings of the International Symposium on Chinese Painting*（Taipei: The Palace Museum, 1972）, pp. 595-633.（收入台北故宫博物院编，《中国古画研讨会论文集》。译者注）

〔15〕Lin, "Wu Li's Religious Belief."

〔16〕Ho and Delbanco, "Tung Ch'i-ch'ang's Transcendence of History and Art," in *Century*, vol. 1, p. 15.

〔17〕对这个议题最近的研讨之一，乃是 James Cahill, *The Compelling Image: Nature and Style in Seventeenth Century Chinese Painting*（The Charles Eliot Norton Lectures, 1979: Cambridge, Mass., and London: Harvard Univ. Pr., 1982），特别是第 3 章，"Wu Pin, Influences from Europe, and the Northern Sung [Song] Revival." 又见 Michael Sullivan, *The Meeting of Eastern and Western Art*（Berkeley, Los Angeles, and London: Univ. of California Pr., 1989），特别是第 2 章，"China and European Art, 1600-1800）," 以及本文注 14 所列重要的 Sullivan 前引文。

〔18〕Cahill, *The Compelling Image*, pp. 82-93; 以及 Cahill, *The Distant Mountains: Chinese Painting of the Late Ming Dynasty, 1570-1644*（New York and Tokyo: Weatherhill, 1982）, p. 95.

〔19〕Wen C. Fong, "Review of James Cahill, *The Compelling Image*," in *Art Bulletin*, vol. 68, no. 3（September 1986）, pp. 504-508.

〔20〕引自 James Cahill, *Orientations*, October 1996, p. 93. [邹一桂，《小山画谱 · 卷下 · 西洋画》，载于安澜编，《画论丛刊》（台北：华正书局，1984），下册，页 806。]

〔21〕Arthur Waley, "Ricci and Tung Ch'i-ch'ang," *Bulletin of the School of Oriental Studies, London Institution*, vol. 2（1921-1923）, pp. 342-343.

〔22〕Published in Berthold Laufer, "Christian Art in China," Mitteilungen des Seminars für Orientalische Sprachen. I Abt.: *Ostasiatische Studien* 13（1910）, pp. 100-118.

〔23〕Arthur Waley 前引文，见注 21; Joseph Needham（李约瑟）, *Science and Civilisation in China*, vol. 4, part 2（Cambridge: Cambridge Univ. Pr., 1965）, fig. 642, following p. 436; Michael Sullivan,

The Meeting of Eastern and Western Art, p. 49.

〔24〕见注 16。

〔25〕关于这个论点，参见高居翰与继续宣称欧洲艺术对明末清初绘画发展只有些微重要性或完全不重要的学者们最新近的论战，载于 *Orientations*, October 1996, pp. 93-94.

〔26〕关于这套册页之所有图版与表现题材的讨论，见注 22，Laufer 前引文。关于这套册页之整体以及其中一页画面主题与其可能根据之本源更为精确之辨识的新近研究，见 Noël Golvers, "A Chinese Imitation of a Flemish Allegorical Picture Representing the Muses of European Sciences ）," *T'oung Pao*（《通报》）, vol. 81 （1995）, fasc. 4-5, pp. 303-314. 关于这套册页中另一页可能根据之本源的研究，见 Jos. Jennes, "L'Art chrétien en Chine au début du XVIIe siècle（Une Gravure d'Antoine Wierx identifié comme modéle d'une d'une peinture peinture de Tong K'i-tch'ang, " *T'oung Pao*, vol. 33 （1937）, fasc. 2, pp. 129-133. 感谢 Susan Erickson 教授提示笔者这两篇研究。

〔27〕关于《程氏墨苑》最有趣的讨论，见 Spence, *The Memory Palace of Matteo Ricci*. 关于藏于美国自然史博物馆但破损严重的这件欧洲风格之画作，见 Laufer, "Christian Art in China, " pl. VIII, left. 采纳 Susan Erickson 之建议，笔者准备对与 Laufer 相关的图画做更深入的研究。

〔28〕例如 Osvald Sirén（喜龙仁）, *Chinese Painting: Leading Masters and Principles*, 7 vols.（New York: Ronald Press, 1956-1958）, vol. 6, pl. 11. 又可见于最近的一个展览目录《中国的洋风画》（*Exhibition of European-Influenced Chinese Painting*）（町田市：町田市立国际版画美术馆，1995），目录第 5 册（首次彩色图版，在页 25）。纽约市美国自然史博物馆所藏的两幅画也可见于《中国的洋风画》目录，在页 17；又见 Berthold Laufer, "The Chinese Madonna in the Field Museum," *Open Court*, vol. 26（1912）, pp. 2-8.

〔29〕Cahill, *The Distant Mountains*, p. 95. 1597 年《婉娈草堂图》中所使用之交叉排线光影法，可见于大约作于 1598—1599 年的《仿郭忠恕山水》（见 *Century*, vol. 1, pp. 142-143），并已在 1605 年《烟江叠嶂》（见 *Century*, vol. 1, pp. 148-149）画中与短而水平的叶状笔触以及各式点子，有更为精巧之交织。到了 1620 年代，董其昌绘制许多伟大绘画之时（见 *Century*, vol. 1, pp. 184-241），他所累积之技法又扩充许多，有时包括色彩，容许他创作出 17 世纪中国画坛塑形最为雄浑强势的作品。但是，相互交织的平行线组笔触，继续是董其昌绘画技法的基石。

〔30〕John Hay（韩庄）, "Subject, Nature, and Representation in Seventeenth Century China," in *Symposium*, pp. 4-9. 韩庄此文是到目前为止对中国艺术与艺术理论在晚明所发生的剧烈转变之思想背景，最犀利也最具启发性的研究成果之一。

〔31〕Kenneth Ch'en, "Matteo Ricci's Contribution to, and Influence on, Geographical Knowledge in China," *Journal of the American Oriental Society*, vol. 59（1939）, pp. 345.

〔32〕Cahill, *The Compelling Image*, pp. 77-79.

〔33〕Ch' en, "Matteo Ricci' s Contribution," p. 349f. 在绘画领域，清初四王与他们的追随者很快又回到使用平坦地平线、类似建筑术的绘画构图，只有王原祁（1642—1715）算是例外。到了 18 世纪初，地球是圆的这个事实，在满清官员与中国官僚之间，已再无疑问。有趣的是，在像八大山人这类明代"遗民画家"的作品中，观者常遭遇到一种地球是圆球形的印象。可参见 Wang Fangyu（王方宇）and Richard M. Barnhart, *The Master of the Lotus Garden: The Life and Art of Bada Shanren*（1626-1705）, ed. Judith Smith（New Haven: Yale Univ. Art Gallery, and New Haven and London: Yale

Univ. Pr., 1990）, colorpls. 2, 3, and cat. 49. 我相信八大山人对西学颇有认知，但我的信仰难以被证明。然而，非常容易引起联想的事实，乃是八大山人朱耷生于南昌的两个王府之一，而利玛窦则经常是南昌王府的座上客。但八大山人祖父朱多炡［明宗室，弋阳僖顺王曾孙，封奉国将军，字贞吉］（1541—1589）在利玛窦移居到南昌的 1595 年以前已身故。

〔34〕Cahill, *The Compelling Image*, p. 83. 董其昌引文可见于《画禅室随笔》，卷 2，页 1—2。在《中国画论类编》版本中，这一段文字，亦为注 39 所引，出现于卷 2，页 726。

〔35〕Fong, *Century*, vol. 1, p. 45，引用董其昌，《画眼》，《艺术丛编》版，页 19。

〔36〕相关探讨见于 Thomas Lawton, *Chinese Figure Painting*（Washington, DC: Smithsonian Institution, 1973）, pp. 5-6.

〔37〕董其昌，《画眼》，《美术丛书》版，页 29。

〔38〕黄公望，《写山水诀》；饶自然，《绘宗十二忌》合刊，载马采标点注译，《中国画论丛书》（北京：人民美术出版社，1962），页 3，5，以及注 1，页 7。黄公望文字之部分英文翻译，可参见 James Cahill, *Hills Beyond a River: Chinese Painting of the Yüan Dynasty, 1279-1368*（New York and Tokyo: Weatherhill, 1976）, pp. 86-88。

〔39〕董其昌，《画禅室随笔》，俞剑华编，《中国画论类编》（香港：中华书局，1973），卷 2，页 727。

〔40〕同前注。黄公望《写山水诀》（见于注 38，页 3）类似的立论："树要四面俱有干与枝，盖取其圆润"。

〔41〕董其昌，《画眼》，（美术丛刊本，台北，1956），页 280。特别感谢 Susan Erickson 在理解这段文字时所提供的协助。

〔42〕同上注。

〔43〕关于"分合"与"势"之讨论，见 *Century*, vol. 1, pp. 28-29, 44-45.

〔44〕同上注，pp. 726-727. 又见 Fong, *Century*, vol. p. 45.

〔45〕马采之评论，见注 38 引用资料，页 7，以及注 1。

〔46〕顾起元，《客座赘语》，卷 6，"利玛窦"。又见 Hsiang Ta, "European Influences on Chinese Art in the Later Ming and Early Ch'ing Period," translated by Wang Teh-chao, *Renditions*, *no. 6*, p. 156.［向达，《明清之际中国美术所受西洋之影响》，《东方杂志》，1930 年 10 月。］

〔47〕引自 Cahill, *The Compelling Image*, p. 71.

〔48〕同上注。

〔49〕Cahill, *The Compelling Image*，第 3 章。高居翰周全地讨论欧洲艺术带给中国画坛之挑战的功能之一，就是晚明画家对北宋巨幛全景山水典型之复兴或回归。

〔50〕见《纽约时报》（*New York Times*）1997 年 11 月 2 日的相关报道。

〔51〕Ho and Delbanco（as in n. 16）, p. 34.

〔52〕在中国史的脉络中，对清史所做最思虑周全的重新审视，见 Evelyn S. Rawski（罗友枝）, "Presidential Address: Reenvisioning the Qing: The Significance of the Qing Period in Chinese History," *The Journal of Asian Studies*（《亚洲研究学刊》）, *vol. 55*, no. 4（November 1996）, pp. 829-850. 对晚明文化独特之性格甚有洞见的研究，见 Wai-yee Li（李惠仪）, "The Collector, the Connoisseur, and Late Ming Sensibility," *T'oung Pao,* vol. 81（1995）, fasc. 4-5, pp. 269-302.

亚历山大在中国？
——关于中国考古学之提问

献给 Vincent J. Scully

1950 年以空前速度在中国展开的考古发掘工作，迄今已持续超过半世纪之久；其所累积的数据和文物数量之庞大，几乎改变了所有 1950 年以前中国艺术史所认定的真实。数以百计的新出考古文物展览，不仅在全世界各地都能见到，且几乎每一场都向大众和学界展示独一无二的新发现。

极少有考古学家或艺术史家有充足的知识、时间或能力，全面掌握过去 50 年来相关考古发掘资料，更遑论将其消化吸收；但那些却是欲探究艺术史真正的实体和本质时，所需列为首要的一批材料。事实上，由于文献传统在系统上和制度上大抵受限于为政府执政机关和社会观点发声，是以一般多认为考古能为我们重现以往为传统历史操控所掩盖的诸多真实面向。

但部分学者在近来对此一观点的评论中，坦率地批评中国考古机构内部所存在的文化偏见因素。[1] 据这些批评所述，考古作业受到了政治、经济和社会的非难，以致同时限制并操纵其发掘成果，并助长那些迎合当前政治需求的“正确”诠释。也许，任何这类限制的具体性质，将永远无从厘清；不过，从一位 20 世纪后期艺术史家的角度观之，考古、历史与政治交会之际，确实会引发一连串问题（这些问题导因于过去半个世纪以来的重大考古发现及其诠释），有待关心中国早期历史的考古学家和学者们加以探讨。这些问题多半聚焦于秦始皇的陵墓；更广而言之，即战国时期所发展出来的所谓英雄式墓葬纪念建筑，而秦陵正是当中最为壮观的例子。

始皇帝的兵马俑军团

再没有任何考古发现，能比秦始皇的地下等身兵马俑军团，更戏剧性地挑战艺术史家习以为常的假设了；这些数以千计的俑像，建构出规模如此庞大的写实拟真，打破了中国历史上前此一切的逻辑关联。自这批秦代大军于1974年出土的那一刻起，便好似在早期的中国传统里凭空出现，全然和用以定义中国文化的一切背道而驰，以致我们对于该如何看待这位帝王的庞大军团，至今仍知之甚微。〔2〕虽说它们谜样的功能和意义，以及其独特的存在，在近来的中国早期艺术史学科里，已引发某些极为有趣的学术研究和理论的反响，〔3〕却仍不足以初步解答它们所引发的问题。

一般对于早期中国艺术再现发展之整体理解，来自哈佛大学罗樾于30年前所撰述的一系列艺术史断代研究。在针对中国艺术史“分期与内容”的检视中，罗樾总结出中国艺术史的整个早期阶段，即新石器时代以迄周代末年，乃是以着重装饰性设计为其特色。〔4〕继此“装饰时代”之后，则进入再现发展阶段；其初始于汉代，并借由非中国元素随佛教之传布被引介至中国，而于汉代以后大兴。在此一分析性年表中，秦代正居于装饰时代之尾声，与探索再现初期之前夕。罗樾在描述早期中国装饰艺术渐趋消解的同时，也介绍了汉代以后由西亚和希腊引进中国的新式立体写实花卉图案：“汉代以后，以西亚花卉母题为基础的装饰设计（虽究其根柢乃源自于希腊），很快便在佛教传入中国之际，展开新一轮循环。于此之前，在中国从未见到过任何类似质感的蔬菜或花卉图案。而西方的影响深刻地改变了这一点。”〔5〕

相较于中国装饰演变中可资辨识却相对平静的折冲调和，秦始皇兵马俑出现在历史上，则像是对中国视觉文化主体的大规模入侵。我们或许知道早期中国佛教的花卉母题和图案来自于何方，但秦兵马俑又是怎么出现的呢？

值得注意的是，中国艺术史家和考古学家现在终于能够将早期中国雕塑（事实上其定义几乎等同于近来发现的秦兵马俑），与希腊和罗马的雕塑相提并论了。〔6〕毕竟在1974年以前，中国雕塑的重要实例尚属未知，欲将中国雕塑纳入中西比较那样的脉络来探讨，诚属无稽之谈。然而，当秦兵马俑这批如此巨大不朽的雕塑突然出现时，即便我们理当想要庆祝中国雕塑得以晋升希腊和罗马的辉煌阵容，但还是得问问：该如何解释此一前所未见的现象？

任何案例，甚至中国考古的种种新发现，都不足以向我们预示秦兵马俑的存在。目前已知的极少数秦以前墓俑，做工都相当原始，与秦始皇军团注重写实的表现，几乎没有明显关联；而战国末年以前，写实表现本身（除了与游牧民族素材特别相关的部分）亦极少以任何形式出现。[7] 人偶和人面雕塑，虽有着断续零星却能溯及至新石器时代的古老历史，而在战国以前，中国人物造像却并无一脉相承的传统。此外，目前我们所见到的，亦以外族即“胡人”形象为主；它们多表现为小型的杂耍者、音乐家和其他表演者，或是抱着桌、灯或钟架的奴隶。事实上，我们从战国时期人物表现所获取的主要讯息之一，就是有很多外国人居住在中国。[8]

秦亡以后，墓俑制作技术的走向，似乎又回复到先秦小型偶像的制作上；此一事实，足以证明写实等身的秦始皇军团似乎是凭空出现的。诚如威廉·沃森（William Watson）所撰述的这段话：“（这些秦代士兵占据了）中国艺术主流之外的某个位置，因为它们达到了精确模仿真人外形的目的，相当逼真，摆脱了偏向图案装饰的风格……费人思量的是，这般企图似乎难以为继；在被归为汉代的士兵和仆从墓俑上，看不出与前代等身俑像有任何艺术上或手法上的关联性。”[9]

也许有人并不同意沃森的最后一句话，因为确实有迹象表明：西汉及其之后的墓俑，带有某些风格上的延续性；甚至，有些证据更显示了入汉以后的秦代工匠可能继续施展他们的手艺。不过大抵说来，秦代的后继者对于延续前朝视觉文化似乎兴趣不大。

古代世界的中国

我认为应该考虑一种可能性，亦即或可将这批秦代地下军团在创造、设计和制作上的部分要素，指向秦国境内所出现的中国域外文明知识和材料，以及多次发生在古代世界的人口迁移浪潮。公元前 1000 年后半叶期间，代表不同文化的所有民族在欧亚大陆上大洗牌；而马其顿帝国的亚历山大大帝（Alexander the Great of Macedon，公元前 336—前 323 年在位），正是该时期人类迁徙运动中最著名的焦点人物。他的军队横扫当时已知的世界版图，从马其顿、希腊，越过埃及、巴比伦、波斯，再到后来的中国边界。他与麾下的马其顿、希腊、波斯和塞西亚（Scythia）军队，于公元前327年抵达巴克特利亚（Bactria，即中国史籍中的大夏）和粟特，沿着现代中国的西北边界前进，在那里停留两年后，再往南征服印度。这段时期，中国和古代希腊化世界之间那片辽阔大地上的巴克特利亚人、安息人、粟特人、塞西亚人、月氏、羌族以及其他民族，都呈现不断迁移和相互交流的状态：希腊、塞西亚和波斯军队在此区域出没；巴克特利亚人、粟特人和安息人相互攻伐；月氏则致力于对抗匈奴和秦军。在某个时间点，原先可能控制秦国边境和亚历山大军队之间那片辽阔区域的月氏人，被逐出了甘肃，并被迫撤出匈奴境内；整个民族遂由中国边境迁徙至巴克特利亚境内，征服了至少一部分的巴克特利亚人，并占领该地区；之后再迁徙至印度。[10] 据司马迁《史记》记载，中国与中亚的正式接触，始于公元前2世纪中叶。不过，秦始皇的地下军团，并不是表明中国与西方地区实际开启民族交流与文化传播远早于该一时间点的唯一证据。[11]

当主要基于对艺术的本质及全球艺术史之理解进行撰述时，我们或可由秦始皇兵马俑观察到：写实的模制等身塑像，于公元前3世纪在中国首度出现时，立刻在文化上和艺术上，将中国与遥远西方的希腊化和波斯世界联结在一起，即便我们对于实际联结的过程，所知仍是相当稀少。男女等身塑像，一向是持续出现在希腊－波斯世界的特色文物，而在更早的埃及和美索不达米亚世界，当然也是如此。但令人匪夷所思的是，这样的手法，早在其出现于中国之前，便已在绝大多数的古代世界里广泛存在超过2000年之久，却并未多少反映在中国的发展中。

秦本身自成立之初，即与中国边境游牧民族往来密切，甚至到了难以在秦文化发展过程中，区分出本地与游牧元素的地步。的确，秦宗室的始祖，据司马迁所言，曾经为周天子的饲马人，因此几乎可以肯定其拥有游牧之背景。[12] 在《秦国兴起之省思》[司马迁并无文章以此为名，作者引用的文句经查是出于《史记》卷15《六国年表》。“Reflections on the Rise of the Qin”是《史记》英译者伯顿沃森（Burton Watson）自行加上的卷名——译者注] 一文中，司马迁亦写道：“今秦杂戎翟之俗，先暴戾，后仁义。”[13] 现代考古记录似乎也支持司马迁的观察，即秦国的“蛮夷”身份，并不仅仅是汉代欲借毁谤前朝而行自我宣传之实。

在公元前4世纪和公元前3世纪秦所掌控的中国西北边境一带，写

图1　彩绘泥塑头像
公元前1世纪　高27厘米
乌兹别克斯坦哈尔恰扬出土

实的模制等身塑像，普遍见于希腊化和安息人的城邦，以及巴克特利亚和粟特。在阿富汗东北的艾哈努姆（Ai Khanoum），以及位于乌兹别克东南与巴尔赫（Balkh）北方80公里处的哈尔恰扬（Khalchayan）考古遗存中，即发掘出大量可供证明希腊文明在该地区流行的证据；其开始的时间，不晚于亚历山大东征，并延续至公历纪元以降的数个世纪。[14]包括条纹大理石道路和希腊式大型公共建筑，以及众多人偶和典型希腊化风格的陶制与石制人像残件，都是由这些遗址复原出来的物质文化特征。若将出自哈尔恰扬的巴克特利亚人物头像【图1】，与秦兵马俑【图2】并列，我们很快便能明白：眼前的文物来自同样跨度的文化范围。前者的实际年代，较秦兵马俑头像为晚；后者则约于公元前221年出现在中国。无论在希腊影响随着亚历山大大军抵达的之前或之后，这些地区都笼罩在阿契美尼德（Achaemenid）及安息王朝伊朗文化的掌控下，同时也延续着自身的希腊－波斯传统。

秦国在公元前230至前221年一连攻克燕、赵、齐、楚等边境强国之后，控制了中国所有的边境，并将从北到南、由西而东各边陲地带的“蛮夷”元素，纳入自身新兴的民族文化中。杨晓能在观察楚国和中山国等边陲国家时，巧妙地归纳出中国与边境文化的相互联结，如何形成如今所认知的中国认同：“从美学的角度来看……这些文化和位居中原

图 2　彩绘兵马俑头像　秦代　高 28 厘米　陕西省临潼县西杨村　2 号坑出土

的文化，乃是平等的。虽然它们长期不受周朝史家和正统史官青睐，但楚国和中山国，从‘蛮夷之地’的南方和北方兴起，构成强大的势力，再加上吴、越、齐、晋、燕、秦、蜀等国，共同形成了今日所认知的‘中华民族’。具讽刺意味的是，很可能正是由另一个‘蛮夷’之邦，即西北方的秦国，在公元前 221 年统一了古代中国。”〔15〕

秦代地下军团，就好比是中国元素和外邦元素整合过程的具象化。因为正如挖掘人员所一再指出的，其中约 7000 件脸孔逼真得令人惊讶的秦兵马俑，明显汇集了不同类型和种族的人；其范围从西安一带的关中地区，到西南方的四川省，并跨越整个中亚地区以迄西亚。〔16〕换言之，这支强悍的秦军，看来是一个多民族的团体，就如同秦代本身一样。

倘若来自“中国”境外遥远之地的人们，亦属于秦社会之一分子，便不难推想外国文化的物质元素传入秦代的某些渠道。举例来说，带有古代希腊和安息统治者肖像的珠宝和钱币，以及自然主义风格的神祇、英雄和国王等形象，都是西亚和地中海图像中最容易取得的类型。而巴克特利亚、塞西亚、阿契美尼德和希腊的黄金制品，如马具、水杯、盔甲、首饰等，也能轻易跨越边境和遥远的距离输送进来，且特别受到骑马者的珍视。至于模制小型陶俑这类在马其顿以迄巴克特利亚的古代希腊全境均有生产，且被广泛作为陪葬品和仪式祭品的文物，则很可能从毗邻希腊－波斯的国家传入秦国境内。考古发掘业已显示：至迟在公元前3世纪，来自古代希腊化世界的纺织品，便已出现在中国；[17]而在同时或稍早，中国的蚕丝，亦普遍见于西伯利亚南部和地中海世界。[18]游牧文化对中国社会、艺术和文化的影响，完全奠定于战国时期，具体表现在骑兵战术、服装、武器以及盔甲上。[19]这些文物和观念跨越欧亚大陆移动的确切路径和年代，如今已远不如其传输乃为双向且有据可查的事实来得重要。

中国、印度、波斯、埃及以及希腊，都是古代世界的一分子，并在许多方面彼此联结。即便独特、强大如中国，亦属当时世界文明的一部分，未曾全然置身于其他欧亚大陆文化之外。日益明显的迹象显示：中国认同之得以真正形成，实是中国各地区的文化与邻近文化长期互动的结果。

最近，前苏联的学术研究表明了公元前5世纪至前3世纪期间，联结中国、中亚和地中海区最重要的媒介，是希腊人称为塞西亚的部落民族。这些邦盟松散的游牧民族，在古希腊历史学家希罗多德详述其细节时，已定居于黑海以北，然则他们原先应来自该地以东的偏远地区；在某种程度上，目前已能辨识出他们乃是在中国汉代称为月氏、后成为印度塞族（Sakas）的游牧民族。[20]公元前3世纪，“塞西亚”部落占领了自敦煌往西以迄河中地区（Transoxiana；即中亚锡尔河、阿姆河流域以及泽拉夫尚河流域，包括今乌兹别克斯坦全境和哈萨克斯坦西南部——译注）的广大地域，实际上正是沿着今日所谓的“草原丝绸之路”，将伊朗和希腊世界，与中国和印度连接了起来。他们也曾在今日中国的甘肃地区，成为秦代强大的邻邦“小月氏”。秦和燕、赵等中国境内的北方国家，正是从东部塞西亚和匈奴，习得了马术之精髓，彻底改变了东亚的军事战术。[21]

塞西亚艺术涵括了希腊、阿契美尼德波斯以及公元前1000年间北欧亚草原游牧民族典型的“动物风格”等元素。换言之，塞西亚艺术本身就是文化融合与相互链接的媒介，且很可能是秦国借以得知西亚和地中海区文化风俗的渠道之一。[22]不过，塞西亚人及其东边的游牧邻族和亲属，却与影响他们艺术风格的希腊人和波斯人有所不同，偏好在艺术中表现一般平民百姓，而非神祇或君王的形象。这样的偏好，或许也是一种转化的环节，将古代西亚的神祇、君王和巨人形象，与中国地下军团里的普通士兵和随从联结在一起。尽管中国、俄国、中亚各国的考古学家，均已着手还原此一古代文明史上的伟大篇章，但唯有当学术上的求知欲真正超越国界时，才有望揭开这个故事的全貌。

大型纪念遗迹

在诸多超乎寻常的古代中国（特别是战国时期）考古记录中，秦始皇兵马俑军团的神奇幻觉，可说是最显而易见、且带有惊人戏剧性的一项；而状如丘陵的秦始皇陵本身，亦是如此，其引人注目的程度几乎不亚于兵马俑【图3】。这座陵墓，诚如巫鸿所指出的，正是一座金字塔；其完美无瑕的形式，在埃及将之作为大型墓葬建筑约2300年之后，不知怎地传到了中国。[23] 然而，就如我所注意到的，没有人试着解释这批由雕造写实之兵马俑所组成的等身军队，何以被埋葬于秦始皇陵的周围；我也未曾发现任何人尝试解释该陵墓为何采用与金字塔相同的结构。一座金字塔，无论是20世纪后期建于罗浮宫前，抑或公元前3世纪造于中国陵墓上，追根溯源，终究是来自埃及，且其设计亦含藏某些与埃及文化相关的讯息。虽说这时期的中国史表明了古代中国对埃及实是一无所知，但秦始皇陵上方的金字塔却告诉我们：

图3　秦始皇陵上方墓冢　秦代　陕西省临潼县西杨村

这类信息确实存在过。不过，这座金字塔，并不是埃及元素现身于帝制中国早期的唯一孤例。[24]

它最终亦证明了：该塔也不是中国最早的金字塔。近年来，最引人注目的考古发掘之一，便是在辽宁省牛河梁的土丘上，发现一座结构复杂但功能不明的大型遗址，其正好地处范围介于辽宁以迄内蒙古的新石器时代红山文化中心。[25] 该地最令人印象深刻的建筑物，是一座人称“金字塔形”的人造山丘；其乃以夯土砌于天然山丘顶部，表面再铺上石头。在附近一处地下空间内，还发现一批以黏土模制而成的女性裸体人偶，尺寸从真人大小至3倍大；其中一件已公开的头像，呈肤白、眼蓝之貌，益发增添此一文化的谜团。[26] 但与此同时，其他未经烧制的全数泥偶残件，则都被重新掩埋了起来，以待日后科技能将它们从掩盖的泥土中清理出来。

总之，无论牛河梁遗址与中国首位皇帝陵墓之间目前隐而未现的联系，是否有可能在未来某一天得到证实，秦始皇陵上方的大型土制金字塔，及其周边大型地下空间内的兵马俑军团，却仍透露出与前一个世纪和后一个世纪其他考古遗址的密切关联。在此特定脉络下，公元前300年至前100年的两个世纪间，秦陵金字塔和兵马俑军团，在诸多显然带有新式中国作风的案例中，不过是最引人注目的两大标志罢了；而这一新式作风，在战国时期进展得特别明显，具体表现为纪念性的大型建筑，或是夸大宏伟的陵墓构造。[27] 毫无疑问，宏伟的陵墓巨构，当为遍及欧亚大陆和埃及的古老作风，至少可溯及至金字塔。

这时期中国最早的大型遗址之一，为故周辖下另一“蛮夷”之邦中山国的国王陵墓显然为秦陵重要的前朝先例。雄伟的中山国王墓，乃于公元前323至前296年建于今河北省平山县三汲乡，一直到公元前296年中山国覆灭之际，仍未完工【图4～7】。[28] 如中山国王墓于坟上建造大型土冢的观念，在中国约始于战国时期前后，不过早在中国之前，此种做法便已广及于古代世界的其他地区。最著名的例子之一，大概是戈迪安（Gordium）的土坟，当中包括位于今土耳其安卡拉（Ankara）附近，约在公元前700年为古弗里吉亚（Phrygia）皇室建造的“迈达斯之墓”（Tomb of Midas）。[29] 至公元前5世纪和前4世纪时，土墓亦流行于马其顿皇室和塞西亚人之间。例如，马其顿之亚历山大大帝的父亲菲利普国王，便埋葬于维吉那（Vergina）的古墓中。而纪念英勇国王而设置的陵墓，亦特别受到阿契美尼德波斯统治者和

图 4　**中山国王墓墓冢**　战国时期　河北省平山县三汲乡

图 5　**中山国王墓错金银青铜平面设计图**　战国时期　长 96 厘米　宽 48 厘米　河北省平山县三汲乡一号墓

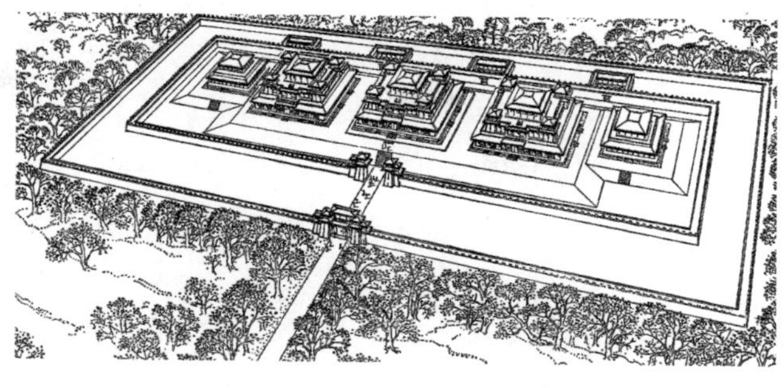

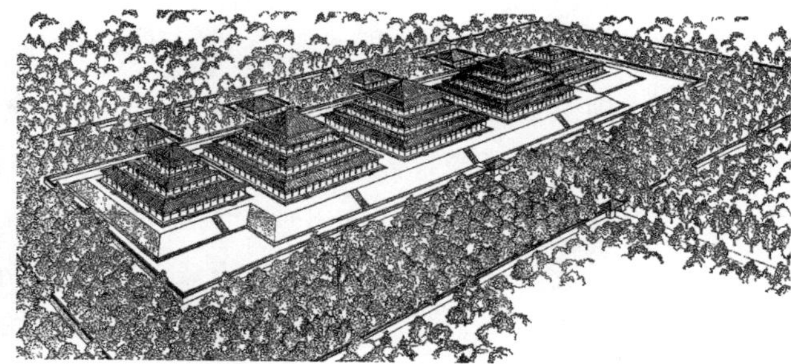

图 6　中山国王墓模拟重建图
战国时期　河北省平山县三汲乡
（取自傅熹年：《战国中山王𪓐墓出土的〈兆域图〉及其陵园规制的研究》，载《考古学报》1980 年第 1 期，页 111；杨鸿勋：《战国中山陵及〈兆域图〉研究》，载《考古学报》1980 年第 1 期，页 130）

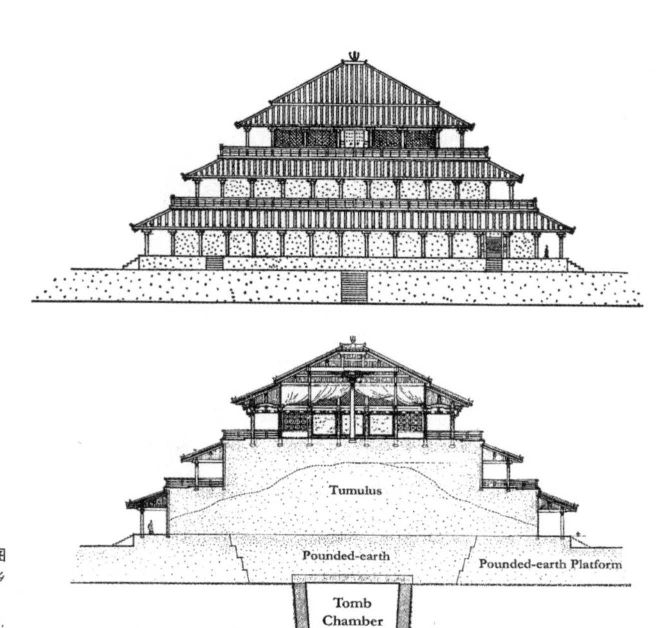

图 7　中山国王墓享堂模拟重建图及剖面图
战国时期　河北省平山县三汲乡
［取自杨鸿勋：《战国中山陵及〈兆域图〉研究》，页 130；杨鸿勋：《建筑考古学论文集》（北京：文物出版社，1987），页 125］

东部希腊人的欢迎。

显然，在地中海文化及黑海文化向中亚以迄更远地区的传播过程中，横跨今土耳其、伊拉克、伊朗一直到阿富汗的广袤大地，实扮演了关键的角色。古代世界最知名且广为人知的纪念陵墓，为卡里亚（Caria）的摩索拉斯（Mausolus，公元前377—前353年在位）陵墓，其位于哈利卡纳苏斯（Halicarnassus），即今日土耳其的博德鲁姆（Bodrum）【图8】。摩索拉斯是阿契美尼德波斯帝国的总督，也是希腊艺术与文化的崇拜者；其纪念陵墓建造的时间，约早于秦始皇陵125年。早在公元前4世纪时，该墓便被视为世界七大奇景之一。[30]这座全世界著名的陵墓，具有以下特点：其以一座金字塔为顶，塔尖立着一辆由四匹马拉曳的战车（双轮战车）；墓旁环绕着等身大小、雕塑写实的士兵形象；陵墓由等身石狮和其他动物所护卫。[31]在可资确认中国大型纪念墓葬传统出现的三座宏伟古墓建筑，即中山国王墓、秦始皇陵以及汉代将军霍去病（卒于公元前117年）墓中，都可见到以下种种与地中海、爱琴海和伊朗文化有着悠久渊源的要素，即：金字塔、等身模制的写实武装俑像（包括霍去病墓中的巨大石雕像）、青铜双轮战车（两辆战车实际上都出土于秦始皇陵）、三叉戟（楚国赠予中山国的一套七件礼物，将楚国与北方的“蛮夷”文化联结起来）、陪葬船，以及巨大的石雕野生镇墓兽形象。虽然我们对于秦始皇陵巨大墓城的完整外观构造，仍知之甚少，不过经模拟复原后的中山国王墓，却很容易让人拿来与哈利卡纳苏斯一地具有类似设计的摩索拉斯陵墓【图8】相互比较。两墓的上方，不仅都叠加以金字塔，就连想象中的中山国王墓列柱中庭，都与摩索拉斯陵墓的柱廊中心相当类似。而且，从中山王嚳墓的出土照片来看，无论其基本设计模块，抑或是陵墓整体，都呈现阶梯式金字塔状。[32]

如果我们认为上述种种，不仅仅只是巧合，又该如何解释这一切呢？巫鸿在针对古代中国大型纪念建筑之详细而精彩的研究中，描绘出一幅颇具说服力的景况，关乎汉代传入中国西部的文化对中国社会的影响。他注意到在汉代时，中国已出现来自西方和印度的舶来品，进而观察到：“对中国文化带来较大影响的，乃是有关于奇幻西方的模糊概念或‘知识’——即口耳相传的故事或‘传闻’，以及为阅听者而任意做出的解释、修改和编造。”他补充道：“存在于西方、以及来自于西方的物事，通常被视为是吉祥的，或永生不朽的。”[33]考古证

图 8 **卡里亚之摩索拉斯王陵墓模拟重建图** 约公元前 350 年 土耳其哈利卡纳苏斯（博德鲁姆）

据清楚显示了，战国晚期也曾历经这些相同的运作过程。而“中国石材文物之发现”，[34] 这项由巫鸿所提出并定义为汉代纪念建筑形成的关键性发展，时至今日，亦由于近来在秦始皇陵一带挖掘出满装石制武器的大型地下空间，而得以与前述大型陵墓的建造和延续紧密联系在一起。[35] 因此，巫鸿所谓的“汉代宗教及宗教艺术的四个根本要素，即永生、西方、石材和死亡”，目前显然都能与战国时期，亦即刚好出现在环绕于中国、西亚和地中海区一带长期演变和交流之尾声的一项发展趋势，联结在一起。

世界第八大奇景？

当依序检视与其相关的古代世界七大奇景时，即便主要仅将其视为“观念”或“信息”，仍可将秦始皇陵纳入此按年代排列的序列中：

1. 埃及大金字塔，公元前 2580 年

2. 巴比伦城和空中花园，约公元前 700 年

3. 以弗所（Ephesus）的亚米底（Artemis）神庙，约公元前 560 年

4. 奥林匹亚（Olympia）的宙斯神像（菲迪亚斯作品），公元前 433 年

5. 哈利卡纳苏斯的摩索拉斯陵墓，约公元前 350 年

6. 罗得岛（Rhodes）太阳神铜像，约公元前 280 年

7. 亚历山大（Alexandria）（法罗斯岛）灯塔，约公元前 250 年

8. 秦始皇陵，公元前 221 年

无疑，这是一份针对古代世界的人们未必能全数知晓的精选古老遗迹而重新建构的年表。但充分的考古证据似乎显示，秦始皇这位出身文化上长期习惯于认同周代社会西部疆界之民族的后裔，至少听闻过更远甚至及于西方的伟大纪念奇景传说；而且，在他掌握的讯息中，至少也存在着各种不同的物质性物品和影像残件，提供了间接有关于那些奇景的浮光掠影。透过汇集这些片断信息和物质残件，秦始皇在设计与实现自己的陵墓——即作为其自身在中国帝国本身纪念碑创作的实物再现上，很可能总结并综合了先于他之前的古代世界纪念碑奇景传统。

对于考古证据所显示出早期中国历史必然与古代世界史相关之重要性，中国考古机构有时似乎予以忽略了。在他们看来，出土于中山国王墓的三叉戟，并不是海神波塞冬的象征，或希腊化世界的武器，而是代表现代汉字“山”的三叉青铜仪杖；建造于秦始皇陵上方的巨大土制金字塔，亦不意味着任何与古代埃及建筑结构（其在秦始皇陵之前的 2000 年来已被西亚文化所采用）之关联性。就另一层次的关联而言，对于建筑中列柱式“希腊柱式”与战国时期中国建筑柱廊立面之间任何可能的相似处，也是意兴索然，或许是因为研究者假设古希腊、希腊化、阿契美尼德以及中国的建筑之间，必定没有关联。[36] 不仅没有提及希腊红陶、黑陶与表髹红漆或黑漆的中国漆器之间奇特的审美相似度，也未将注意力放在为何船只会被埋葬于位处内陆的中山国王墓中，毕竟船葬对于在此之前的中国实属未知。更不去探讨最早为人所知的图画横饰带（数世纪以来其在希腊化世界已完全普及），在中国为何会出现于公元前 316 年左右包山楚墓的一件漆盒上，较之于亚历山大大帝率希腊和马其顿军队开始在邻近中国西部边界建造拥有

大理石街道和列柱式希腊神庙的时间，晚了将近10年。约略于同时，楚地所制造的中国丝绸和铜镜，则被埋藏在俄罗斯南部塞西亚人的墓葬中。[37]

古代世界的相互交织，肯定比目前中国考古所认定的更加紧密；而且，中国特有的认同和历史，乃是透过中国境内与境外各个文化及民族，在最初始阶段的持续互动所形塑而成，承认这一点，并不会威胁到中国文化在世界文化多元系谱中的古代起源、悠久的持续性、完整性或独特性。此一与希腊－波斯之联系，参与了中国数千年的演变过程，其很可能正是巫鸿称之为“信息”的主要问题，关乎神秘而强大的西方地区，以及遥远边境上个别且相隔甚远之文化实体所带来的些微中断。

但它依旧是一个令人着迷的故事，一个大部分透过不相干的零碎片段而浮现的故事。在广东省广州南越国第二代国王（卒于公元前122年）的陵墓（一座大异于传统中国墓葬形式的岩墓）中，发现了一只美丽的波斯银盒。[38]此一带有传统伊朗设计的银盒，与位于土耳其戈迪安、年代约为公元前700年的弗里吉亚国王迈达斯墓所出土的青铜碗组非常相似。[39]或许更值得注目的是，南越国的国王们在秦代灭亡以后、于中国南方沿岸建立起独立的王国之前，曾经效忠过秦始皇。类似的碗，在波斯世界当然已经生产了很长一段时间，故而设想南越国王和弗里吉亚国王之间有些什么直接的关联，是不必要也不合理的。但可以肯定的是，在一座与年代较早之中国皇陵全然不同的汉代皇陵中发现一只精致的波斯银盖盒，至少暗示了极大的一种可能性，亦即中华文化认同之形成，是兼容了更广泛的地域范围、民族认同以及文化，而不仅只是东北核心地带而已。

或许更令人惊讶的是，在同一陵墓中，还发现完全以玉制成的波斯－希腊风格角状杯（rhyton，兽型角状容器——译者注），这意味着希腊－波斯样式不只是传入中国，供皇室使用，还经过修改与调整，以符合中国之品味，再由中国工匠制作出高水平的艺术品和工艺品。[40]特别值得注意的是，南越王墓乃凿于天然岩石间，此一不寻常之特征，亦见于这时期远在河北省满城的两座岩墓，即汉代境内另一个“蛮夷”之邦——中山国——统治者刘胜和窦绾之墓。[41]而阿契美尼德波斯国王最著名之举，便是在距离波斯波利斯（Persepolis）皇城不远的罗斯塔姆(Naqsh-e-Rostam)，将皇家陵墓凿建于垂直崖壁的天然岩石上。[42]

无论如何，不难想见未来中国考古所将述说的最令人兴奋的故事之一，应是路径和编年，借此埃及、希腊、印度、波斯、中亚和中国等古代文化如何在早在中国第一个帝国建立之前和之后的 2 或 3 世纪间松散地交织在一起。而让人想到这些交流模式之最明显范例，仍旧是马其顿的亚历山大大帝。在他征服已知世界的过程中，他由希腊行旅至埃及，看到了大金字塔；接着又行脚至以弗所，目睹另一个古代世界七大奇景——伟大的亚米底神庙；他也前往哈利卡纳苏斯，见到了雄伟的摩索拉斯陵墓。在巴比伦，他则看见了同为世界奇景之一的古代大城市之雄伟城墙；不久后他便在回程的路上客死于此地。他去到了戈迪安——强大的弗里吉亚国王们之故乡；在那里，弗里吉亚国王们被葬在如山一般的土冢，如同他自己的父亲——马其顿的菲利普——之坟冢。接着，他行至波斯波利斯，看到了阿契美尼德国王的皇家岩墓，并焚烧和抢劫大流士（Darius）的雄伟宫殿。最后，他旅行至巴克特利亚和粟特的古代城邦，娶粟特公主罗克珊（Roxanne）为妻，并抵达中国边界，在该地停留两年。至迟在那时，用以建构中国最早英雄式纪念碑坟茔建筑之所有要素的知识，已抵达中国领土的边境。只是，考古学虽已重建它们接下来在秦朝与汉初物质文化登场的线索，但联结亚历山大大帝和秦始皇的叙事，仍局限于捕风捉影。

补遗：2001 年 7 月

自从我在 1999 年底完成上述文章之后，又得知了更多来自许多其他不同观点可以支持上述论点的材料。例如，白牧之（E. Bruce Brooks）出版了不少关于希腊与中国战国时期文本之相似性的研究成果。[43] 他主张影响力的传播，乃是沿着连接起中国边境与西方地中海区、伊朗以及印度河谷文明的贸易路线。

刘欣如在纳尔逊美术馆于 2000 年 11 月举办的“前贵霜世界艺术”研讨会上，也提出了月氏与秦朝彼此往来的新信息。刘教授的研究，将月氏描述为秦的重要贸易伙伴；她还指出，由于与西方游牧民族的贸易对于秦朝是如此地重要，以致贸易领袖甚至获准在朝廷上代替官员出席。期待她的论文《从阿富汗到塔克西拉、马图拉及恒河平原的贸易和朝圣路线》能够发表在研讨会论文集中。邢义田则是在一篇运用早期文献和考古资料来研究非中国民族外貌的有趣文章中，再次提出了身为秦对西方塞西亚人及其他民族之贸易伙伴，且很可能为秦密使的月氏，其实系属于印欧语系，而非亚洲人。[44]

1999年有关秦与西方文化交流之最重要考古发现，乃是在秦始皇陵东南方内城墙与外城墙之间的地下储存室里，贮存了十一具约莫等身大小的新制陶俑，人称百戏俑。它们只穿着短裙，其余部位则赤裸，带有刻划鲜明的肌肉组织，以及符合解剖学的姿势和身体特征。出土的人偶均严重毁损；其中七具（或以上）已被重新掩埋，但另外四具则已复原，该发现已发表于秦始皇陵考古工作年报。[45]这群震惊世人且近乎全裸的男俑，与秦陵地下军团的单一士兵俑相当不同，较少依赖铸模，而多以陶土个别雕塑；虽则如此，其可能还是由负责制造兵马俑的同一批工匠制作而成。

这批新发现的兵马俑，似乎是运动员、杂耍人和表演者，其令人信服地具体传达出正在运动中的翻筋斗俑、捕手俑、摇摆俑和举重俑俱有细致变化的身体外观。在雕塑这些新出人偶的过程中，重点明显放在对男性体格的仔细观察与立体感之再现，这一点在中国可谓前所未见且再难以企及，直到约1000年后唐代的来临，亦即丝路成为一条联结中国、西亚和地中海的繁忙高速公路之际。虽然，这些秦代的形象，与当代希腊化世界的任何物事都不那么相像，但作为一种与皇家葬礼有关的造像类型，它们明显让人联想到希腊化领地里，再平常不过的裸体与近乎裸体的战士形象，如同见于哈利卡纳苏斯之摩索拉斯陵墓的例子。它们也能让一些观者想起传统希腊化葬礼竞技仪式中所描绘的裸体运动员，诸如在贝里维（Belevi）一位不知名的塞琉卡斯（Seleucid）王朝统治者之墓葬纪念碑上所见；该纪念碑几乎是以摩索拉斯陵墓为依据，年代则被判定为公元前3世纪早期。[46]其中一个复原后的秦偶，是四件之中唯一仍保有头部的作品；它的右臂自肩膀向外平直举起，于手肘处折起成90度角，对侧的左脚则同时弯起，仿佛正往前走。这样的姿势，会让某些观众想起一尊熟悉的希腊－罗马造像，即手持长矛的立姿战士神王（warrior-king-god）；该形象与亚历山大大帝特别有关，且自公元前4世纪后期至罗马时期，即在所有的希腊化领地上无所不在。[47]

这些秦朝葬俗之奇妙的、含混不清但依然引人联想的颤动，似乎与中国境域之外的世界有所共鸣；在其中，我们可能得以再次意识到进一步证据的存在，这是关于秦始皇陵与马其顿之亚历山大大帝间遥远、但同时尚未被解释的联系。

赖毓芝　译

译者单位：台湾“中研院”近代史研究所

译自“Alexander in China? Questions for Chinese Archaeology, in Xiaoneng Yang. ed., *New Perspectives on Ancient China: Twentieth Century Chinese Archaeology in Retrospect*, New Haven: Yale University Press, 2004.

注　释

笔者对于杨晓能博士诸多富于建设性的建议，谨致感谢之意。

〔1〕特别参见 Robert W. Bagley, “Shang Archaeology,” in Michael Loewe and Edward L. Shaughnessy, eds., *The Cambridge History of Ancient China: From the Origin of Civilization to 221 B.C.*（Cambridge: Cambridge University Press, 1999）, pp. 124-36. 又见 Robert W. Bagley, "Review of Wu Hung's book, Monumentality," *Harvard Journal of Asiatic Studies* vol. 58, no. 1（June 1998）, pp. 221-256; Wu Hung, “A Response to Robert Bagley’s Review of My Book, *Monumentality in Early Chinese Art and Architecture*（Stanford University Press, 1995）,” *Archives of Asian Art* vol. 51（1998-1999）, pp. 92-102.

〔2〕这种不确定性，明显见于杜希德（Twitchett）与鲁惟一（Loewe）1986 年对于此墓的处理，诚如 John Hay 1999 年发表的论文所指出的那样。见 John Hay, “Questions of Influence in Chinese Art History,” *Res* 35（Spring 1999）p. 247, n. 27.

〔3〕Ladislav Kesner, “Likeness of No One” (Re) presenting the First Emperor’s Army,” *Art Bulletin* 77, no. 1（March 1995）, pp. 115-132.

〔4〕Max Loehr, “Phases and Content in Chinese Painting,” in *Proceedings of the International Symposium on Chinese Painting 1970*（Taipei: Palace Museum, Taipei, 1972）, pp. 285-297.

〔5〕Max Loehr, “The Fate of Ornament in Chinese Art,” *Archives in Asian Art* XXI（1967-1968）: 15-16.

〔6〕Xiaocong Wu, *Valiant Imperial Warriors 2,200 Years Ago*（Hong Kong: Polyspring Co. Ltd., 1992）, p. 60.

〔7〕最近一项调查为 Guolong Lai, “Uses of the Human Figure in Early Chinese Art,” *Orientations* vol. 30, no. 6（1999）, pp. 49-55. 又见 Wu Hung, “Art and Architecture of the Warring States Period,” in Michael Loewe and Edward L. Shaughnessy, eds., *The Cambridge History of Ancient China: From the Origin of Civilization to 221 B.C.*, 特别是页 685-707。

〔8〕关于此故事至汉代后的延续，见 Zheng Yan, “Barbarian Images in Han Period Art,” *Orientations* vol. 29, no. 6（1998）pp. 50-59.

〔9〕William Watson, The Arts of China to AD 900（New Haven: Yale University, 1995）.

〔10〕Koshelenko Enoki and Z. Haidary, "The Yüeh-chih and Their Migrations," in Janos Harmatta, B. N. Puri, and G. F. Etemadi, eds., *History of Civilization of Central Asia II: The Development of Sedentary and Nomadic Civilizations: 700 B.C. to A.D. 250*（Paris: UNESCO, 1994）, pp. 171-189.

〔11〕有关此一影响之综观，见 John Hay, "Questions of Influence in Chinese Art History."

〔12〕Dennis Twitchett and Michael Loewe, eds., *The Cambridge History of China, vol. 1: The Ch'in and Han Empires (221 B.C.-A.D. 220)*（Cambridge: Cambridge University Press, 1986）, p. 31.

〔13〕Sima Qian（Burton Watson, trans.）, *Records of the Grand Historian: Qin Dynasty*（New York: Renditions-Columbia University Press, 1993）, p. 85.

〔14〕这些遗迹以及位于中亚的许多其他遗址，最完整的讨论见于田边和前田的著作中。见田边胜美、前田耕作，《世界美术大全集 · 东洋编 15 · 中亚》（东京：小学馆，1999）。关于哈尔恰扬（Khalchayan），见 Galina Anatolevna Pugachenkova, *Iskusstvo Bakrii epokhi Kushan*（Moscow: Iskusstvo, 1971, 1979）.

〔15〕Xiaoneng Yang, ed., *The Golden Age of Chinese Archaeology*（Washington, DC: The National Gallery of Art, The Nelson-Atkins Museum of Art, and Yale University Press, 1999）, p. 269.

〔16〕见 Wenli Zhang, The Qin Terracotta Army: Treasures of Lintong（London: Scala Books and Cultural Relics Publishing House, 1996）, p. 84.

〔17〕放射性碳定年法，根据 Dolkun Kamberi, "Discoveries of the Täklimakanian Civilization during a Century of Tarim Archaeological Exploration（ca. 1886-1996）," in Victor H. Mair, ed., *The Bronze Age of Early Iron Age Peoples of Eastern Central Asia*（2 vols.）（Washington, DC: Institute of the Study of Man, Inc., 1998）, p. 798.

〔18〕Emma C. Bunker, "The Chinese Artifacts Among the Pazyryk Finds," *Source: Notes on the History of Art* X:4（Summer 1991）, pp. 20-24.

〔19〕Jenny F. So and Emma C. Bunker, *Traders and Raiders on China's Northern Frontier*（Washington, DC: Smithsonian Institution, 1995）.

〔20〕Koshelenko Enoki and Z. Haidary, "The Yüeh-chih and Their Migrations."

〔21〕Jenny F. So and Emma C. Bunker, *Traders and Raiders on China's Northern Frontier*, p. 29.

〔22〕关于塞西亚艺术，见 Ellen D. Reeder 最新的研究。Ellen D. Reeder, ed., *Scythian Gold: Treasures from the Ancient Ukraine*（New York: Henry N. Abrams, 1999）. 关于塞西亚与中国艺术的关系，见 Jenny F. So and Emma C. Bunker, *Traders and Raiders on China's Northern Frontier*.

〔23〕Wu Hung, *Monumentality in Early Chinese Art and Architecture*, pp. 114-115. 关于前哥伦比亚时期金字塔和美索不达米亚塔庙与埃及之关系，见 Thor Heyerdahl, *Early Man and the Ocean: A Search for the Beginnings of Navigation and Seaborne Civilizations*（Garden City, NY: Doubleday, 1979）, pp. 59-92.

〔24〕Jessica Rawson 指出，满城刘胜墓出土的一对小型中国青铜狗头怀孕形象，与埃及女神 Tauert 极其相像，且反映出西亚所制作之尊神形象。Jessica Rawson, "Stranger Creatures, " *Oriental Art* vol. 44, no. 2（Summer 1998）, pp. 44-47. 其中一尊青铜像，收录于 Xiaoneng Yang, ed., *The Golden Age of Chinese Archaeology*, pp. 400-401，图 133。中山国王墓的船葬坑，亦强烈透露出与埃及的关联，因为吉萨平原胡夫法老［Khufu，希腊称基奥普斯（Cheops），公元前 2609—

2584 在位］大金字塔的船葬，是目前已知中山国王墓船葬的唯一先例。

〔25〕辽宁省文物考古研究所，《牛河梁红山文化遗址与玉器精粹》（北京：文物出版社，1997）。又见 Xiaoneng Yang, ed., *The Golden Age of Chinese Archaeology*, pp. 78-98; Jessica Rawson, ed., *Mysteries of Ancient China*（London: British Museum, 1996）, pp. 31-60.

〔26〕彩图再版，见 Boqian Li, "Chinese Archaeology in the Last Twenty Years," *Orientations* vol. 28, no. 6（1997）, pp. 34. 有关牛河梁遗址的更大谜团，在于其年代的不确定性。杨晓能根据放射性碳 14 测定的年代范围，认为介于公元前 4710 至前 2920 年，早于埃及金字塔（Xiaoneng Yang, ed., *The Golden Age of Chinese Archaeology* , p. 81, n. 1）。然而，Jessica Rawson 提出的年代，则约为公元前 3500 至前 2500 年（Jessica Rawson, ed., *Mysteries of Ancient China*, p. 44）。究竟哪一种年代范围得以厘清牛河梁"金字塔形人造山"（Xiaoneng Yang, ed., *The Golden Age of Chinese Archaeology*, p. 79.）的建造年份，目前仍不清楚。

〔27〕巫鸿在 *Monumentality in Early Chinese Art and Architecture* 一书中讨论了此一主题，见 pp. 110-121。

〔28〕关于中山王墓，见河北省文物研究所，《𰯼墓：战国中山国国王之墓》（北京：文物出版社，1995）; Xiaoneng Yang, ed., *The Golden Age of Chinese Archaeology*, pp. 352-359; Wu Hung, *Monumentality in Early Chinese Art and Architecture*, pp. 112-14; Lei Congyun, Yang Yang, and Zhao Gushan, *Imperial Tombs of China*（Memphis: Wonders, 1995）, pp. 58-73; Hong Kong Museum of Art, *Warring States Treasures: Cultural Relics from the State of Zhongshan, Hebei Province*（Hong Kong: Hong Kong Museum of Art, 1999）.

〔29〕Rodney S. Young, *Three Great Early Tumuli*（Philadelphia: The University Museum, University of Pennsylvania, 1981）.

〔30〕关于摩索拉斯（Mausolus）陵墓和"七大奇迹"及其参考书目，见 Peter Clayton and Martin Price, eds., *The Seven Wonders of the Ancient World*（New York: Dorset Press, 1988）. 近来 Nigel Spivey 则有一篇有关摩索拉斯陵墓的优质记述报道，见 Nigel Spivey, *Greek Art*（London: Phaidon Press, 1997）.

〔31〕关于此雕塑，见 Bernard Ashmole, *Architect and Sculptor in Classic Greece*（New York: New York University Press, 1972）, pp. 147-191.

〔32〕更清楚呈现其面貌特色的发掘照片，转载于 Lei Congyun, Yang Yang, and Zhao Gushan, *Imperial Tombs of China*, p. 58.

〔33〕Wu Hung, *Monumentality in Early Chinese Art and Architecture*, pp. 129-130.

〔34〕同上书，p. 121.

〔35〕本报告出自 1998 年 10 月新华社通讯，且已被多次引述。关于此秦代石制盔形物，见段清波 1999 和 1999b。石材在牛河梁所发现的新石器时代红山文化神秘巨构中，亦为一项重要特征；见前引注 25 和 26。

〔36〕Jessica Rawson 的研究为所有关于这类探讨的出色开端。见 Jessica Rawson, "Architectural Decoration in Asia," in Jessica Rawson, The Lotus and the Dragon（London: British Museum, 1984）.

〔37〕包山墓葬收入 Xiaoneng Yang, ed., *The Golden Age of Chinese Archaeology*，pp. 329-344. 更多关

于此墓和漆盒的资料，见湖北省荆沙铁路考古队包山墓地整理小组，《荆门市包山楚墓发掘简报》，载《文物》，1988 年第 5 期，页 1—14。

〔38〕转引自 Paula Swart, "The Tomb of the King of Nan Yue," *Orientations* vol. 21, no. 6 (1990), fig. 1.

〔39〕Rodney S. Young, *Three Great Early Tumuli*, pls. 68-70.

〔40〕关于角状杯的讨论，见 Xiaoneng Yang, ed., *The Golden Age of Chinese Archaeology*, pp. 363-365; 广州市文物管理委员会、广东省博物馆，《西汉南越王墓》(北京：文物出版社，1991)，册 1，页 202；Paula Swart, "The Tomb of the King of Nan Yue."

〔41〕Xiaoneng Yang, ed., *The Golden Age of Chinese Archaeology*, pp. 388-409; 关于南越王墓，见 Xiaoneng Yang, ed., *The Golden Age of Chinese Archaeology*, pp. 410-439.

〔42〕Donald N. Wilbur, *Persepolis* (New York: Thomas Y. Crowell Company, 1969), pp. 75-76.

〔43〕参见 Bruce E. Brooks, "Alexandrian Motif in Chinese Texts," *Sino-Platonic Papers* no. 96 (June 1999), pp. 1-14; Bruce E. Brooks, "Textual Evidence for 04c Sino-Bactrian Contact," in Victor H. Mair, ed., *The Bronze Age of Early Iron Age Peoples of Eastern Central Asia*, pp. 716-726.

〔44〕邢义田，《古代中国及欧亚文献、图像与考古资料中的“胡人”外貌》，《台湾大学美术史研究集刊》，第 9 辑 (2000 年 9 月)，特别是页 26 所附的延伸参考资料。

〔45〕陕西省考古研究所、秦始皇兵马俑博物馆，《秦始皇帝陵园考古报告 1999》(北京：科学出版社，2000)，页 240—251，272—273；又见秦始皇陵考古队，《秦始皇陵园 K9901 试掘报告》，载《考古》，2001 年第 1 期，页 59—73。

〔46〕例见 Pamela A. Webb, *Hellenistic Architectural Sculpture: Figural Motifs in Western Anatolia and the Aegean Island* (Madison: University of Wisconsin Press, 1996), pls. 33-34.

〔47〕Andrew Stewart, *Faces of Power: Alexander's Image and Hellenistic Politics* (Berkeley, Los Angeles, Oxford: University of California Press, 1993), pp. 158-190, color pl. 6 and figs. 35-36、38-39.